P9-AOR-449

Τίτλος Βιβλίου: ΑΙΜΑΤΗΡΗ ΑΛΗΘΕΙΑ
Εκδότης: Κίνηση για ΕΛΕΥΘΕΡΙΑ & ΔΙΚΑΙΟΣΥΝΗ ΣΤΗΝ ΚΥΠΡΟ

Σχεδιασμός Εξωφύλλου - Επιμέλεια: PROGRAPHICS
Εκτύπωση: ΧΑΪΔΕΜΕΝΟΣ Α.Ε.Β.Ε.

Πρώτη Έκδοση: Μάρτιος 2009

Κίνηση για ΕΛΕΥΘΕΡΙΑ & ΔΙΚΑΙΟΣΥΝΗ ΣΤΗΝ ΚΥΠΡΟ
Λεωφ. Βύρωνος 18, 1096 Λευκωσία, Κύπρος
Φαξ: (00357) 22 759594, Email: freedom.justice@cytanet.com.cy

---

Book Title: BLOODY TRUTH
Publisher: Movement for FREEDOM & JUSTICE IN CYPRUS

Cover Design - Supervision: PROGRAPHICS
Printing: HAIDEMENOS SA

First Edition: March 2009

Movement for FREEDOM & JUSTICE IN CYPRUS
18, Byron Avenue, 1096 Nicosia, Cyprus
Fax: (00357) 22 759594, Email: freedom.justice@cytanet.com.cy

ISBN 978-9963-9622-0-4

Μέρος Πρώτο (σελίδες 7 - 192)

Αιματηρή αλήθεια

Part Two (pages 197 - 366)

Bloody truth

Σε εκείνους, που με το αίμα τους έδωσαν
συνέχεια στη δική μας ζωή...

Μέρος Πρώτο

Αιματηρή αλήθεια

ΠΕΡΙΕΧΟΜΕΝΑ

Πρόλογος

Στην νεότερη ιστορία της Κύπρου, το αίμα άρχισε να ρέει πολύ πριν από τη τουρκική εισβολή του 1974, όταν οι Άγγλοι, αρνούμενοι το δικαίωμα του κυπριακού λαού για αυτοδιάθεση, προκάλεσαν τον ένοπλο απελευθερωτικό αγώνα της ΕΟΚΑ και άρχισαν να εφαρμόζουν την αιματηρή μέθοδο του ΔΙΑΙΡΕΙ & ΒΑΣΙΛΕΥΕ.

Η μέθοδος σχεδιάστηκε για εφαρμογή στην Κύπρο πριν από το 1955 και άρχισε να υλοποιείται ενάντια στον απελευθερωτικό αγώνα του '55-'59: Οι Άγγλοι διαχώρισαν του Κυπρίους σε Ελληνοκύπριους και Τουρκοκύπριους (Ε/κ και Τ/κ) και το αίμα των ηρώων της ΕΟΚΑ νοθεύτηκε από εκείνο που άρχισε να χύνεται, ως συνέπεια αυτής της *1ης Διαίρεσης* μεταξύ των Κυπρίων.

Οι Άγγλοι, πείθοντας και τους Αμερικάνους, κράτησαν την φωτιά της διαίρεσης ζωντανή σε όλη την περίοδο μέχρι το 1974, με σταθμούς αίματος την τουρκική ανταρσία το 1963, την ένοπλη αντιπαράθεση Ε/κ και Τ/κ το 1964 και το 1967, την υπόθαλψη της παράνομης ΕΟΚΑ Β' δήθεν για την ΕΝΩΣΗ της Κύπρου με την Ελλάδα (*2η Διαίρεση*, εμφύλια μεταξύ των Ελλήνων της Κύπρου), κλείνοντας τον κύκλο αυτής της περιόδου με την απροκάλυπτη προδοσία της Κύπρου από την Χούντα των Αθηνών και -με αυτήν ως πρόσχημα- την βάρβαρη και παράνομη τουρκική Εισβολή το 1974 (*3η Διαίρεση*, σύνθετη: Οι Τ/κ μετακινούνται και απομονώνονται στον Βορρά με πλήρη εδαφικό διαχωρισμό και οι Ε/κ απομονώνονται δια της βίας στον Νότο, διαχωρισμένοι περαιτέρω σε Πρόσφυγες και μη Πρόσφυγες).

Με εμπνευστές τους Άγγλους, συνεργάτες συγκεκριμένους Έλληνες της Ελλάδας και της Κύπρου και συμπαίχτες τους

Αμερικάνους και τους Τούρκους, επιχειρήθηκε η *4η Διαίρεση* των Ελλήνων της Κύπρου με το Σχέδιο Ανάν το (2002-2004), που την «ανέβαλε» το Δημοψήφισμα της 24ης Απριλίου 2004, όπου το 76% των Ελλήνων της Κύπρου απέρριψε το εκτρωματικό σχέδιο.

Η κύρια συνέπεια από την εφαρμογή του Σχεδίου εκείνου, θα ήταν ο τελειωτικός διαχωρισμός των Ελλήνων της Κύπρου «σε πρόσφυγες που θα επέστρεφαν στην κατεχόμενη κυπριακή γη και σε πρόσφυγες που δεν θα επέστρεφαν», με εμφανή τον κίνδυνο της εμφύλιας διένεξης και της φυγής...

Την ώρα της κυκλοφορίας αυτού του βιβλίου, η πορεία που ακολουθείται για το θέμα της Κύπρου προοιωνίζεται και πάλι καταστροφική για τον κυπριακό Ελληνισμό, με την επάνοδο μιας «λύσης τύπου Ανάν».

Ενισχυτική αυτής της πορείας είναι και ο παγκόσμιος μηχανισμός προπαγάνδας που ανέπτυξε η Τουρκία, στοχεύοντας να αποδείξει ότι για όλα τα δεινά του νησιού υπαίτιοι είναι οι Έλληνες της Κύπρου, οι οποίοι απειλούσαν δήθεν με εθνοκάθαρση τους Τουρκοκυπρίους, εξ ου και η δήθεν «ειρηνευτική επιχείρηση» της Τουρκίας στην Κύπρο, όπως οι Τούρκοι αποκαλούν την βάρβαρη εισβολή του 1974 και την έκτοτε παράνομη κατοχή του 37% του εδάφους της Κυπριακής Δημοκρατίας, που σήμερα είναι έδαφος της Ευρωπαϊκής Ένωσης.

Επίκεντρο της τουρκικής προπαγάνδας αποτελεί η περίοδος των ετών 1955-1967, κατά την οποία η Αγγλία ανέπτυξε την μέθοδο του ΔΙΑΙΡΕΙ & ΒΑΣΙΛΕΥΕ, επιδεικνύοντας μια καθαρά φιλοτουρκική και αμείλικτα ανθελληνική συμπεριφορά.

Σ' αυτά ακριβώς τα χρόνια αίματος αναφέρεται το βιβλίο, για να τεκμηριώσει την αλήθεια....

Κίνηση για ΕΛΕΥΘΕΡΙΑ & ΔΙΚΑΙΟΣΥΝΗ ΣΤΗΝ ΚΥΠΡΟ

Εισαγωγή

1945 – Βρετανική Πολιτική Άρνησης

Οι Άγγλοι λησμόνησαν πολύ νωρίς τις υποσχέσεις, που οι ίδιοι έδιναν αφειδώς στους Κυπρίους.

Το 1940 τους προσκαλούσαν να καταταγούν στον βρετανικό στρατό, «για την Ελλάδα και για τη λευτεριά», εναντίον του Χίτλερ και του Μουσολίνι, αλλά μετά τη νίκη κατά του Ναζισμού και του Φασισμού, οι Άγγλοι δεν έστερξαν να αποδώσουν στην Κύπρο την ελευθερία της και την ένωση της με την Ελλάδα.

Από την πρώτη μέρα που το 1878 οι Άγγλοι πάτησαν το πόδι τους στην Κύπρο ως νέοι αφέντες, αντικαθιστώντας τους Οθωμανούς, οι Κύπριοι δεν σταμάτησαν ποτέ να τους ζητούν την Ένωση με την Ελλάδα.

Οι Κύπριοι για πολλά χρόνια είχαν την πεποίθηση, ότι «το ευγενές, φιλελεύθερο και πολιτισμένο αγγλικό έθνος» όπως το χαρακτήριζαν, θα απέδιδε την Κύπρο στην Ελλάδα, όπως προσέφερε τις Ιονίους Νήσους.

Ωστόσο, ακόμα και οι δηλώσεις ευγνωμοσύνης προς τον ελληνικό ηρωισμό και οι θερμότατες υποσχέσεις του ίδιου του Πρωθυπουργού της Αγγλίας Γουίνστον Τσώρτσιλ στη Λευκωσία διαρκούντος του πολέμου (1943), όπου έλεγε πως

> «όταν τελειώσει ο πόλεμος, το όνομα της Κύπρου θα αναφέρεται με εκτίμηση, όχι μόνο ανάμεσα στους λαούς της Αγγλίας και τους συμπολεμιστές τους των

> Ηνωμένων Εθνών, αλλά και σε όλες τις επερχόμενες γενεές»,[1]

όχι μόνο ήσαν έπεα πτερόεντα και κούφια λόγια, αλλά μετατράπηκαν και σε πεισματική άρνηση του Λονδίνου.

Μια άρνηση, η οποία -πριν ακόμα λήξει ο Β΄ Παγκόσμιος Πόλεμος- εκτοξεύτηκε και από τις κάνες των όπλων της αγγλικής αποικιοκρατικής αστυνομίας στην Κύπρο, ως φονικά βόλια εναντίον αόπλων, πνίγοντας στο αίμα τον ειρηνικό εθνικό εορτασμό της 25ης Μαρτίου 1945, των σημαιοστολισμένων με τις γαλανόλευκες ελληνικές σημαίες Λαϊκών Οργανώσεων Λευκονοίκου.[2]

2004-2008 – Τουρκική Πολιτική Πλήρους Άρνησης

Λόγω αμέλειας της ελληνοκυπριακής πλευράς να αντιπαρατάξει την άμεση και τεκμηριωμένη απάντηση, η τουρκική μηχανή προπαγάνδας, στην προσπάθεια να συγκαλύψει τα διεθνή εγκλήματα της Τουρκίας και να επιτύχει τις μακροπρόθεσμες επεκτατικές της επιδιώξεις στην Κύπρο, κατάφερε να παραποιήσει (με κάποιο βαθμό επιτυχίας) την αλήθεια και τα πραγματικά γεγονότα που αφορούν το ζήτημα της Κύπρου.

Μετά την απόρριψη του Σχεδίου Ανάν από την πλειοψηφία (76%) των Ελληνοκυπρίων στις 24 Απριλίου 2004, τόσο οι Τούρκοι όσο και οι Τουρκοκύπριοι, με την ενθάρρυνση της φιλοτουρκικής πολιτικής του κυβερνώντος βρετανικού Εργατικού Κόμματος, υιοθέτησαν μια διεθνή εκστρατεία ΠΛΗΡΟΥΣ ΑΡΝΗΣΗΣ.

1. Παναγιώτης Σ. Μαχλουζαρίδης «Κύπρος 1940 – 1960 Ημερολόγιο των Εξελίξεων», 1985
2. Φιφής Ιωάννου «ΕΤΣΙ ΑΡΧΙΣΕ ΤΟ ΚΥΠΡΙΑΚΟ», 2005.

Αποδεδειγμένα, πειθαρχούν απόλυτα στις πρόνοιες του ρατσιστικού άρθρου 301 του τουρκικού συντάγματος, που απαγορεύει σε οποιονδήποτε Τούρκο πολίτη να αναφερθεί στις τουρκικές ακρότητες, στην τουρκική εισβολή στην Κύπρο, στα τουρκικά εγκλήματα, τις γενοκτονίες των Αρμενίων και των Ελλήνων και σε οτιδήποτε που επιρρίπτει ευθύνη στην τουρκική κυβέρνηση.

Επιπλέον, έχουν αποδυθεί σε μια έντονη διεθνή εκστρατεία πλήρους άρνησης και προσπάθειας να επιβάλουν αυτές τις πρόνοιες στους Ελληνοκυπρίους, καθώς και σε όποιον τολμά να μιλήσει για τουρκικές ακρότητες και εισβολή της Τουρκίας στην Κύπρο.

Αυτά που ισχυρίζονται ότι υπέφεραν οι Τουρκοκύπριοι τον Δεκέμβριο 1963 και ενωρίς το 1964, στην ουσία ήταν απότοκο των δικών τους ενεργειών, της δικής τους προετοιμασίας για να επιβάλουν την διαίρεση της Κύπρου. Οι κατηγορίες τους κατά των Ελληνοκυπρίων για εκρίζωση των Τουρκοκυπρίων από τα χωριά τους και για «εθνικό ξεκαθάρισμα», ήταν μέρος των δικών τους σχεδίων, που άρχισαν το 1957...

Ο σκοπός αυτού του βιβλίου είναι να αποκαλύψει την αλήθεια των γεγονότων, μέσα από αδιαμφισβήτητα έγγραφα-ντοκουμέντα.

Κεφάλαιο Α: Μέχρι το 1955

Α1: 1950 – Αξιοποίηση Μειονότητας

Απέναντι στην αλματώδη ανάπτυξη που παρουσίαζε προ και μετά το 1950 το ειρηνικό και άοπλο, ενωτικό κίνημα του κυπριακού λαού (κατά πλειοψηφία 82% ελληνικού), οι Βρετανοί έσπευσαν να κινητοποιήσουν και να αξιοποιήσουν, την προσεκτικά φυλαγμένη από τους ίδιους γι' αυτό τον σκοπό και από το 1878, ντόπια οθωμανική και μετέπειτα τουρκική μειονότητα.

Στις 8 Ιουνίου 1949, στην εφημερίδα «Χαλκίν Σεσί» της μειονότητας, δημοσιεύτηκε ότι ο Βρετανός αναπληρωτής κυβερνήτης R.E.Turnbull εξέδωσε εγκύκλιο, με οδηγίες αντικατάστασης του όρου «Μουσουλμάνοι της Κύπρου», που μέχρι τότε χρησιμοποιούσε η βρετανική διοίκηση, με τον όρο «Τουρκοκύπριοι».

Στις 15 Ιανουαρίου 1950, στο Ενωτικό Δημοψήφισμα που διενήργησε η εθνάρχουσα εκκλησία, το 97% των Ελλήνων Κυπρίων ψήφισαν υπέρ της ένωσης της Κύπρου με την Ελλάδα. Η σπουδή τότε των Βρετανών στράφηκε στο «πώς να αξιοποιήσουν τους Τούρκους», υπέρ της συνέχισης της αγγλοκρατίας και εναντίον του αντιαποικιακού κινήματος των Κυπρίων:

Στις 19 Ιανουαρίου 1950, ο Βρετανός πρέσβης στην Αθήνα σημείωσε στην έκθεση του προς το Φόρεϊν Όφις:

> «Το τουρκικό χαρτί δεν είναι εύκολο στον χειρισμό, αλλά χρήσιμο στη δύσκολη θέση που βρισκόμαστε.»[3]

3. Ρόμπερτ Χόλλαντ (Καθηγητής Ιστορίας της Βρετανικής Αυτοκρατορίας και Κοινοπολιτείας, Πανεπιστήμιο Λονδίνου) «Η Βρετανία και ο κυπριακός αγώνας 1954-1959» εκδ. «Ποταμός» 1999, καθώς και έγγραφο Φόρεϊν Όφις FO371/87719, RG1081/104.

Σε συνέντευξη του στις 23 Ιανουαρίου 1950, ο υπουργός Εξωτερικών της Τουρκίας Νετζμεττίν Σαντάκ δήλωσε:

> «Δεν τίθεται ζήτημα που ονομάζεται Κυπριακό. Η Βρετανική Κυβέρνηση δεν πρόκειται να εγκαταλείψει την νήσο Κύπρο σε κάποιο άλλο κράτος.»[4]

Στις 20 Ιουνίου 1950, ο τότε νέος υπουργός Εξωτερικών της Τουρκίας Αλί Φουάντ Κιουπρουλού, επίσης δήλωσε:

> «Για την Τουρκία δεν υφίσταται ζήτημα Κυπριακού.»[5]

Οι προσπάθειες των Βρετανών να κινητοποιήσουν την τουρκική μειονότητα και -μέσω αυτής- την Τουρκία εναντίον των Ελλήνων, ως αντίβαρο στον ειρηνικό αγώνα της Κύπρου για Αυτοδιάθεση – Ένωση, εντάθηκαν σε ύψιστο βαθμό το 1954, όταν η κυβέρνηση των Αθηνών πείσθηκε από τον Κύπριο Εθνάρχη Μακάριο να εισαγάγει το Κυπριακό στον ΟΗΕ.

> «Ακόμα κι όταν οι Βρετανοί άρχισαν να πιέζουν τους Τούρκους για την Κύπρο, το αποτέλεσμα δεν ήταν η άμεση αντίδραση που ήλπιζαν: 'Περίεργα διστακτικοί' και 'περίεργα διφορούμενες απαντήσεις' ήταν οι συνήθεις αντιδράσεις, που έδειχναν την αμηχανία των Βρετανών στο θέμα, όπως μαρτυρούν τα υπηρεσιακά υπομνήματα στο αρχείο του Φόρεϊν Όφις, 31ης Μαρτίου και 6ης Ιουλίου 1954».[6]

> «Είναι αξιοσημείωτο το γεγονός ότι, αρχικά, ήσαν οι Βρετανοί που προσπάθησαν να εξάψουν το ενδιαφέρον των Τούρκων για την Κύπρο και όχι το

4. Φαχίρ Αρμάογλου «Το Κυπριακό Ζήτημα 1954-1959: Η Τουρκική Κυβέρνηση και οι Συμπεριφορές της Κοινής Γνώμης» - Άγκυρα 1963.

5. Φαχίρ Αρμάογλου «Το Κυπριακό Ζήτημα 1954-1959: Η Τουρκική Κυβέρνηση και οι Συμπεριφορές της Κοινής Γνώμης» - Άγκυρα 1963.

6. Ρόμπερτ Χόλλαντ «Η Βρετανία και ο κυπριακός αγώνας 1954-1959» - 1998

αντίστροφο».[7]

Α2: 1954 – Έξαψη των Τούρκων

Την βεβαιότητα υποκίνησης των Τούρκων από τους Άγγλους διατυπώνει και ο Τουρκοκύπριος συγγραφέας Αρίφ Χασάν Ταχσίν[8], όπου αναφέρεται και στον τότε ηγέτη των Τ/κ, γιατρό Φαζίλ Κιουτσούκ:

> «Η Τουρκία είχε πει δεν έχουμε Κυπριακό πρόβλημα και ο Κιουτσούκ θα έπρεπε να προσπαθήσει πολλά χρόνια, μαζί με τους φίλους του, να αποδεχτεί η Τουρκία τους Τουρκοκυπρίους.
>
> Προσπαθούσε ως ηγέτης των Τουρκοκυπρίων να βρει τρόπους παρεμπόδισης της Ένωσης. Και για προστάτη, φυσικά, διάλεξε την Τουρκία. Αλλά η Τουρκία δεν δέχτηκε εύκολα αυτό τον ρόλο. Δεν ήταν εύκολο να αναλάβει τον μπελά που λέγεται Κύπρος.
>
> Ο Φαΐζ Καϊμάκ (πρόεδρος της Ομοσπονδίας Τουρκοκυπριακών Οργανώσεων) πάντα το έλεγε:
>
>> «Είχαμε πάει τότε μαζί με τον Μπερμπέρογλου στον Αντνάν Μεντερές (πρωθυπουργό της Τουρκίας). Ο Μεντερές μας είπε 'να πάτε στην Αγγλία και να πείτε ότι θέλετε τη συνέχιση του status quo στην Κύπρο'.
>>
>> Ο Άγγλος υπουργός Εξωτερικών μας απάντησε: 'Είναι ντροπή, σ' αυτή την εποχή, να ζητάτε τη συνέχιση της αποικιοκρατίας'.

7. Ρόμπερτ Χόλλαντ «Η Βρετανία και ο κυπριακός αγώνας 1954-1959» - 1998
8. «Η άνοδος του Ντενκτάς στην κορυφή» - 2001, Εκδόσεις «Αρχείο».

Όταν τον ρωτήσαμε τι να κάνουμε, μας είπε: 'Να ζητήσετε να επιστραφεί η Κύπρος στον παλιό κάτοχο της (την Τουρκία). Αλλά όχι από εμάς. Να το ζητήσετε από τους Αμερικανούς'.

Όταν τον ρωτήσαμε πώς θα γινόταν κάτι τέτοιο, μας είπε ότι θα έπρεπε να πάμε στην Αμερική. Του είπαμε ότι δεν είχαμε ούτε χρήματα ούτε βίζα. Μας απάντησε ότι θα μας εξασφάλιζαν και χρήματα και βίζα. Όταν τον ρωτήσαμε σε ποιον θα το λέγαμε στην Αμερική, μας απάντησε ότι θα το κανόνιζαν και εκείνο.

Πήγαμε λοιπόν στην Αμερική. Στο αεροδρόμιο μας περίμεναν οι δημοσιογράφοι. Μας έκαναν ερωτήσεις. Κι εμείς είπαμε ότι η Κύπρος έπρεπε να επιστραφεί στον παλιό της κάτοχο.

Μετά συναντήσαμε τον Άγγλο πρέσβη, ο οποίος μας είπε: 'Να πάτε στον πρέσβη της Τουρκίας και να του πείτε να κάνει αύριο μια ομιλία στα Ηνωμένα Έθνη και να πει ότι η Κύπρος πρέπει να επιστραφεί στον πρώην κάτοχο της'.

Πήγαμε στον πρέσβη και του το είπαμε. Τότε πρέσβης ήταν ο Σελίμ Σαρπέρ. Δεν μπορώ να κάνω κάτι τέτοιο, μας είπε, δεν έχω τέτοια εντολή από την κυβέρνηση της Τουρκίας.

Ξαναπήγαμε στον Άγγλο πρέσβη και του εξηγήσαμε την κατάσταση. 'Ας του μιλήσω κι εγώ μια φορά', μας είπε.

Αφού συναντήθηκε με τον Άγγλο πρέσβη, ο Σελίμ Σαρπέρ μας κάλεσε να του δώσουμε πληροφορίες. Ετοιμάστηκε και την άλλη μέρα έκανε μια ομιλία στα Ηνωμένα Έθνη και είπε:

'Εάν η Αγγλία αποσυρθεί από την Κύπρο, τότε το νησί θα πρέπει να επιστραφεί στον πρώην κάτοχο της'.

Ο Μπουρχάν Ναλμπάντογλου, σε μια συζήτηση για τις προσπάθειες αυτές της Αγγλίας να βάλει την Τουρκία στην υπόθεση της Κύπρου, είπε τα εξής:

'Ο [Άγγλος] κυβερνήτης είχε καλέσει τον δόκτορα Κιουτσούκ και τον ρώτησε εάν η Τουρκία θέλει την Κύπρο. Ο γιατρός του είπε ότι δεν ήξερε. Τότε ο κυβερνήτης του είπε να πάει στην Άγκυρα να τους ρωτήσει. Στον γυρισμό ο Κιουτσούκ του είπε ότι η Τουρκία δεν ήθελε την Κύπρο.

Τότε ο κυβερνήτης του είπε: 'Να πας ξανά και να τους πεις να τη θέλουν'. Ο γιατρός ξαναπήγε στην Άγκυρα, αλλά η απάντηση ήταν η ίδια: 'Η Τουρκία δεν θέλει την Κύπρο'.

Μετά από αυτό ανέλαβε δράση ο πρεσβευτής της Αγγλίας στην Άγκυρα και η Τουρκία άλλαξε γνώμη. Κι έτσι λύθηκε το πρόβλημα.»[9]

9. Τα γεγονότα που αναφέρει ο Αρίφ Χασάν Ταχσίν, επιβεβαιώνονται και από αναφορά που υπέγραψαν οι Φαΐζ Καϊμάκ, Μιτχάτ Μπερμπέρογλου και Αχμέτ Ζαΐμ, ως η αντιπροσωπεία που είχε σταλεί από τους Άγγλους στην Αμερική το 1954 και που επίσης πήγαν στην Άγκυρα για συνομιλίες με τον πρωθυπουργό Αντνάν Μεντερές και τον πρόεδρο Τζελάν Μπαγιάρ. Η αναφορά τους δημοσιεύτηκε στα «Απομνημονεύματα» του Φ. Καϊμάκ και ως «Παράρτημα» στο βιβλίο του Ταχσίν.

Τα ίδια γεγονότα, επίσης επιβεβαιώνονται στο τηλεγράφημα (Ν. 338, 22 Ιουνίου 1955) του Βρετανού πρέσβη στην Άγκυρα προς το Foreign Office στο Λονδίνο υπό τον τίτλο «Παραστάσεις προς την Ελληνική Κυβέρνηση για την Κύπρο», που έγραφε: *[...] Ο Τούρκος πρωθυπουργός ρώτησε στο τέλος Απριλίου «κατά πόσο θα ήταν βοηθητικό εάν η τουρκική κυβέρνηση έκαμνε παραστάσεις προς την Αθήνα αναφορικά με τις πρόσφατες εξελίξεις στην Κύπρο». Απαντήσαμε ότι «νομίζουμε πως θα ήταν βοηθητικό εάν η τουρκική κυβέρνηση εκφράσει γενικό ενδιαφέρον προς την ελληνική κυβέρνηση, με ειδική αναφορά στην ασφάλεια της τουρκικής μειονότητας στην Κύπρο». Μέχρι στιγμής, δεν έχουν γίνει παραστάσεις...* (Έγγραφο Φόρεϊν Όφις FO 286/1279)

Οι Τουρκοκύπριοι αριστεροί Ιμπραχίμ Χασάν Αζίζ (γεωπόνος) και Νουρεττίν Μεχμέτ Σεφέρογλου (συνδικαλιστής), μετά από τη δολοφονία του συντρόφου τους Ντερβίς Αλί Καβάζογλου, σε έκδοσή τους το 1965 την οποία υπέγραφαν «εκ μέρους της Πατριωτικής Οργάνωσης Τούρκων Κυπρίων» και με τίτλο «Θύματα Φασιστικής Τρομοκρατίας», ανέφεραν και τα εξής:

> «Το ιμπεριαλιστικό δόγμα «διαίρει και βασίλευε» είναι η βάση της αποικιακής πολιτικής των Άγγλων σε όλους τους τόπους, σ' όλες τις εποχές.
>
> Όταν, κατά την διάρκεια των μεταπολεμικών χρόνων, ο αντιαποικιακός αγώνας του κυπριακού λαού άρχισε να οργανώνεται συστηματικά, να εντείνεται, να εκδηλώνεται ολοένα και πιο μαχητικά και να επηρεάζει την προοδευτική μερίδα των Τούρκων εργαζομένων, οι Βρετανοί αποικιστές προσεταιρίστηκαν την τουρκοκυπριακή σοβινιστική ηγεσία, με σκοπό να ενισχύσουν την θέση της μέσα στον τουρκοκυπριακό πληθυσμό, να την προβάλουν σαν το αντίπαλο δέος της ελληνοκυπριακής πλευράς και να την αντιπαρατάξουν στον αγώνα της για αυτοδιάθεση.
>
> Συστηματικά και μεθοδικά καλλιέργησαν ανάμεσα στην κοινότητά μας το διαιρετικό πνεύμα, υποδαύλιζαν τα σοβινιστικά πάθη, το φανατικό μίσος και τις φυλετικές αντιθέσεις και μπόρεσαν έτσι, την κατάλληλη στιγμή, να προκαλέσουν βαθύ ρήγμα ανάμεσα στον κυπριακό λαό, Έλληνες και Τούρκους.
>
> Στη διάρκεια της δεκαετίας 1950-1960 η σοβινιστικοί τουρκοκυπριακή ηγεσία, σε συνεργασία με την αντιδραστική κυβέρνηση Μεντερές, πιστός υπηρέτης των Βρετανών αποικιστών, προσπαθεί να καθυποτάξει

την κοινότητα μας και να διασπάσει την ενότητα του κυπριακού λαού.

Το 1958, με τις τρομοκρατικές της ομάδες οργανώνει, με την έμπνευση και βοήθεια των αποικιστών, βανδαλισμούς και επιθέσεις εναντίον Ελλήνων και ανοίγει ο δρόμος για τη σημερινή τραγωδία του κυπριακού λαού...».

Κεφάλαιο Β: 1955-1962

Β1: 1955 – Λονδίνο και Σεπτεμβριανά

Οι έντονες προσπάθειες της Βρετανίας να εξωθήσει την τουρκική μειονότητα της Κύπρου και την Τουρκία εναντίον του απελευθερωτικού αγώνα της Κύπρου, ανελήφθησαν και απέδωσαν προτού αρχίσει ο ένοπλος αντιαποικιακός αγώνας της ΕΟΚΑ (την 1η Απριλίου 1955).

Η κινητοποίηση των Τούρκων δεν υπήρξε αποτέλεσμα του ότι υπέστησαν οποιοδήποτε πλήγμα από την ΕΟΚΑ, όπως εκ των υστέρων ψευδώς προβλήθηκε. Χρονικά, η «έξαψη των Τούρκων» προηγήθηκε της ΕΟΚΑ.

Το Λονδίνο όμως, δεν αρκέστηκε μόνο στην αξιοποίηση των Τούρκων της Κύπρου και στις απευθείας επαφές του με την τουρκική κυβέρνηση για να εξάψει το ενδιαφέρον της Άγκυρας για το Κυπριακό. Χρησιμοποίησε και «μοχλούς πίεσης» (opinion leaders) εντός Τουρκίας, που υποκίνησαν και εκτόξευσαν στα ύψη, θερμόαιμο το ενδιαφέρον της τουρκικής Κοινής Γνώμης.

Δύο από τους πρωταγωνιστές πυροδότησης των ανθελληνικών αισθημάτων στην τουρκική κοινή γνώμη, υπήρξαν η οργάνωση «Η Κύπρος είναι τουρκική», που ιδρύθηκε τον Αύγουστο του 1954 (δηλαδή οκτώ μήνες πριν από την έναρξη του αγώνα της ΕΟΚΑ) με πρόεδρο τον δικηγόρο και δημοσιογράφο της εφημερίδας «Χουριέτ» Χικμέτ Μπιλ, καθώς και ο τουρκικός τύπος γενικότερα, με πρώτη τη «Χουριέτ».

Β2: 1955 – Δρ. Φαζίλ Κιουτσούκ και ΑΚΕΛ

Στο όργιο έξαψης του ανθελληνικού μίσους στην Τουρκία, σημαντικό ρόλο έπαιξε αποδεδειγμένα η σύζευξη του Τουρκοκύπριου ηγέτη Φαζίλ Κιουτσούκ, με τον Χικμέτ Μπιλ και την οργάνωση «Η Κύπρος είναι τουρκική».

Με το όνομα της οργάνωσης αυτής, ο Κιουτσούκ αντικατέστησε τον Ιούνιο του 1955 το όνομα του κόμματός του που έως τότε ήταν «Εθνική Τουρκική Ένωση Κύπρου».

Στις 13 Αυγούστου 1955, ο Κιουτσούκ έστειλε επιστολή από την Κύπρο στον Χικμέτ Μπιλ στην Κωνσταντινούπολη, γράφοντας ότι «οι Έλληνες Κύπριοι ετοίμαζαν συλλαλητήριο στις 28 Αυγούστου, για να εξαπολύσουν επίθεση γενοκτονίας κατά των Τουρκοκυπρίων».[10]

Η επιστολή Κιουτσούκ έγινε αμέσως κύριο θέμα στην προπαγάνδα του τουρκικού Τύπου. Παρά το αβάσιμο της, η χαλκευμένη είδηση «για επικείμενη σφαγή» υιοθετήθηκε επίσημα από τον πρωθυπουργό Μεντερές, σε εμπρηστικές δηλώσεις του στην Κωνσταντινούπολη στις 24 Αυγούστου 1955.

Το συλλαλητήριο της 28ης Αυγούστου 1955, που κατά τον Κιουτσούκ θα αποτελούσε την έναρξη της «γενοκτονίας των Τουρκοκυπρίων», είχε προαναγγελθεί από το ΑΚΕΛ, εν όψει της Τριμερούς Διάσκεψης (μεταξύ Βρετανίας-Ελλάδας-Τουρκίας) που άρχιζε εκείνες τις μέρες στο Λονδίνο. Τούρκος συγγραφέας, ο Αχμέτ Αν, αναφέρει επί τούτου:

> «Ακόμα και οι εγγλέζικες υπηρεσίες της Κύπρου, που πολεμούσαν την ΕΟΚΑ, δεν είχαν παρουσιάσει κανένα στοιχείο σχετικά με τον σχεδιασμό ή ακόμη και

10. Νεοκλής Σαρρής «Η Άλλη Πλευρά» και Αχμέτ Αν «Πώς το Κυπριακό μετατράπηκε σε εθνική υπόθεση της Τουρκίας».

την ιδέα μιας τέτοιας επίθεσης. Πόσο μάλλον, που η διοργάνωση μιας επίθεσης εναντίον των Τουρκοκυπρίων δεν ταίριαζε με την πολιτική της ΕΟΚΑ εκείνης της περιόδου. Διότι, οι φήμες για την επικείμενη επίθεση είχαν αρχίσει να διαδίδονται στις 13 Αυγούστου, δηλαδή πέντε εβδομάδες μετά το μοίρασμα μιας προκήρυξης της ΕΟΚΑ, η οποία ανέφερε τις καλές προθέσεις της έναντι της τουρκοκυπριακής κοινότητας.

Ο ηγέτης της ΕΟΚΑ Διγενής Γρίβας, στην προκήρυξή του διευκρίνιζε ότι η τουρκοκυπριακή κοινότητα δεν διέτρεχε κανένα κίνδυνο και έλεγε ότι η προστασία της τουρκοκυπριακής κοινότητας, αποτελούσε τόσο μια διαταγή προς τους αντάρτες της ΕΟΚΑ, όσο και ζήτημα στρατιωτικής υπόληψης.

Πράγματι, το καλοκαίρι και το φθινόπωρο του 1955 η ΕΟΚΑ κράτησε τον λόγο της και δεν επιτέθηκε στην τουρκοκυπριακή κοινότητα. Συνεπώς, οι φήμες για την επίθεση της ΕΟΚΑ με σκοπό τη γενοκτονία των Τουρκοκυπρίων ήταν εντελώς ανυπόστατες.[...]

Στη πρόσκληση του ΑΚΕΛ για το συλλαλητήριο της 28ης Αυγούστου, δεν υπήρχαν αντιτουρκικές αναφορές. Τουναντίον, το ΑΚΕΛ υποστήριζε τη συνεργασία των Τουρκοκυπρίων με τους Ελληνοκυπρίους.[...] Η φήμη ότι στις 28 Αυγούστου θα επιτεθεί στους Τουρκοκυπρίους ήταν εντελώς αβάσιμη.[...] Την Κυριακή 28 Αυγούστου [1955] οι Έλληνες κομμουνιστές διαδήλωσαν στην Κύπρο και η μέρα έληξε χωρίς να ανοίξει τουρκοκυπριακό ρουθούνι. Η μοναδική πράξη βίας που συντελέστηκε εκείνη τη μέρα από την ΕΟΚΑ, ήταν η εκτέλεση ενός Ελληνοκύπριου αστυνομικού που εργαζόταν στις Ειδικές Δυνάμεις [των Άγγλων].»[11]

Μετά την ανατροπή της κυβέρνησης Μεντερές από το στρατιωτικό πραξικόπημα της 27ης Μαΐου 1960 στην Τουρκία, οι δημοκρατικοί Τουρκοκύπριοι Ιχσάν Αλί, Αϊχάν Χικμέτ, Αχμέτ Μουζαφέρ Γκιουρκάν κ.ά. που εναντιώνονταν στους Κιουτσούκ και Ντενκτάς, απαιτούσαν να λογοδοτήσει μαζί με τον Μεντερές και ο Κιουτσούκ για τα Σεπτεμβριανά του 1955 στην Κωνσταντινούπολη, για εκείνη την επιστολή του Αυγούστου 1955.

Για το ίδιο θέμα, θα προστεθούν σε κατοπινό κεφάλαιο και άλλες αναφορές. Εν πάση όμως περιπτώσει, το γεγονός είναι ότι, η πρώτη φορά, που η τουρκική προπαγάνδα γέννησε τον μύθο περί δήθεν «προθέσεων των Ελλήνων να εξαπολύσουν γενοκτονία και να αφανίσουν την τουρκική μειονότητα της Κύπρου», ήταν τον Αύγουστο του 1955.

Η ίδια προπαγάνδα και ο ίδιος μύθος θα επανέρχονταν εντονότερα και την επόμενη δεκαετία, μετά την έναρξη της ένοπλης Τουρκανταρσίας του 1963-64 εναντίον της Κυπριακής Δημοκρατίας.

Ο επίμονος, πάγιος, κεντρικός μύθος όλης της καριέρας του Ραούφ Ντενκτάς κατά τις επόμενες δεκαετίες, ήταν «η σφαγή των Τουρκοκυπρίων από τους Έλληνες του αιμοσταγούς Μακαρίου».

Β3: 1955 – Ναζίμ Χικμέτ και Αζίζ Νεσίν

Όμως, η σπουδή του Φαζίλ Κιουτσούκ να χαλκεύσει τον Αύγουστο του 1955 την είδηση περί δήθεν «σχεδιασμού

11. Από την μελέτη του Τούρκου συγγραφέα Αχμέτ Αν, με τίτλο «Πώς το Κυπριακό μετατράπηκε σε 'εθνική υπόθεση' της Τουρκίας – Σεπτεμβριανά και Κυπριακό» - 5 Σεπτεμβρίου 2001.

γενοκτονίας των Τουρκοκυπρίων από το κομμουνιστικό ΑΚΕΛ και την έναρξη των σφαγών με το συλλαλητήριο του ΑΚΕΛ της 28ης Αυγούστου 1955», είναι και από μια άλλη άποψη ενδιαφέρουσα επειδή:

Τον Απρίλιο του 1955, μετά την έναρξη του αντιαποικιακού-απελευθερωτικού αγώνα της ΕΟΚΑ, είχε προηγηθεί η δημόσια έκκληση του Τούρκου κομμουνιστή ποιητή Ναζίμ Χικμέτ προς τους Τούρκους της Κύπρου «να συνταχθούν εναντίον της βρετανικής αποικιοκρατίας»:[12]

> «Στις φωνές των προοδευτικών ανθρώπων όλου του κόσμου υπέρ του δικαιώματος της αυτοδιαθέσεως της Κύπρου και της Ενώσεώς της με την Ελλάδα, ήρθε να προστεθή χθες και η φωνή -η μόνη μέχρι στιγμής από τουρκικής πλευράς- του μεγάλου Τούρκου ποιητού Ναζίμ Χικμέτ. Ο Χικμέτ απηύθυνε μήνυμα στους Τούρκους της Κύπρου, στο οποίο τονίζει ότι 'η Κύπρος ήταν πάντοτε ελληνική και δεν υπάρχει κανένα ζήτημα για την ελληνικότητα της νήσου. Η πλειοψηφία των κατοίκων της είναι Έλληνες και δίκαια αγωνίζονται για την Ένωσιν της νήσου με την Ελλάδα'. Απευθυνόμενος ειδικότερα στην τουρκική μειονότητα της Κύπρου, ο Τούρκος ποιητής τονίζει ότι 'πρέπει να συνεργασθεί με τους Έλληνες Κυπρίους για την απαλλαγή της νήσου από τον Αγγλικό ιμπεριαλισμό. Μόνο όταν η νήσος απαλλαγή από τους Άγγλους ιμπεριαλιστάς, οι Τούρκοι κάτοικοί της θα μπορέσουν να ζήσουν πραγματικά ελεύθεροι. Κι αυτό δεν μπορεί να γίνει παρά με την ενότητα του Κυπριακού λαού, με τη συνεργασία από Τούρκους και Έλληνες Κυπρίους στην πάλη εναντίον του ξένου δυνάστου [...] Εκείνοι που προσπαθούν να στρέψουν τους Τούρκους

12. Αριστερή εφημερίδα «ΑΥΓΗ», Αθήνα 17 Απριλίου 1955.

εναντίον των Ελλήνων, μόνον το συμφέρον του ξένου κατακτητή εξυπηρετούν'.»

Εκείνο το μήνυμα, που ο Ναζίμ Χικμέτ είχε απευθύνει από τη Μόσχα όπου ο ίδιος είχε καταφύγει, αξιοποιήθηκε για την σύλληψη «αριστερών ενόχων», την επόμενη του ανθελληνικού πογκρόμ, που η κυβέρνηση Μεντερές εξαπέλυσε οργανωμένα με τους ειδικά προς τούτο μεταφερθέντες τουρκικούς όχλους εναντίον των Ελλήνων της Κωνσταντινούπολης.

Η τουρκική κυβέρνηση απέδωσε το όργιο των καταστροφών σε δήθεν κομμουνιστική συνομωσία. Η δε τουρκική αστυνομία έσπευσε να συλλάβει όσους γνωστούς τότε αριστερούς Τούρκους μπόρεσε να βρει, με την κατηγορία ότι δήθεν οργάνωσαν τις καταστροφές της 6ης και 7ης Σεπτεμβρίου 1955. Ένας από τους συλληφθέντες ήταν και ο μετέπειτα παγκόσμια γνωστός αριστερός Τούρκος ευθυμογράφος Αζίζ Νεσίν. Η Τουρκάλα ιστορικός Ντιλέκ Γκιουβέν επισημαίνει ότι:

> «Ως απόδειξη για την εμπλοκή της Κομιντέρν [Κομμουνιστικής Διεθνούς] στα έκτροπα, υποδεικνύονται κυρίως δύο γράμματα του κομμουνιστή ποιητή Ναζίμ Χικμέτ, που είχε καταφύγει στη Σοβιετική Ένωση, με τα οποία απευθυνόταν στους Τούρκους εργάτες στην Κύπρο, καλώντας τους να δράσουν από κοινού με τους Έλληνες εργάτες εναντίον των ιμπεριαλιστών καταπιεστών του νησιού».[13]

Ο Τούρκος συγγραφέας Αζίζ Νεσίν, έγραψε για τα Σεπτεμβριανά 1955:

13. Ντιλέκ Γκιουβέν (Καθηγήτρια Ιστορίας, Πανεπιστήμιο Σαμπαντζί Κωνσταντινούπολης) «Εθνικισμός, κοινωνικές μεταβολές και μειονότητες - Τα επεισόδια εναντίον των μη μουσουλμάνων της Τουρκίας 6/7 Σεπτεμβρίου 1955», με βάση τα επίσημα τουρκικά αρχεία και τα επίσημα αρχεία του αμερικανικού προξενείου της Πόλης.

«Τη νύχτα της 6/7 Σεπτεμβρίου η Πόλη κάηκε και γκρεμίστηκε και οι ζημιές ξεπέρασαν το δισεκατομμύριο, τότε η Κυβέρνηση [Μεντερές] τα έχασε και ξεσηκώθηκε να σκαρώσει φταίχτη γι' αυτό το αδίκημα. Στο τέλος επειδή κανείς δεν ανελάμβανε την προστασία των κομμουνιστών, έριξε την ευθύνη πάνω σε εξήντα αριστερούς που κατά τύχη συνέλαβε απ' εδώ κι απ' εκεί. Έτσι, τους εξήντα αυτούς αριστερούς που δεν είχανε ιδέα γι' αυτή την καταστροφή, τους έκλεισε έναν προς έναν σε κελιά των στρατιωτικών φυλακών του Χαρμπιγιέ. Τότε ήμουν και εγώ ένας από τους δήθεν κατηγορούμενους που κλείστηκαν σε μοναχικό κελί με την κατηγορία ότι κάψαμε και ρημάξαμε την Πόλη».[14]

Η σπουδή της κυβέρνησης Μεντερές για «εξιχνίαση της κομμουνιστικής συνωμοσίας», σχετιζόταν, βεβαίως, με τα όσα προσδοκούσε από τη μεγάλη σύμμαχο της τις ΗΠΑ, εν καιρώ Ψυχρού Πολέμου ΗΠΑ – ΕΣΣΔ και ισχυριζόταν ότι:

«Μόνο εξαιτίας συγκεκριμένων σκοπών της Κομινφόρμ και της Κομιντέρν έγιναν αντικείμενο επίθεσης οι Έλληνες υπήκοοί μας. Με πρόσχημα τον εθνικό ξεσηκωμό θα σαμποτάρονταν η ελληνοτουρκική φιλία, το Βαλκανικό Σύμφωνο και η συμμαχία του ΝΑΤΟ.»[15]

14. Η μαρτυρία του Αζίζ Νεσίν παρατίθεται, μαζί με άλλων αριστερών Τούρκων συγγραφέων, στο βιβλίο του Κωνσταντινουπολίτη καθηγητή πανεπιστημίου και τουρκολόγου Νεοκλή Σαρρή «Η Άλλη Πλευρά» (τόμος 2, βιβλίο Α-Ι).

15. Έκθεση της τουρκικής αστυνομίας που συνέλαβε τους εξήντα αριστερούς για τα Σεπτεμβριανά του 1955, όπως την παραθέτει στο βιβλίο «Εθνικισμός, κοινωνικές μεταβολές και μειονότητες – Τα επεισόδια εναντίον των μη μουσουλμάνων της Τουρκίας 6/7 Σεπτεμβρίου 1955», η Τουρκάλα ιστορικός Ντιλέκ Γκιουβέν.

Β4: 1955 – Βρετανική Χρηματοδότηση

«Η βρετανική πίεση προς την τουρκική κυβέρνηση να υιοθετήσει επιθετική στάση στο Κυπριακό είχε ήδη αποφέρει καρπούς, και πράγματι υπάρχει η υποψία ότι ο τουρκικός τύπος, ιδιαίτερα η 'Βατάν' και η 'Χουριέτ' (που η κυκλοφορία της είχε ξαφνικά εκτοξευτεί στα ύψη), χρηματοδοτούνταν από τους Βρετανούς. Ο Χικμέτ Μπιλ και ο Αχμέτ Εμίν Γιαλμάν [δημοσιογράφοι και ηγετικά στελέχη της οργάνωσης 'Η Κύπρος είναι τουρκική'] άρχισαν να ταξιδεύουν στο Λονδίνο και στην Κύπρο, ενώ ο Μπιλ βοήθησε επίσης να οργανωθεί συλλαλητήριο 5.000 Τούρκων που ζούσαν στο Λονδίνο»[16].

«Ως ερευνητικό αποτέλεσμα που εκπλήσσει μπορεί, τέλος, να αναφερθεί η φαινόμενη ως πιθανή ανάμειξη της βρετανικής κυβέρνησης στον σχεδιασμό των 'Σεπτεμβριανών'. Οι ολοένα εντονότερες αξιώσεις της ελληνορθόδοξης πλειονότητας στην Κύπρο για προσάρτηση στη μητέρα Ελλάδα (Ένωσις) έκαναν τη βρετανική αποικιοκρατική δύναμη να συγκαλέσει στο Λονδίνο μια συνδιάσκεψη από τις 27 Αυγούστου ως τις 7 Σεπτεμβρίου 1955, στην οποία προσκλήθηκαν οι κυβερνήσεις της Τουρκίας και της Ελλάδας. Στόχος του Λονδίνου ήταν κυρίως να καταστήσει ολοφάνερο στους Έλληνες ότι υπήρχε και η τουρκική αξίωση, όσον αφορά την Κύπρο. Ούτως εχόντων των πραγμάτων ένας Βρετανός διπλωμάτης εξέφρασε μάλιστα και την ευχή πως 'επεισόδια κατά της ελληνικής μειονότητας στην Τουρκία θα μπορούσαν να τους

16. Από το λεπτομερειακά τεκμηριωμένο βιβλίο του Ελληνοαμερικάνου βυζαντινολόγου Σπύρου Βρυώνη «Ο Μηχανισμός της Καταστροφής – το τουρκικό Πογκρόμ της 6ης-7ης Σεπτεμβρίου 1955 και ο αφανισμός της ελληνικής κοινότητας της Κωνσταντινούπολης».

φανούν πολύ χρήσιμα'. Έτσι ήδη τον Αύγουστο του 1954 η βρετανική πρεσβεία στην Αθήνα προφήτευσε επιδείνωση στις ελληνοτουρκικές σχέσεις εξαιτίας ενός πιθανού γεγονότος στη Θεσσαλονίκη, στο σπίτι όπου είχε γεννηθεί ο Ατατούρκ [και όπου στις 5 Σεπτεμβρίου του επόμενου έτους, 1955, όντως εξερράγη προβοκατόρικος τουρκικός εκρηκτικός μηχανισμός, «έναυσμα» του πογκρόμ των Σεπτεμβριανών]. Σε κάθε περίπτωση, στα αρχεία ανιχνεύονται πολλά στοιχεία που τεκμηριώνουν τη συμμετοχή των Βρετανών στο σχεδιασμό των επεισοδίων...»[17].

Επί του ιδίου θέματος ο Βρετανός ιστορικός Ρόμπερτ Χόλλαντ προσθέτει ότι:

> «Ένας αστάθμητος παράγοντας εδώ είναι η αυξανόμενη ανάμειξη του ΜΙ5 [βρετανικής μυστικής υπηρεσίας] στο Κυπριακό».[18]

Σε σχόλιο του, το ειδησεογραφικό πρακτορείο Ρώητερ τηλεγραφεί τα εξής:

> «Πραγματικώς, όταν η κυβέρνησις Αγκύρας δεν ενδιεφέρετο περί Κύπρου και ο τότε υπουργός των Εξωτερικών Κιοπρουλού διεκήρυττε ότι 'διά την Τουρκίαν δεν υφίσταται Κυπριακόν ζήτημα', η εν Κωνσταντινουπόλει Ιντέλλιτζενς Σέρβις, προς αντίδρασιν εις τας ελληνικάς ενεργείας, υπεκίνησεν τους εκεί Τουρκοκυπρίους φοιτητάς και δι' αυτών την φοιτητικήν ένωσιν, διά του Τουρκοκυπρίου καθηγητού της Ιατρικής Σχολής του Πανεπιστημίου

17. Από το βιβλίο «Εθνικισμός, κοινωνικές μεταβολές και μειονότητες – Τα επεισόδια εναντίον των μη μουσουλμάνων της Τουρκίας 6/7 Σεπτεμβρίου 1955», της Τουρκάλας ιστορικού Ντιλέκ Γκιουβέν.

18. Ρόμπερτ Χόλλαντ «Η Βρετανία και ο κυπριακός αγώνας 1954-1959» - 1998.

Κωνσταντινουπόλεως Ντερβίς Μανισαλή, να προβούν εις εκδηλώσεις περί Κύπρου, διατυπούντες τουρκικάς απαιτήσεις».[19]

Β5: 1955 – Μεντερές και Ζορλού

Η επιτυχία του Λονδίνου να εξωθήσει την ανάμειξη της Τουρκίας στο Κυπριακό, σηματοδοτείται και από την απόφαση του Τούρκου πρωθυπουργού να αντικαταστήσει τον υπουργό των Εξωτερικών Φουάτ Κιοπρουλού τον Ιούλιο του 1955, με τον μέχρι τότε υπουργό Προεδρίας Φατίν Ρουστού Ζορλού, που η Άγκυρα θεωρούσε ατρόμητο και αλύγιστο διπλωμάτη, δυναμικό στην εξωτερική πολιτική, με τρομερή διαίσθηση και άμεση αποφασιστικότητα.

Πρώτη ενέργεια του Ζορλού ήταν η συγκρότηση ειδικής επιτροπής, για την μελέτη και τον καθορισμό της τουρκικής στρατηγικής και τακτικής στο Κυπριακό. Να σημειωθεί, ότι οι τότε σχέσεις στρατού και πολιτικών στην Τουρκία, δεν είχαν ακόμα διαμορφωθεί στον πλήρη έλεγχο των δεύτερων από το Γενικό Επιτελείο, γεγονός που θεσμοθετήθηκε μετά το στρατιωτικό πραξικόπημα της 27ης Μαΐου 1960 και την εγκαθίδρυση του Συμβουλίου Εθνικής Ασφαλείας της Τουρκίας.

Στην επιτροπή, πάντως, μετείχαν:

- Ο υπαρχηγός του Γενικού Επιτελείου των τουρκικών Ενόπλων Δυνάμεων, στρατηγός Ρουστού Ερντελχούν,
- ο γενικός γραμματέας του υπουργείου Εξωτερικών Μουχαρρέμ Νουρί Μπιργκί,

19. Πληροφοριακό σημείωμα της ελλαδικής ΚΥΠ (Κρατική Υπηρεσία Πληροφοριών), ημερομηνίας 19 Ιουλίου 1960.

- ο πρέσβης στην Αθήνα Σεττάρ Ικσέλ,
- ο γενικός διευθυντής του υπουργείου Εξωτερικών Ορχάν Εράλπ και
- ο διπλωμάτης Μαχμούτ Ντικερντέμ.

Με πρόεδρο τον Ζορλού, η επιτροπή ανέλαβε δύο κύριους στόχους:

1. Να πείσει με τεκμήρια ότι η Τουρκία έχει δικαιώματα επί της Κύπρου, τουλάχιστον όσα και η Ελλάδα και το καταστήσει γνωστό παγκοσμίως.
2. Να διοχετεύσει κάθε δυνατή βοήθεια στους Τουρκοκυπρίους ώστε να ενδυναμώσει τις αντοχές τους στις πιέσεις.

Πρώτος θρίαμβος του Ζορλού και της νέας τουρκικής πολιτικής στο Κυπριακό, θεωρήθηκε η άκρως αποδοτική προσυνεννόηση με τον Βρετανό υπουργό Εξωτερικών Χάρολντ Μακμίλαν (της κυβέρνησης του σερ Άντονι Ήντεν) στην Τριμερή Διάσκεψη του Λονδίνου 27 Αυγούστου – 7 Σεπτεμβρίου 1955, όπου η Βρετανία έσυρε και παγίδευσε την ελληνική κυβέρνηση στην αναγνώριση της Τουρκίας ως νομίμως ενδιαφερόμενου μέρους στο Κυπριακό.

Ο Ζορλού ήταν ο ιθύνων νους και στον σχεδιασμό και εκτέλεση του ανθελληνικού πογκρόμ των Σεπτεμβριανών του 1955 εναντίον των Ελλήνων της Κωνσταντινούπολης, ως εκκωφαντικού πειστηρίου διεθνώς, για το «πόσο επικίνδυνα παθιασμένο είναι για το Κυπριακό το τουρκικό έθνος».

Αυτός ήταν ο πρώτος και επιφανειακός στόχος. Ο δεύτερος και κυριότερος, σχετιζόταν με τα ορμέμφυτα του κεμαλικού εθνικισμού για τον εκτουρκισμό, εναντίον των μειονοτήτων της χώρας.

Οι λεπτομέρειες:

Αποτελεί ιστορικά τεκμηριωμένο γεγονός ότι, με την Συνθήκη της Λοζάνης του 1923, η Τουρκία είχε παραδώσει κάθε δικαίωμα επί της Κύπρου, η οποία έγινε επίσημα βρετανική αποικία.

Συνεπώς, για να μπορέσει η βρετανική κυβέρνηση (υπουργεία Εξωτερικών και Αποικιών) να προχωρήσει το 1955 με τα εκδικητικά, διαιρετικά της σχέδια κατά των Ελλήνων της Κύπρου, έπρεπε να επαναφέρει την Τουρκία στο προσκήνιο. Για τον σκοπό αυτό, ο τότε Βρετανός υπουργός Εξωτερικών Χάρολντ Μακμίλαν και ο πρωθυπουργός Άντονι Ήντεν συνεργάστηκαν μυστικά με τον Τούρκο πρωθυπουργό Αντνάν Μεντερές και υποκίνησαν τις επιθέσεις της 6ης και 7ης Σεπτεμβρίου 1955, κατά των Ελλήνων της Κωνσταντινούπολης.

Η τουρκική και η βρετανική κυβέρνηση χρηματοδότησαν την υποκίνηση αιμοχαρούς όχλου Τούρκων ληστών και αρπάγων, καθώς και την οργάνωση «η Κύπρος είναι Τουρκική», οι οποίοι επιτέθηκαν κατά της ελληνικής μειονότητας στην Κωνσταντινούπολη. Μέσα σε 9 ώρες, 45 ελληνικές κοινότητες είχαν υποστεί την επίθεση αυτού του όχλου.

Οι επιθέσεις συνέπεσαν, σκόπιμα, με την Τριμερή Διάσκεψη του Λονδίνου (27 Αυγούστου – 7 Σεπτεμβρίου 1955), στην οποία θα συμμετείχαν Τουρκία και Ελλάδα.

Αρχικά, εκείνη η Διάσκεψη δεν θα ασχολείτο καθόλου με την Κύπρο. Όμως, για να επιτευχθεί το προαπαιτούμενο, ο φιλότουρκος ανώτερος λειτουργός του Φόρεϊν Όφις σερ Ιβόν Κιρκπάτρικ χειρίστηκε τις διαδικασίες με αποκλειστικό σκοπό την επαναφορά της Τουρκίας στο τραπέζι των διαπραγματεύσεων, εξ ου και η Τουρκία επανήλθε ως ενδιαφερόμενο μέρος.[20]

Στις 9 Σεπτεμβρίου 1955, ο τότε Βρετανός πρωθυπουργός σημείωσε σε εσωτερικό μνημόνιο:

> «Ας αφήσουμε το φάρμακο να λειτουργήσει...»[21]

Ένα χρόνο αργότερα, στις 28 Ιουνίου 1956, το περιοδικό «Reporter» έγραψε για την Τριμερή Διάσκεψη:

> «[...] Ο Σερ Άντονι Ήντεν σκόπιμα ενέπλεξε την Τουρκία, σ' ένα θέμα που αφορούσε αποκλειστικά την Ελλάδα και την Μ. Βρετανία [...] Ούτε οι Τούρκοι ούτε οποιοσδήποτε άλλος ισχυρίστηκε ποτέ, ότι η τουρκική μειονότητα θα υπέφερε σε μια κυβερνούμενη από τους Έλληνες Κύπρο [...]».

Στις 29 Ιουνίου 1956, οι «New York Times», αναφερόμενοι στα έκτροπα της 9ης Σεπτεμβρίου 1955 στην Κωνσταντινούπολη, έγραψαν:

> «[...] Εκείνα τα έκτροπα, για τα οποία η Μ. Βρετανία πρέπει να εισπράξει μέρος της μομφής, έχουν πλήξει την Βαλκανική Συμμαχία.»

Βάρβαροι

Σε έκθεση του προς το Λονδίνο, το βρετανικό προξενείο στην Κωνσταντινούπολη περιγράφει τις ακρότητες ως ακολούθως:

> «[...] Στην Κωνσταντινούπολη και στην Σμύρνη,

20. Σερ Ιβόν Ογκουστίν Κιρπάτρικ: Μέλος των βρετανικών μυστικών υπηρεσιών. Σχεδίασε την Τριμερή Διάσκεψη τον Αύγουστο 1955 και η τελευταία αποστολή του ήταν «η επιστροφή της Τουρκίας ως ενδιαφερόμενο μέρος για το μέλλον της Κύπρου και η τελείωση του σχεδιασμού της διαίρεσης της Κύπρου». Απεσύρθη από την ενεργό υπηρεσία το 1957.

21. Έγγραφο Φόρεϊν Όφις FO 800/674.

οι Τούρκοι είχαν ήδη διεγερθεί από τις ανένδοτες δηλώσεις του Τούρκου υπουργού Εξωτερικών για την Κύπρο κατά τη Διάσκεψη του Λονδίνου και, μετά από για εβδομάδες ανθελληνικών δημοσιευμάτων στον τουρκικό τύπο [...], ήθελαν να βρουν τρόπο για να εκφράσουν, με ένα περίεργα βάρβαρο και αχρείαστο τρόπο, το μίσος τους κατά των Ελλήνων. [...] Οι επιθέσεις κατά των καταστημάτων, η καταστροφή αγαθών και περιουσιών και, σε πολύ πιο περιορισμένο βαθμό, η κλοπή, τότε άρχισαν. Έγιναν όλα με μια μεθόδευση και αποφασιστικότητα, που θα τιμούσαν και τον πιο τέλειο βάρβαρο».[22]

Αξίζει να σημειωθεί ότι, σε βρετανικό έγγραφο του Φόρεϊν Όφις ημερομηνίας 14 Σεπτεμβρίου 1954, γινόταν η εισήγηση:

«κάποιες θηριωδίες στην Άγκυρα θα μας υποβοηθούσαν»[23]

Κατά τον καθηγητή Νεοκλή Σαρρή[24], αργότερα η Τουρκία εκμεταλλεύτηκε τα έκτροπα και ζήτησε τεράστια ποσά χρημάτων για βοήθεια από το Διεθνές Ταμείο. Η σημαντική αυτή οικονομική βοήθεια δεν διανεμήθηκε προς τους Έλληνες των οποίων οι περιουσίες είχαν καταστραφεί, αλλά απορροφήθηκε από την τουρκική κυβέρνηση.[25]

Αυτές οι αναφορές καταδεικνύουν το μέγεθος της απανθρωπιάς και βαρβαρότητας, που οι Τούρκοι είναι ικανοί να μετέλθουν για την προώθηση των μακρο-πρόθεσμων στόχων τους, αλλά και την έκταση της διαχρονικής συνεργασίας μεταξύ Βρετανών και Τούρκων, κατά των Ελλήνων της Κύπρου.

22. Έγγραφο Φόρεϊν Όφις FO 286/1291.
23. Σάββας Ιακωβίδης, εφημερίδα «ΣΗΜΕΡΙΝΗ», Λευκωσία 7 Σεπτεμβρίου 2008.
24. Πανεπιστήμιο Αθηνών.
25. Φανούλα Αργυρού «Συνωμοσία ή Σοβαρό Λάθος;» - Λευκωσία 2000.

B6: 1955 – Τουρκοκύπριοι Επικουρικοί

Το 1955 στην Κύπρο, ο Βρετανός κυβερνήτης σερ Ρόμπερτ Άρμιταζ, προκειμένου να αντιμετωπίσει την έναρξη του ένοπλου αγώνα της ΕΟΚΑ, να καταστείλει διά της βίας τις μαχητικές αντιβρετανικές διαδηλώσεις της νεολαίας και να προκαλέσει ρήξη στις σχέσεις των Ελλήνων Κυπρίων με την τουρκική μειονότητα, προχώρησε στη συγκρότηση «Επικουρικής Αστυνομίας», αποτελούμενης στο σύνολό της από Τουρκοκυπρίους.

Παράλληλα, με υποκίνηση του (παρακινούμενου από τον Βρετανό κυβερνήτη) Φαζίλ Κιουτσούκ, δημιουργήθηκε και η τουρκοκυπριακή μυστική οργάνωση ΒΟΛΚΑΝ («Ηφαίστειο»), της οποίας τα περισσότερα μέλη ήσαν ταυτόχρονα και επικουρικοί αστυνομικοί των Βρετανών.

Κύριος στόχος της ΒΟΛΚΑΝ, ήταν να στρέψει τον τουρκοκυπριακό πληθυσμό κατά των Ελλήνων Κυπρίων. Στις προκηρύξεις της,[26] η ΒΟΛΚΑΝ εξέδιδε διαταγές απαγόρευσης «στους Τούρκους αδελφούς μας να περιφέρονται στις ελληνοκυπριακές συνοικίες και να συχνάζουν σε κέντρα και κινηματογράφους των Ελλήνων», με την απειλή ότι, «όσοι δεν υπακούσουν θα κατηγορηθούν προδότες της πατρίδας και δεν θα έχουμε τύψεις συνειδήσεως αν πάθουν οτιδήποτε κατά τις επιθέσεις που θα διενεργήσουμε στους χώρους αυτούς».

Στα στοιχεία που δημοσιεύτηκαν στον τουρκοκυπριακό τύπο το 1997, οι διατελέσαντες μέλη της ΒΟΛΚΑΝ ανέφεραν ότι μέχρι τέλος του 1956 η οργάνωση κατάφερε να διαθέτει 18-29 περίστροφα, μερικά αυτόματα όπλα «Στεν» και βόμβες.

Έργο της ήταν και η κινητοποίηση της τουρκοκυπριακής νεολαίας σε συλλαλητήρια, που εξελίσσονταν σε τυφλές

26. Εφημερίδα Μποζκούρτ 5.9.1955.

επιθέσεις αφιονισμένων όχλων κατά των Ελλήνων, όταν ανάμεσα στα θύματα της ΕΟΚΑ συγκαταλεγόταν και κάποιος Τουρκοκύπριος αστυνομικός των Εγγλέζων.

Εκτός από τη ΒΟΛΚΑΝ, υπήρξαν και άλλες δυο-τρεις μικρότερης εμβέλειας οργανώσεις.

Σκοπός της ΒΟΛΚΑΝ ήταν η ενοχοποίηση των Ελληνοκυπρίων και η προώθηση του μύθου ότι «οι Τουρκοκύπριοι δεν μπορούσαν να ζήσουν μαζί τους». Αυτή ήταν μια ουσιώδης προϋπόθεση, για να ευθυγραμμιστούν οι Τουρκοκύπριοι με τους στόχους που ήδη συζητούσαν και προετοίμαζαν οι Τούρκοι και οι Βρετανοί στο Λονδίνο για διαίρεση.[27]

Ως εκ τούτου, πολύ λίγα μέλη της ΒΟΛΚΑΝ (όπως και της ΤΜΤ αργότερα) δικάστηκαν ή τιμωρήθηκαν από το Ηνωμένο Βασίλειο. Σε αντίθεση με σοβαρό αριθμό υποστηρικτών της ΕΟΚΑ που απαγχονίστηκαν και εκατοντάδων άλλων που φυλακίστηκαν και βασανίστηκαν.

Οι Βρετανοί συμμάχησαν με τους Τουρκοκύπριους εναντίον της ΕΟΚΑ, εκπαίδευσαν ειδική τουρκική μηχανοκίνητη μονάδα για να πολεμήσει την ΕΟΚΑ και προσέλαβαν ακόμα περισσότερους Τούρκους στην αστυνομία και τις εφεδρικές δυνάμεις. Μέλη αυτών των μονάδων ήσαν αναμεμειγμένοι στην ΒΟΛΚΑΝ και αργότερα στην ΤΜΤ.

> «Το 1956, ο Βρετανός υπουργός Αποικιών Άλαν Λένοξ-Μπόιντ, είπε στην Βουλή των Κοινοτήτων ότι 'ένα ελληνοκυπριακό αίτημα για ένωση με την Ελλάδα, θα αντιμετωπιστεί με ένα υποστηριζόμενο από την Βρετανία δημοψήφισμα, αποκλειστικά για τους Τούρκους'. Εάν οι Τουρκοκύπριοι (18%) ψήφιζαν

27. Η γνωστή αποικιοκρατική τακτική των Βρετανών του «Διαίρει & Βασίλευε»: Είναι γνωστό, ότι οι Βρετανοί αποικιοκράτες, προτού εγκαταλείψουν μια αποικία, είχαν ως κανόνα να διαιρούν τον λαό και να τον εγκαταλείπουν σε διένεξη...

να ενωθούν με την Τουρκία, το νησί θα διαιρείτο. Ως εκ τούτου, απαιτώντας ολόκληρη την Κύπρο, οι Τούρκοι θα εβεβαιώνοντο ότι θα έπαιρναν τουλάχιστο την μισή. Σ' αυτή την βάση είναι, που ο Τουρκοκύπριος ηγέτης δρ. Φαζίλ Κιουτσούκ ζήτησε την διαίρεση του νησιού 'κατά μήκος του 35ου παράλληλου'. Το βρετανικό ενδιαφέρον, ώστε να βοηθήσουν να υποκινηθεί αυτή η απαίτηση, είναι προφανές για να χρειάζεται υπογράμμιση».[28]

B7: 1957 – Ντενκτάς και ΤΜΤ (Turk Mukavemet Teskilati)

Την «ισχνής αποδοτικότητας» συνδρομή των Τουρκοκυπρίων στην προσπάθεια των Άγγλων ν' αντιμετωπίσουν τον απελευθερωτικό αγώνα της ΕΟΚΑ, ανέλαβε να ξεπεράσει ο πιο έμπιστος των Βρετανών και δυναμική ηγετική προσωπικότητα εντός της τουρκικής μειονότητας, ο δικηγόρος Ραούφ Ντενκτάς.

Ο Ντενκτάς υπηρετούσε την βρετανική αποικιοκρατική διοίκηση της Κύπρου από το 1949, ως δικηγόρος του Στέμματος και αντιεισαγγελέας.

Το 1957 παραιτήθηκε από την Εισαγγελία, ανέλαβε ως πρόεδρος της «Ομοσπονδίας Τουρκοκυπριακών Οργανώσεων» και στις 15 Νοεμβρίου 1957 ίδρυσε, μαζί με τον ακόλουθο του τουρκικού προξενείου στην Λευκωσία Μουσταφά Κεμάλ Τανρισεβντί και τον γιατρό Μπουρχάν Ναλμπάντογλου, την πρώτη εκδοχή της «Turk Mukavemet Teskilati» [ελληνικά «Τουρκική Αντιστασιακή Οργάνωση»] με τα αρχικά ΤΜΤ, που ο Τανρισεβντί την ήθελε «άοπλη οργάνωση παθητικής

28. Κρίστοφερ Χίτσενς «Κύπρος» - 1984.

αντίστασης των Τουρκοκυπρίων» και πιο αυτόνομη από τους Βρετανούς, υπό την επιρροή των οποίων δρούσε μέχρι τότε η ΒΟΛΚΑΝ.

Η δικτύωση της 1ης ΤΜΤ εντός της μειονότητας και η ανάδειξη του ηγετικού ρόλου του Ραούφ Ντενκτάς, ήταν η βάση πάνω στην οποία στηρίχθηκε το επόμενο έτος η στρατιωτικοποίηση της 2ης και ένοπλης πλέον ΤΜΤ, την οποίαν ανέλαβε απευθείας το Γενικό Επιτελείο των τουρκικών Ενόπλων Δυνάμεων, με απόφαση της κυβέρνησης Μεντερές και άμεσα αρμόδιο τον υπουργό Εξωτερικών Φατίν Ρουστού Ζορλού.

Ο Αχμέτ Αν στη μελέτη του «Ο ρόλος της ΤΜΤ στο Κυπριακό» γράφει:

> «Στο τέλος του 1957 ο Ραούφ Ντενκτάς παραιτείται από τη θέση του αντιεισαγγελέα, με σκοπό 'να ενισχύσει την τουρκική ηγεσία και να αναλάβει πιο διαφανή και αποτελεσματικά καθήκοντα',[29] και αναλαμβάνει την προεδρία της Ομοσπονδίας Τουρκοκυπριακών Ιδρυμάτων, στη θέση του Φαΐζ Καϊμάκ, που είχε δηλώσει 'οι Εγγλέζοι μας σπρώχνουν στη σύγκρουση με τους Έλληνες'».[30]

Ο Ντενκτάς περιέγραψε την ίδρυση της ΤΜΤ ως εξής:

> «Δημιούργησα την ΤΜΤ μαζί με ένα-δύο φίλους μου, με σκοπό να οργανώσω τα άτομα που περιφέρονταν άσκοπα. Όταν η ΤΜΤ ανέλαβε τον ρόλο της ΒΟΛΚΑΝ και εξέδωσε την πρώτη της προκήρυξη, ο δρ. Κιουτσούκ είχε ρωτήσει 'ποιοι είναι αυτοί οι τρελοί'; Δεν τον είχαμε ενημερώσει για την ίδρυση της ΤΜΤ και εκείνος έδειχνε ικανοποιημένος με την ύπαρξη της

29. «Ο Ντενκτάς με Εικόνες», Φεβρουάριος 1973.
30. «Πως Βρέθηκαν οι Τουρκοκύπριοι σ' αυτή την κατάσταση;», 1986.

ομάδας ΒΟΛΚΑΝ. Ποτέ δεν μπόρεσε να χωνέψει το γεγονός, ότι ο ίδιος είχε παραγκωνιστεί. Τα επόμενα δύο χρόνια ήταν εξαιρετικά ενοχλημένος με αυτή την κατάσταση. Όλοι νόμιζαν πως εγώ ήμουν ο αρχηγός της ΤΜΤ, όμως έσφαλαν. Ήμουν ο πολιτικός της σύμβουλος. Με το που ίδρυσα την ΤΜΤ την παρέδωσα σε άλλους. Αυτό ήταν βέβαια μια καλή κάλυψη, αφού η αμερικανική και η εγγλέζικη αντικατασκοπία πίστευαν πως εγώ έπαιρνα τις αποφάσεις. Εντούτοις δεν ήμουν ο ηγέτης. Οι αρχηγοί ήσαν αξιωματικοί του τουρκικού στρατού».[31]

Μετά την υποκίνηση της από το Λονδίνο να ενδιαφερθεί για το Κυπριακό, η Άγκυρα είχε φροντίσει από νωρίς να καθορίσει και να σχεδιάσει τη δική της στρατηγική, όχι πλέον ως εκτελεστικό όργανο των Βρετανών, αλλά ως ισότιμος συμπαίκτης με τις δικές του στρατηγικές βλέψεις. Με συγκεκριμένη πολιτική και διπλωματία και με πρόσκτηση στρατιωτικής ισχύος εντός της Κύπρου.

Β8: 1956 – Εκθέσεις Νιχάτ Ερίμ

Το 1956, ο πρωθυπουργός Μεντερές διόρισε ως ειδικό σύμβουλο για το Κυπριακό τον καθηγητή Νιχάτ Ερίμ. Και τούτο, παρόλο ότι ο Ερίμ ανήκε στην αντιπολίτευση, ως στέλεχος του κεμαλικού Ρεπουμπλικανικού Λαϊκού Κόμματος του Ισμέτ Ινονού.

Νοέμβριο και Δεκέμβριο του 1956, ο καθηγητής Ερίμ, με εθνική-υπερκομματική αίσθηση αποστολής, υπέβαλε στον πρωθυπουργό και στο υπουργείο Εξωτερικών τις δύο εκθέσεις του για την Κύπρο, το περιεχόμενο των οποίων

31. Συνέντευξη στην εφημερίδα «THE TIMES», 20 Ιανουαρίου 1978.

καθόρισε έκτοτε και μονίμως την επεκτατική πολιτική της Άγκυρας στο Κυπριακό. Αυτή την πολιτική είναι που υλοποιούν, απαρέγκλιτα και σε βάθος χρόνου, οι διαδοχικές τουρκικές κυβερνήσεις, με πάγιο θεματοφύλακα την ηγεσία των Ενόπλων Δυνάμεων.

Εξετάζοντας τα δεδομένα στο Κυπριακό μέχρι εκείνη την εποχή, οι δύο Εκθέσεις Νιχάτ Ερίμ (24ης Νοεμβρίου και 22ας Δεκεμβρίου 1956) χάραξαν τις κύριες κατευθύνσεις για μια μακρόπνοη πολιτική της Τουρκίας, για ν' αποκτήσει τον στρατηγικό έλεγχο του νησιού. Με στόχο ακόμα και την αλλοίωση του εθνολογικού, δημογραφικού χαρακτήρα της Κύπρου, την ελληνική πλειοψηφία της οποίας θεώρησε ως «περιστασιακή» και καθόρισε την ανατροπή της.

Η υιοθέτηση της μακρόπνοης «Γραμμής Νιχάτ Ερίμ» από το τουρκικό κράτος, την κυβέρνηση και τις Ένοπλες Δυνάμεις, σήμαινε μεν την βραχυπρόθεσμη προσαρμογή των διπλωματικών χειρισμών της Άγκυρας, επέβαλλε όμως και την αποφασιστική δράση για την απόκτηση της αναγκαίας πολεμικής ισχύος μέσα στην Κύπρο.

Επειδή οι συνθήκες δεν επέτρεπαν την άμεση και φανερή αποστολή τουρκικού στρατού στο νησί, η Τουρκία αποφάσισε να τον δημιουργήσει μυστικά μέσα στην Κύπρο, υπό τη διοίκηση του Γενικού της Επιτελείου, στρατολογώντας μέσα από την τουρκική μειονότητα, άνδρες και γυναίκες των ηλικιών που μπορούσαν να φέρουν όπλα.

Αυτός ο «αυτοσχέδιος» στρατός της Τουρκίας στην Κύπρο πήρε το όνομα ΤΜΤ.

Β9: 1958 – Στρατός ΤΜΤ

Η απόφαση των Μεντερές, Ζορλού και του Γενικού Επιτελείου

το 1958, για τη μετατροπή της ΤΜΤ σε στρατιωτική οργάνωση ανορθόδοξου πολέμου, ανατέθηκε υπηρεσιακά προς υλοποίηση στο τότε Γραφείο Ειδικού Πολέμου (ΓΕΠ) του τουρκικού επιτελείου, που δρούσε υπό τον μανδύα του Συμβουλίου Επιστράτευσης και Ελέγχου (Seferberlik Tedkik Kurulu - STK), αλλού αναφερόμενο ως Επιτροπή Εποπτείας Επιστράτευσης.

Οι αξιωματικοί του ΓΕΠ, που είχαν υπηρετήσει λίγα χρόνια νωρίτερα και στο τουρκικό εκστρατευτικό σώμα στον πόλεμο της Κορέας, είχαν ήδη εκπαιδευτεί από στελέχη του αμερικανικού στρατού στον σχεδιασμό και τις τακτικές του ανορθόδοξου πολέμου, για τις ανάγκες των πολεμικών σεναρίων σύγκρουσης με τη Σοβιετική Ένωση, σε περιοχές που πιθανόν να καταλάμβανε ο σοβιετικός στρατός και θα έπρεπε να υπάρξει προσχεδιασμένη ένοπλη αντίσταση.

Αυτοί οι αξιωματικοί, λοιπόν, είχαν την αρμοδιότητα και τα προσόντα για να μετατρέψουν την ΤΜΤ σε μυστικό τουρκικό στρατό στην Κύπρο.

Η ΤΜΤ προκάλεσε ανθελληνικές οχλαγωγίες και προσπάθησε να εξαναγκάσει Τουρκοκύπριους εργάτες να ιδρύσουν ξεχωριστές συντεχνίες. Οι δολοφονίες, οι εμπρησμοί και ο εκφοβισμός ήσαν τα μέσα που η ΤΜΤ χρησιμοποίησε, για να αποδείξει ότι «οι Έλληνες και οι Τούρκοι δεν μπορούν να συμβιώσουν».

Θύματα ήσαν και Τουρκοκύπριοι. Συνδικαλιστές, δημοσιογράφοι και απλοί πολίτες, που αντιστάθηκαν στο κάλεσμα της ΤΜΤ.[32]

32. Κυπριακή Δημοκρατία, Γραφείο Δημοσίων Πληροφοριών «Δημιουργούν μια έρημο και την αποκαλούν ειρήνη».

B10: 1958 – Σχέδιο KIP (Kibris Istirdat Plani)

Επικεφαλής του ΓΕΠ ήταν ο υποστράτηγος Ντανίς Καράμπελεν, με επιτελάρχη τον συνταγματάρχη Εγιούπ Ματέρ και επιτελείς αξιωματικούς τον αντισυνταγματάρχη Ριζά Βουρουσκάν και τον ταγματάρχη Ισμαήλ Τάνσου.

Ο Τάνσου ανέλαβε ως «ο εγκέφαλος» και εκπόνησε το επιτελικό σχέδιο για τη συγκρότηση, τον εξοπλισμό, την εκπαίδευση, την αποστολή και την δράση της ΤΜΤ, το οποίο ονομάστηκε έκτοτε «Kibris Istirdat Plani» [«Σχέδιο για Επανάκτηση της Κύπρου»] με τα αρχικά KIP.

Το 1958, ο Βουρουσκάν ανέλαβε διοικητής της ΤΜΤ στην Κύπρο, όπου στάλθηκε με πλαστή ταυτότητα, ως δήθεν «ελεγκτής της τουρκικής Τράπεζας Εργασίας». Αρχικά, ήταν επικεφαλής 21 αξιωματικών (2 ταγματαρχών, 5 λοχαγών και 14 ανθυπολοχαγών) όλων εκπαιδευμένων στον ανορθόδοξο πόλεμο, που έφθασαν στο νησί ως δάσκαλοι, τραπεζικοί, υπάλληλοι του τουρκικού προξενείου και του γραφείου τύπου.

B11: 1958 – Στρατηγείο ΤΜΤ

Το στρατηγείο της ΤΜΤ στεγάστηκε στην Άγκυρα, σε διώροφο της οδού Τούνα της περιοχής Γενί Σεχίρ, αναφερόταν ως «Αρχηγείο Σχεδιασμού Επανάκτησης Κύπρου», το στελέχωσαν αξιωματικοί επιτελικών γραφείων (επιχειρήσεων, εκπαίδευσης, εφοδιασμού και προσωπικού) και επικοινωνούσε με ασύρματο με την διοίκηση της ΤΜΤ στην Κύπρο.

Στην Τουρκία δημιουργήθηκαν και ειδικά στρατόπεδα, κέντρα μυστικής εκπαιδεύσεως για τους Τουρκοκύπριους, άνδρες και γυναίκες, μαχητές (μουτζαχίντ) της ΤΜΤ, που αφού ολοκλήρωναν την εκπαίδευσή τους επέστρεφαν στην

Κύπρο. Τα στρατόπεδα εκπαίδευσης της ΤΜΤ στην Τουρκία, ήταν στην αποκλειστική αρμοδιότητα του Γραφείου Ειδικού Πολέμου.

Το 1996, ο απόστρατος πλέον ταγματάρχης Ισμαήλ Τάνσου (ο εγκέφαλος της ΤΜΤ από το 1958) έδωσε στη δημοσιότητα πλήρη κατάλογο με τα ονόματα όλων των αξιωματικών που εστάλησαν υπό κάλυψη στην Κύπρο και εκείνων που στελέχωναν το «Αρχηγείο Σχεδιασμού Επανάκτησης Κύπρου» στην Άγκυρα, καθώς και δέκα λοχαγών που είχαν αναλάβει επικεφαλής στα κέντρα εκπαιδεύσεως της ΤΜΤ.

Επίσης, περιέγραψε με εξαντλητικές λεπτομέρειες, ως ο άμεσα επικεφαλής, και τις ανά τακτά διαστήματα μυστικές επιχειρήσεις αποστολής φορτίων οπλισμού στην Κύπρο, επιλεγμένου, για λόγους απόκρυψης, μη τουρκικής κατασκευής, από ειδικές αποθήκες της Τουρκίας προς την ΤΜΤ στην Κύπρο. Ο κύριος όγκος του οπλισμού στάλθηκε μυστικά με πλοιάρια.

Για τις τότε σχέσεις του τουρκικού στρατού με την κυβέρνηση της Τουρκίας, αξιοσημείωτες είναι οι αναφορές του ταγματάρχη Τάνσου ότι «ο ίδιος είχε άμεση, ανοικτή, διαρκή, προσωπική πρόσβαση στον υπουργό Εξωτερικών Ζορλού, ο οποίος, με τη σειρά του, έδινε προσωπικές εντολές σε κάθε άλλο υπουργό, η αρμοδιότητα του οποίου ήταν αναγκαία για τη διευθέτηση όλων όσα το αρχηγείο της ΤΜΤ στην Άγκυρα χρειαζόταν για να φέρει σε πέρας την αποστολή του».

Περαιτέρω, ο Τάνσου γράφει ότι «από τον Ζορλού έλαβε την έγκριση του τελικού σκοπού της ΤΜΤ, που ήταν ολόκληρο το νησί», γι' αυτό και το επιτελικό σχέδιο έλαβε το όνομα «Σχέδιο Επανάκτησης Κύπρου».

Σημαντικά για την συνεπή συνέχιση της τουρκικής πολιτικής είναι και τα όσα ο Ισμαήλ Τάνσου αναφέρει για την τύχη της ΤΜΤ και του «Σχεδίου Επανάκτησης Κύπρου», μετά που το στρατιωτικό πραξικόπημα της 27ης Μαΐου 1960 ανέτρεψε την κυβέρνηση και έστειλε τους Μεντερές και Ζορλού στην κρεμάλα:

Η χούντα του 1960 αποστράτευσε μεν τον επικεφαλής του ΓΕΠ υποστράτηγο Καράμπελεν, υιοθέτησε όμως ως κόρη οφθαλμού και ενδυνάμωσε την ΤΜΤ, με άμεση ανάμειξη και του συνταγματάρχη Αλπασλάν Τουρκές.[33]

B12: 1960 – 10.000 Όπλα ΤΜΤ

Ο πρωταρχικός στόχος που επιτεύχθηκε από το 1958 μέχρι και το 1959 ήταν ο εξοπλισμός, η εκπαίδευση και η οργάνωση, δύναμης 5.000 μαχητών της ΤΜΤ στην Κύπρο. Το 1960 ο οπλισμός που μεταφέρθηκε λαθραία από την Τουρκία στην Κύπρο, εξόπλιζε δύναμη 10.000.

Σ' αυτό το σημείο, είναι σημαντικά τα στοιχεία που αποκαλύφθηκαν 47 χρόνια αργότερα, στο βιβλίο του Μάνου Ηλιάδη «Το Απόρρητο Ημερολόγιο της ΚΥΠ για την Κύπρο» - 2007. (ΚΥΠ: Η ελλαδική «Κεντρική Υπηρεσία Πληροφοριών»)

Το βιβλίο περιέχει αντίγραφα γραπτών υπηρεσιακών εκθέσεων, που έστελνε το κλιμάκιο της ελλαδικής ΚΥΠ από την Κύπρο στον τότε πρωθυπουργό της Ελλάδος Κωνσταντίνο Καραμανλή και τον υπουργό Εξωτερικών Ευάγγελο Αβέρωφ στην Αθήνα και που επιβεβαιώνουν με πλήθος λεπτομερειών πολλά στοιχεία για την ΤΜΤ, όπως τα αφηγούνται οι Τούρκοι πρωταγωνιστές και τουρκικές πηγές.

Επί του θέματος των μυστικών τουρκικών εξοπλισμών,

33. Υφυπουργός προεδρίας της χούντας του 1960, ηγέτης μετέπειτα του ακροδεξιού φασιστικού κόμματος «Εθνικιστικής Δράσης» και των «Γκρίζων Λύκων»

περιέχει και τα εξής στοιχεία:

«9. Εκ των μέχρι τούδε υφισταμένων στοιχείων προκύπτει ότι, εκτός των εις χείρας των Τουρκοκυπρίων αστυνομικών και επικουρικών αστυνομικών περιστρόφων της βρετανικής διοικήσεως, η τουρκοκυπριακή μαχητική οργάνωσις ΤΜΤ. διέθετε την εποχή της συνάψεως των Συμφωνιών Ζυρίχης-Λονδίνου μόνον 950 πιστόλια και περίστροφα. Ταύτα η ΤΜΤ. επρομηθεύθη, αρχομένου του 1957, και κατά τη διάρκειαν του 1958 εκ Τουρκίας, μέρος δε τούτων επωλήθησαν επιτοπίως υπό των Βρεττανών εις τας τουρκικάς οργανώσεις ΒΟΛΚΑΝ και ΤΜΤ. Εν συμπεράσματι, την εποχήν της συνάψεως των περί Κύπρου Συμφωνιών, η ΤΜΤ. δεν διέθετε άνω των 1.000 πιστολίων και περιστρόφων.

10. Κατά το εξάμηνον διάστημα μεταξύ Ιανουαρίου 1959 – Ιουλίου 1959 λαθραίως εισήχθησαν υπό των Τουρκοκυπρίων 6.000 όπλα, ήτοι βαρέα πολυβόλα, οπλοπολυβόλα, τυφέκια, πιστόλια και περίστροφα, ως και όλμοι των 2 και τριών ιντσών, ανελθόντος, ούτω, κατά Ιούνιον 1959 του αριθμού των υπό της τουρκικής κοινότητος κατεχομένων όπλων εις 7.000, μετά μεγάλου αριθμού σφαιρών.

11. Μετά τον Ιούλιον 1959 μέχρι 2 Σεπτεμβρίου 1960 εσυνεχίσθη εις μεγάλην κλίμακα η λαθραία εισαγωγή όπλων και πυρομαχικών υπό Τουρκοκυπρίων, ώστε σήμερον να πιστεύεται ότι οι Τουρκοκύπριοι διαθέτουν όπλα ανερχόμενα εις 10.000 τεμάχια...».[34]

34. Από «Πληροφοριακό Σημείωμα» της ελλαδικής ΚΥΠ προς τον υπουργό Εξωτερικών Ευάγγελο Αβέρωφ με κοινοποίηση στον πρωθυπουργό Κωνσταντίνο Καραμανλή, ημερομηνίας 21-10-1960, δηλαδή μετά την εγκαθίδρυση της Κυπριακής Δημοκρατίας,

Ρωσικά πιστόλια Tokarev

Στις σωζόμενες ογδόντα εκθέσεις της ελλαδικής ΚΥΠ από την Κύπρο της περιόδου 13 Ιουνίου 1959 έως 28 Νοεμβρίου 1960, που έφερε στο φως το βιβλίο του Μάνου Ηλιάδη, περιέχονται και αναφορές για πιστόλια TOKAREV ρωσικής κατασκευής του 1933, που η τουρκική ΤΜΤ εισήγαγε λαθραία στην Κύπρο.

«Τα τέσσερα αυτόματα πιστόλια, τα οποία ομού μεθ' ενός [αγγλικού] οπλοπολυβόλου Bren ανεκαλύφθησαν υπό της [βρετανικής] αστυνομίας την 17-3-60, εις χείρας Τουρκοκυπρίων, συμφώνως προς την γνωμάτευσιν του ειδικού εμπειρογνώμονος Pearson της Special Branch, είναι ρωσσικής κατασκευής 1933 τύπου TOKAREV [35]. Των εν λόγω όπλων είναι ηλλαγμένη εν Τουρκία η κάννη, προκειμένου ταύτα να δύνανται να χρησιμοποιούν σφαίρας του τουρκικού στρατού».[36]

Η έκθεση της ελλαδικής ΚΥΠ προσθέτει λεπτομέρειες και ημερομηνίες για τις ανακαλύψεις πιστολιών TOKAREV στα χέρια Τουρκοκυπρίων από 29 Σεπτεμβρίου 1958 «ότε εγένετο δολοφονική απόπειρα υπό Τούρκων εναντίον συμπατριωτών των», όπως και μετάφραση της υπ'αριθ.76/60 γνωμάτευσης Pearson, με τίτλο «Examination of material exhibits – firearms».

«Με βάση εκθέσεις από την Κύπρο, ανακαλύφθηκε

35. Η ιστορία της «σταδιοδρομίας» των ρωσικών TOKAREV στην Τουρκία και από εκεί στην ΤΜΤ φαίνεται ότι ξεκινά από τη δεκαετία του 1930, την εποχή των αγαστών σχέσεων Κεμάλ Ατατούρκ με την Ε.Σ.Σ.Δ., ως συνέχεια της βοήθειας σε χρήμα και όπλα του Βλαδιμίρ Ιλίτς Λένιν προς τους κεμαλιστές 1920-1922, εναντίον της ελληνικής Μικρασιατικής Στρατιάς. Διαπιστωμένο γεγονός είναι ότι, οι δυνάμεις της κυπριακής Εθνικής Φρουράς, που στις 22 Ιουλίου 1974 κατέλαβαν τον οχυρωμένο τουρκικό θύλακο στη Λεύκα, ανάμεσα στα άλλα όπλα της ΤΜΤ που ανακάλυψαν, υπήρχαν και ρωσικά πιστόλια TOKAREV.

36. Αναφορά ΚΥΠ, 12 Απριλίου 1960.

μεγάλη ποσότητα όπλων ρωσσικής κατασκευής στην κατοχή Τουρκοκυπρίων στην Λάρα, δυτικά της Πάφου. [...] Τα όπλα έφθασαν στην Κύπρο με τουρκικό καΐκι και η τουρκική κυβέρνηση είναι σοβαρά αναστατωμένη και προσπαθεί να αποσιωπήσει το θέμα. Δεύτερο τουρκικό καΐκι με όπλα ανεμένετο περί τα τέλη Μαρτίου ή αρχές Απριλίου. [...] Είναι βέβαιο ότι Τουρκοκύπριοι εκπαιδεύονται στην χρήση όπλων.»[37]

«Από άλλες εκθέσεις, η προμήθεια ρωσσικής κατασκευής όπλων προς τους Τουρκοκυπρίους συνεχίζεται. Η Ελλάδα δεν μπορεί και δεν επιθυμεί να αποδώσει ευθύνη στην τουρκική κυβέρνηση, αλλά αναμένει από τη Άγκυρα να διερευνήσει το θέμα και να θέσει τέρμα στις δραστηριότητες εκείνων που υπονομεύουν την ενότητα των Κυπρίων και την ειρήνη στο νησί.»[38]

Το στοιχείο της αποστολής ρωσικών πιστολιών από τις αποθήκες του τουρκικού στρατού στην ΤΜΤ, ταιριάζει και με την μαρτυρία του Χικμέτ Μπιλ.[39]

Ο Χικμέτ Μπιλ ηγέτης της οργάνωσης «Η Κύπρος είναι τουρκική» και δημοσιογράφος της «Χουριέτ», έγραψε για μια από τις συναντήσεις του με τον πρωθυπουργό Μεντερές το 1955:

«Τι γίνεται στην Κύπρο, με ρώτησε ο Αντνάν Μεντερές. Του εξήγησα την κατάσταση στην Κύπρο. Του είπα ότι χρειάζονταν όπλα επειγόντως. Δεν μπορώ να σας

37. Ελλαδική εφημερίδα «ΕΛΕΥΘΕΡΙΑ», Αθήνα 6 Απριλίου 1960

38. Ελλαδική εφημερίδα «ΒΗΜΑ», Αθήνα 7 Απριλίου 1960

39. Επί κεφαλής της τουρκικής οργάνωσης *«Η Κύπρος είναι τουρκική»*, δικηγόρος και συντάκτης της «Χουριέτ», κεντρικό πρόσωπο του ανθελληνικού πογκρόμ των Σεπτεμβριανών 6-7.9.1955 στην Κωνσταντινούπολη, με διασυνδέσεις στο Λονδίνο και στενός συνεργάτης του πρωθυπουργού της Τουρκίας Αντνάν Μεντερές.

δώσω όπλα, καθότι αν κάποια μέρα τα όπλα μας του Κιρίκκαλε [τουρκικό εργοστάσιο όπλων] βρεθούν στα χέρια της αντίθετης πλευράς, θα βρεθούμε σε δεινή θέση στον ΟΗΕ, είπε ο Μεντερές.»[40]

Ο «εγκέφαλος» της ΤΜΤ στην Τουρκία ταγματάρχης Ισμαήλ Τάνσου αναφέρει ότι:

> «Με διαταγή του υπουργού Άμυνας Εχτέμ Μεντερές (αδελφού του πρωθυπουργού), οι μονάδες του τουρκικού στρατού επέλεξαν και απέστειλαν οπλισμό στο Γραφείο Ειδικού Πολέμου, που τον αποθήκευε μετά από ειδική συσκευασία σε αποθήκες της ΤΜΤ στη Μερσίνα, από τις οποίες μεταφερόταν στο Ανεμούρι και φορτωνόταν στα πλοιάρια μυστικής αποστολής στην Κύπρο».

Β13: 1959 – Η Αθήνα γνώριζε

Οι αποδεδειγμένες πληροφορίες από το βιβλίο του Μάνου Ηλιάδη είναι πολλαπλά χρήσιμες, για την διαλεύκανση των στόχων της Τουρκίας στην Κύπρο ΜΕΤΑ και από την εγκαθίδρυση της Κυπριακής Δημοκρατίας, στα κρατικά όργανα της οποίας οι Τουρκοκύπριοι είχαν προνομιακή συμμετοχή, βάσει των Συμφωνιών Ζυρίχης-Λονδίνου και του Συντάγματος του 1960.

Είναι επίσης χρήσιμες, για την αποτίμηση της πολιτικής της κυβέρνησης της Ελλάδας της ίδια περιόδου, που ήταν υπηρεσιακά και έγκαιρα πληροφορημένη για την πολεμική ισχύ που προέκτεινε μυστικά στην Κύπρο η Τουρκία.

Εκείνο που είναι άγνωστο, είναι ο βαθμός πληροφόρησης,

40. Χικμέτ Μπιλ «Το ζήτημα της Κύπρου και η Ουσία του», Κων/πολη 1976.

που είχε την ίδια περίοδο (1959-1960) ο πρόεδρος της Κυπριακής Δημοκρατίας Αρχιεπίσκοπος Μακάριος και η ηγεσία των Ελληνοκυπρίων, είτε ευθέως από το κλιμάκιο της ελλαδικής ΚΥΠ στην Κύπρο, είτε από την κυβέρνηση Καραμανλή.

Γεγονός βεβαιωμένο, όμως, είναι ότι η κυβέρνηση της Ελλάδος απόφυγε τον ανάλογο εξοπλισμό των Ελλήνων της Κύπρου. Επί του θέματος, ακολουθεί και άλλη αναφορά σε άλλο κεφάλαιο.

Β14: Δομή στρατού ΤΜΤ

Η δομή στρατιωτικής οργάνωσης της ΤΜΤ στην Κύπρο, με το στρατηγείο της στην Άγκυρα, κατανεμήθηκε σε διοικήσεις έξι περιοχών που ονομάστηκαν «Σαντζιάκ» (λάβαρα), με κεντρικό αρχηγείο στην Κύπρο τον «Μπαϊρακτάρ» (σημαιοφόρο). Τα «Σαντζιάκ» που συγκροτήθηκαν ήταν της Λευκωσίας, της Αμμοχώστου, της Λεμεσού, της Λάρνακας, της Πάφου και της Λεύκας.

Κάθε «Σαντζιάκ» διοικούσε την δική του ιεραρχική πυραμίδα συγκρότησης, που υποδιαιρείτο σε «Κοβάν» (κυψέλες), οι «Κοβάν» σε «Πετέκ» (κηρήθρες) και οι «Πετέκ» σε «Ογκιούλ» (σμήνος μελισσών). Το κάθε «Ογκιούλ» συγκροτούσαν πέντε «κύτταρα».

Ήταν η, ειδικών περιστάσεων ανορθόδοξου πολέμου, δομή «τάγμα–λόχος–διμοιρία–ομάδα», με την τελευταία πενταμελή.

Κανόνες μυστικότητας δεν επέτρεπαν σε ένα απλό μέλος να γνωρίζει, εκτός από την ομάδα και τον ομαδάρχη του. Ο διοικητής κάθε «Σαντζιάκ» ονομαζόταν «Σερντάρ» (στρατιωτικός αρχηγός), ο δε διοικητής του «Μπαϊρακτάρ» έφερε τον κωδικό τίτλο του «Μποζκούρτ» (Γκρίζου Λύκου).

Ο «Μποζκούρτ» διοικητής της ΤΜΤ στην Κύπρο, ήταν υπόλογος μόνο στο στρατηγείο της Άγκυρας και υπό τις διαταγές του τελούσαν όλοι οι ηγέτες της μειονότητας, με πρώτο τον Ντενκτάς ως επικεφαλής της πολιτικής πτέρυγας της ΤΜΤ.

Β15: Στρατιωτική Εκπαίδευση ΤΜΤ

ΟΙ Τουρκοκύπριοι που στρατολογούσε η ΤΜΤ μετέβαιναν με διάφορα προσχήματα στην Τουρκία, όπου εκπαιδεύονταν στα μυστικά στρατόπεδα του «Αρχηγείου Σχεδιασμού Επανάκτησης της Κύπρου».

Τα αντικείμενα εκπαιδεύσεως, όπως αναφέρονται στα σχετικά τουρκικά δημοσιεύματα ήσαν:[41]

Τεχνική μυστικών επιχειρήσεων, συντήρηση και απόκρυψη οπλισμού, βολές, ενέδρες, επιθέσεις, παραλλαγές, προσέγγιση στόχου και ασφαλής απομάκρυνση.

Στην Κύπρο δημιουργήθηκαν επίσης κέντρα εκπαιδεύσεως της ΤΜΤ σε τέσσερις «κατασκηνώσεις προσκόπων». Άνευ βολών εκπαίδευση διεξαγόταν και στο επίπεδο της κάθε «Κοβάν» (κυψέλης), με αντικείμενα την χρήση οπλισμού, την συλλογή πληροφοριών, τις τακτικές άμυνας και επίθεσης, καθώς και τον σχεδιασμό της άμυνας χωριού.

41. Σπύρος Αθανασιάδης «Φάκελλος Τ.Μ.Τ.» 1998, και Ismail Tansu "IN REALITY NO ONE WAS ASLEEP, a secret underground organization, with State support... TMT" 2007.

B16: Μεταφορά Οπλισμού ΤΜΤ δια Θαλάσσης

Η αποστολή οπλισμού, πυρομαχικών και εκρηκτικών από την Τουρκία γινόταν κυρίως με μυστικούς πλόες πλοιαρίων, από το Ανεμούρι προς τις βόρειες ακτές της Κύπρου.

Η πρώτη δοκιμαστική αποστολή (16 Αυγούστου 1958) έγινε προς το παραθαλάσσιο τουρκικό χωριό Κόκκινα. Ακολούθησε ο κύριος όγκος, με πλόες δύο φορές τη βδομάδα, σχεδιασμένους με τρόπο που να αποφεύγουν τα σκάφη της βρετανικής ακτοφυλακής. Μέχρι τον Σεπτέμβριο 1960 μεταφέρθηκαν περίπου δέκα χιλιάδες όπλα.

Η τακτική, στην οποία εκπαιδεύτηκαν τα μέλη της ΤΜΤ, συμπεριλάμβανε και το «θάψιμο» (απόκρυψη) του οπλισμού, μετά την παραλαβή και τη διανομή του, όπως και μετά από κάθε εκπαιδευτική ή επιχειρησιακή χρήση.

B17: 1959 – Πλοιάριο «ΝΤΕΝΙΖ»

Από τον Ιανουάριο του 1959, παράλληλα με τα άλλα πλοιάρια που ήδη διεκπεραίωναν επί έξι μήνες οπλισμό, ξεκίνησε τις μυστικές μεταφορές οπλισμού και ένα 25 τόνων αλιευτικό πλοίο, που έμεινε γνωστό στην ιστορία με το όνομα «ΝΤΕΝΙΖ» και που, στα επιχειρησιακά σχέδια της ΤΜΤ, έφερε το κωδικό όνομα «Ελμάς».[42]

Το «ΝΤΕΝΙΖ», με καπετάνιο τον Ρεσάτ Γιαβούζ, μηχανικό τον Ογούζ Κόντογλου και ασυρματιστή τον μόνιμο αρχιλοχία

42. «Ελμάς» ήταν το επίθετο του μέλους της ΤΜΤ, Τουρκοκύπριου Ασάφ Ελμάς από το χωριό Κόκκινα, ο οποίος μετείχε στην πρώτη επιχείρηση μυστικής μεταφοράς οπλισμού διά θαλάσσης και πνίγηκε μαζί με τον ομοχώριο του Χικμέτ Ριντβάν σε θαλασσοταραχή, στην έβδομη προσωπική αποστολή του (9 Νοεμβρίου 1958). Ismail Tansu "IN REALITY NO ONE WAS ASLEEP, a secret underground organization, with State support... TMT" 2007.

διαβιβάσεων του τουρκικού στρατού Αλί Λεβέντ, ανακόπηκε από βρετανική ακταιωρό, φορτωμένο 6.000 βόμβες, 500 τυφέκια και ένα εκατομμύριο φυσίγγια, στις 18 Οκτωβρίου 1959, δηλαδή οκτώ μήνες μετά την υπογραφή των Συμφωνιών Ζυρίχης-Λονδίνου κι ενώ η Κύπρος τελούσε ακόμα υπό αγγλική διοίκηση.

Με διαταγή του «εγκέφαλου» της ΤΜΤ ταγματάρχη Ισμαήλ Τάνσου (μέσω ασυρμάτου από την Άγκυρα) το πλήρωμα του «ΝΤΕΝΙΖ» προκάλεσε την αυτοβύθιση του σκάφους, ώστε «να μην ξεσπάσει διεθνές σκάνδαλο που θα έφερνε σε δύσκολη κατάσταση την τουρκική κυβέρνηση», όπως είπε ο ταγματάρχης Τάνσου.

Όμως, η αγγλική ακταιωρός (mine-sweeper HMS Burmaston) πρόλαβε να περιμαζέψει από το αμπάρι του βυθιζόμενου «ΝΤΕΝΙΖ» δύο κιβώτια πυρομαχικών και να συλλάβει το τριμελές πλήρωμα του «αλιευτικού».

Με παρέμβαση του Τούρκου υπουργού Εξωτερικών Φατίν Ρουστού Ζορλού προς τον Άγγλο ομόλογό του, διευθετήθηκε ώστε οι τρεις συλληφθέντες, αφού παραδεχτούν τις κατηγορίες που διαμόρφωσε ο Άγγλος εισαγγελέας και καταδικαστούν από το αγγλικό δικαστήριο της Κύπρου σε 9 μηνών φυλάκιση, να αποσταλούν αυθημερόν στην Τουρκία προς «έκτιση της ποινής τους».

Καθησυχάζοντας τον ταγματάρχη Τάνσου για την «σύλληψη» του «ΝΤΕΝΙΖ», ο υπουργός Ζορλού τον βεβαίωσε ότι «η αποκάλυψη της μεταφοράς οπλισμού ίσως συνετίσει τους Άγγλους να είναι πιο συγκαταβατικοί απέναντι στους Τούρκους».[43]

43. Σπύρος Αθανασιάδης «Φάκελλος Τ.Μ.Τ.» 1998, και Ismail Tansu "IN REALITY NO ONE WAS ASLEEP, a secret underground organization, with State support... TMT" 2007.

Αποδείξεις αποστολής οπλισμού προς τους Τουρκοκυπρίους, όπως προκύπτουν από επίσημα βρετανικά έγγραφα:

«Κατοχή οπλισμού: Χθές (17.3.1960) στις 8:30μμ, μηχανοκίνητη περίπολος της αστυνομίας ανέκοψε όχημα τύπου ΒΑΝ που οδηγούσε Τουρκοκύπριος με κατεύθυνση την Πόλι [Χρυσοχούς], στον κύριο δρόμο Κτήμα-Πόλις, κοντά στο χωριό Ακουρδάλια. Το ΒΑΝ ερευνήθηκε και ανακαλύφθηκε ότι περιείχε 1 οπλοπολυβόλο Μπρεν με 4 κενές γεμιστήρες, 1 αυτόματο Στεν με 3 κενές γεμιστήρες και 4 αυτόματα πιστόλια με 8 κενές γεμιστήρες. Ο οδηγός συνελήφθη και θα παρουσιαστεί ενώπιον του Επαρχιακού Δικαστηρίου Πάφου αργότερα σήμερα [...]».[44]

«Η υπόθεση ολοκληρώθηκε την 5η Μαΐου. Ο Τουρκοκύπριος κρίθηκε ένοχος και καταδικάστηκε σε φυλάκιση δύο ετών, για κατοχή οπλισμού τον περασμένο Μάρτιο. Πέραν της έφεσης, ο Ντενκτάς προέβη σε μια σφοδρή υπεράσπιση. Υπέβαλε, ότι ο κατηγορούμενος βρήκε τον οπλισμό και τον μετέφερε στον δρα Κιουτσούκ, βάσει των προνοιών της αμνηστίας και της κλήσης για παράδοση οπλισμού. Με βάση την μαρτυρία εμπειρογνώμονα, τα όπλα [πιστόλια] που ανευρέθηκαν ήσαν ρωσικής προέλευσης (βρίσκονταν ακόμα σε πλαστική συσκευασία). Κατά το παρελθόν, μόνο σε μια περίπτωση βρέθηκε παρόμοιο όπλο στην Κύπρο (τον περασμένο Φεβρουάριο, όταν συνελήφθη Τουρκοκύπριος για κατοχή πιστολιού).

Η κοινή γνώμη έδειξε ενδιαφέρον για το γεγονός ότι η απόφαση ελήφθη κατά πλειοψηφία, ο Άγγλος και ο Ελληνοκύπριος δικαστής καταδίκασαν, αλλά ο Τουρκοκύπριος διαφώνησε. Κατά την κοινή γνώμη, το φαινόμενο δεν εγγυάται αμερόληπτη δικαιοσύνη

44. Κυβερνήτης σερ Χιού Φουτ προς τον υπουργό Αποικιών, 18 Μαρτίου 1960 - Έγγραφο Φόρεϊν Όφις FO 371/152931.

στο μέλλον».[45]

«Χθες (7η Φεβρουαρίου 1960), Τουρκοκύπριος λοχίας της αστυνομίας στη Λάρνακα, ζήτησε ειδική προστασία για τον ίδιο και την οικογένεια του και τέθηκε υπό προστατευτική κράτηση. Είπε, ότι είχε ισχυρό λόγο να πιστεύει ότι η ΤΜΤ είχε σχεδιάσει την άμεση δολοφονία του. Εξήγησε, ότι ήταν εντεταλμένος για την διανομή και φύλαξη αποθεμάτων οπλισμού και πυρομαχικών της ΤΜΤ στην περιοχή Λάρνακας και ότι ήταν βαθιά αναμεμειγμένος σε αυτή την δραστηριότητα από τον Αύγουστο του 1957. Πίστευε, ότι η δολοφονία του είχε προγραμματιστεί, διότι οι οργανωτές της ΤΜΤ υποψιάζονταν πως δεν ήταν πλέον απόλυτα έμπιστος.

Έχει στην κατοχή του έγγραφα, τα οποία περιγράφουν λεπτομέρειες του οπλισμού της ΤΜΤ στην περιοχή Λάρνακας. Τα έγγραφα του αναφέρονται σε 400 όπλα ακριβείας μόνο για την περιοχή Λάρνακας, περιλαμβανομένων 200-303 τυφεκίων, 7 οπλοπολυβόλων Μπρεν και μεγάλο αριθμό αυτομάτων Στεν και πιστολιών. Κάποια ποσότητα αυτού του οπλισμού φέρεται να είναι κρυμμένη εντός ή κοντά στον Τεκκέ (το αρχαίο τζαμί κοντά στην αλυκή Λάρνακας) και τα υπόλοιπα έχουν διανεμηθεί σε όλα τα χωριά της περιοχής (οι ακριβείς κρυψώνες δεν είναι γνωστές).

Μας παρέχει πλήρη πληροφόρηση και, όταν θα έχουμε συμπληρώσει την ανάκριση του, θα προβούμε σε διευθετήσεις για ταχεία φυγάδευση του ιδίου και της οικογένειας του εκτός Κύπρου. Θα σας ενημερώσω για τις διευθετήσεις το συντομότερο δυνατό.

45. Κυβερνήτης σερ Χιού Φουτ προς τον υπουργό Αποικιών, 7 Μαΐου 1960 - Έγγραφο Φόρεϊν Όφις FO 371/152931.

Αποφάσισα ότι αυτή η περίοδος δεν προσφέρεται για την διεξαγωγή ερευνών για τον συγκεκριμένο οπλισμό και, για την ώρα, δεν θα προβώ σε οποιαδήποτε ενέργεια για κατάσχεση των όπλων [...] Συμβουλεύθηκα τον κ. Τζούλιαν Άμερυ και καλέσαμε τον δρα Κιουτσούκ να έλθει στο Κυβερνείο [...] του τονίσαμε εμφαντικά την σοβαρότητα της κατάστασης, λέγοντας του ότι η έντονη επιθυμία μας είναι να αποφύγουμε ακόμα ένα δημόσιο σκάνδαλο, παρόμοιο με εκείνο που ακολούθησε την βύθιση του [πλοίου] ΝΤΕΝΙΖ».[46]

Το πλοίο «ΜΑΡΜΑΡΑ»

Στις 30 Μαρτίου 1960, ο κυβερνήτης σερ Χιού Φούτ πληροφόρησε τον υπουργό Αποικιών, ότι είχε πληροφορίες πως άλλο ένα τουρκικό πλοίο, το «ΜΑΡΜΑΡΑ», πλησίαζε την Λάρνακα, μεταφέροντας οπλισμό για τους Τουρκοκυπρίους. Όμως, εν όψει της προειδοποίησης που είχε δοθεί προς τον Τούρκο γενικό πρόξενο Τουρέλ, δεν ανέμεναν ότι τα όπλα θα εκφορτώνονταν. Εάν ερωτάτο από τον τύπο, θα δήλωνε ότι οι ενέργειες [των Άγγλων] ήσαν «προληπτικά μέτρα ρουτίνας κατά του λαθρεμπορίου».

Οι πληροφορίες, που είχαν δοθεί προς τον σερ Χιού Φουτ από Τουρκοκύπριους, καταδείκνυαν ότι στο «ΜΑΡΜΑΡΑ» [επιβατηγό πλοίο που διενεργούσε ταχτικές επισκέψεις στην Κύπρο] μπορεί να μεταφορτώθηκε οπλισμός από άλλο πλοίο στο λιμάνι της Χάιφα. Ο σερ Χιού Φουτ διαβεβαίωσε το Λονδίνο ότι, κατά την άφιξη του, το πλοίο ΔΕΝ θα μετέφερε οπλισμό [...].[47]

46. Κυβερνήτης σερ Χιού Φουτ προς τον υπουργό Αποικιών, 8 Φεβρουαρίου 1960 – Έγγραφο Φόρεϊν Όφις FO 371/152931

47. Έγγραφο Φόρεϊν Όφις FO 371/152931.

Ο Διευθυντής Πληροφοριών κατηγορεί τον Ραούφ Ντενκτάς για λαθραία εισαγωγή οπλισμού

Σε αντίθεση με την επίσημη ανθελληνική πολιτική της βρετανικής κυβέρνησης, ο Διευθυντής Πληροφοριών [Chief of Intelligence] στην Κύπρο J. V. Prendergast, σε μια καταχωρημένη ως «Άκρως Απόρρητη Έκθεση ΦΑΝΤΑΣΜΑ» προς τον κυβερνήτη σερ Χιού Φουτ, έγραψε στις 26 Ιουνίου 1959 τα ακόλουθα:

> «Δεν υπήρξε ουσιαστική αλλαγή της πολιτικής του κ. Ντενκτάς, μετά από το ταξίδι του στην Τουρκία. Δεν υπάρχει καμιά απόδειξη ότι πήρε εκεί οποιαδήποτε οδηγία, που να διαφοροποιεί την μακροπρόθεσμη στρατηγική του για προετοιμασία της τουρκοκυπριακής κοινότητας προς αντιμετώπιση υπερβάλλουσας πίεσης, αφ' ης στιγμής υπάρξει η Κυπριακή Δημοκρατία [...] Αντί να εκφωνεί ομιλίες και να γράφει και εμπνέεται άρθρα για άμεση εμπλοκή σε πόλεμο, τώρα εξυμνεί το δόγμα της ειρηνικής συνύπαρξης και παροτρύνει την κοινότητα του να παραμείνει ενωμένη και φιλική, καθώς και υπομονετική στην αντιμετώπιση προκλήσεων, χωρίς την παραχώρηση μιας ίντσας εδάφους. Όμως, μέσα στα κείμενα των ομιλιών και των άρθρων του μπορεί κανείς να διακρίνει, ότι ο κ. Ντενκτάς έχει υιοθετήσει την μέθοδο να κατηγορεί τον εχθρό του, ακριβώς για τις ενέργειες εκείνες που ευθύνεται η δική του κοινότητα, δηλαδή την λαθραία εισαγωγή οπλισμού, την εκπαίδευση στα όπλα, τον εξουθενωτικό οικονομικό ανταγωνισμό, τη ραδιουργία πίσω από το προπέτασμα καπνού της φιλανθρωπίας και συνεργασίας ανωτάτου επιπέδου [...] και σιωπηρά να προστάζει την κοινότητα να αποδεχθεί τις Συμφωνίες Ζυρίχης και Λονδίνου, ως μέσο επίτευξης του αρχικού σκοπού».[48]

48. Έγγραφο υπουργείου Αποικιών CO 296/1000.

B18: Δράση ΤΜΤ

Οι μυστικές τουρκικές οργανώσεις, από τη ΒΟΛΚΑΝ μέχρι και την ΤΜΤ, υπό τη διοίκηση των αξιωματικών του τουρκικού στρατού, ουδέποτε ανέλαβαν ένοπλη δράση εναντίον της ΕΟΚΑ. Μετά την πρόσκτηση της αναγκαίας πολεμικής ισχύος, ο κύριος στρατιωτικός τους στόχος επεκτεινόταν στα μετέπειτα της εγκαθίδρυσης της Κυπριακής Δημοκρατίας.

Μέσα από τη δράση τους, την τακτική που κλιμάκωσαν, τις προκηρύξεις που εξέδιδαν και τα όσα οι ενέργειές τους προκάλεσαν από το 1955 μέχρι το 1959, είναι φανερό ότι:

Πρώτος και διαρκής στόχος ήταν να προκαλέσουν τρόμο, συσπείρωση, περιχαράκωση και φανατισμό, του πληθυσμού της τουρκικής μειονότητας απέναντι γενικά στους Έλληνες Κυπρίους και ενάντια στον απελευθερωτικό – αντιαποικιακό αγώνα που διεξήγαν.

Η αφορμή που αξιοποίησαν, ήταν η εκτέλεση από την ΕΟΚΑ κάποιων Τουρκοκυπρίων επικουρικών αστυνομικών των Εγγλέζων, την ίδια περίοδο που η ΕΟΚΑ εκτελούσε και Ελληνοκύπριους αστυνομικούς και άλλους συνεργάτες των Βρετανών.

Η εκτέλεση Τούρκου επικουρικού, αποτελούσε ευκαιρία για την τουρκοκυπριακή ηγεσία και τις οργανώσεις της να ξεσηκώνει μαχητικές διαδηλώσεις Τουρκοκυπρίων και να εξαπολύει μαινόμενους τους τουρκικούς όχλους (με ρόπαλα, λοστούς, μαχαίρια, τσεκούρια και σύνεργα εμπρησμού) εναντίον αθώων Ελληνοκυπρίων και των περιουσιών τους, στις συνοικίες που γειτόνευαν με τις τουρκογειτονιές.

Οι εμπρησμοί και οι καταστροφές οικιών, καταστημάτων, ναών, σωματείων, μαζί με φόνους αμάχων, ήσαν τα κύρια και αποκλειστικά χαρακτηριστικά της τουρκοκυπριακής δραστηριότητας.

Ο Αχμέτ Αν αναφέρει, ότι «οι τοπικοί ηγέτες της ΤΜΤ σύστηναν στον λαό να έχει στα σπίτια του μαχαίρια, τσεκούρια, μυτερά εργαλεία, μεγάλες πέτρες, βραστό νερό και πετρέλαιο».

«Νατζιάκ» (πέλεκυς) ονομαζόταν και η εφημερίδα του Ραούφ Ντενκτάς, όργανο της ΤΜΤ που διαφημιζόταν με την προτροπή «κάθε Τούρκος θα πρέπει να αγοράσει στο σπίτι του και μία Νατζιάκ».

Διευθυντής της εφημερίδας ήταν ο Κουτλού Ανταλί. Δεκαετίες αργότερα, αποσκίρτησε από τον Ντενκτάς, δημοσιογραφούσε εναντίον του και εναντίον του τουρκικού εποικισμού της κατεχόμενης μετά το 1974 Κύπρου και δολοφονήθηκε έξω από το σπίτι του στην κατεχόμενη Λευκωσία το 1996.

Ο Τουρκοκύπριος Αρίφ Χασάν Ταχσίν έγραψε:

> «Αρχικά οι ένοπλες επιθέσεις της ΕΟΚΑ ήταν μόνο ενάντια στους Άγγλους. Επίσης είναι γεγονός ότι η ΕΟΚΑ, όπως έστρεψε τα όπλα της ενάντια στους Ελληνοκύπριους αστυνομικούς, τα έστρεψε και ενάντια στους Τουρκοκύπριους αστυνομικούς. Είναι γεγονός, ακόμα, ότι οι Τούρκοι, βοηθώντας τις δυνάμεις ασφαλείας των Άγγλων, αγωνίστηκαν ενάντια στους Ελληνοκύπριους που ήθελαν την ΕΟΚΑ και την Ένωση».[49]

B19: 1956 – Πρώτη Διαίρεση

Οι Βρετανοί, μετά από τις πρώτες επιθέσεις των τουρκικών όχλων που οι ίδιοι ενθάρρυναν, επέβαλαν και την πρώτη διαίρεση - διχοτόμηση στην εντός των τειχών Λευκωσία.

49. Από το βιβλίο του Αρίφ Χασάν Ταχσίν, που υπήρξε και επικουρικός στην αστυνομία των Βρετανών και μέλος της ΤΜΤ.

Στις 30 Μαΐου 1956, μονάδα του βρετανικού στρατού με επικεφαλής τον ταγματάρχη Τάγκαρτ, με σιδερένιους στύλους και συρματόπλεγμα χώρισαν στα δύο την πόλη, από την Πύλη Πάφου μέχρι τον Άγιο Κασσιανό.[50]

Την 1η Ιουνίου 1956, ο Ιωάννης Κληρίδης[51] επέκρινε με επιστολή του τις ψευδείς παραστάσεις του ηγέτη της τουρκικής μειονότητας δρος Κιουτσούκ προς τον έξω κόσμο, για τον κίνδυνο δήθεν της τουρκικής μειονότητας να εξοντωθεί από τους Έλληνες, και κατηγόρησε τον εκπρόσωπο της βρετανικής διοίκησης ότι «λίαν παραλόγως επιδιώκει δημοσία να δικαιολογήση ή να μετριάση τα περιστατικά των προσφάτων εγκλημάτων του τουρκικού όχλου, ενθαρρύνων ούτω τον τουρκικόν όχλον εις την συνέχισιν της ολεθρίας δράσεώς του εναντίον της ζωής και της περιουσίας αθώων Ελλήνων».

Ο Ιωάννης Κληρίδης αναφέρθηκε στις αδικαιολόγητες και εγκληματικές πράξεις λεηλασίας, πυρπόλησης και φόνων αθώων ανθρώπων που μετέβαιναν στις εργασίες τους και συνέχισε με τα εξής:

> «Θέτω το απερίστροφον τούτο ερώτημα εις τον Δρα Κιουτσούκ και εις τον εκπρόσωπον της [αποικιακής] Κυβερνήσεως: Εισώρμησε ποτέ οιαδήποτε ομάς Ελλήνων εις τας Τουρκικάς συνοικίας και ενέπρησε καταστήματα ή την κατοικίαν έστω και ενός Τούρκου ή οιονδήποτε τέμενος; Είναι θλιβερόν ότι ο εκπρόσωπος της Κυβερνήσεως και ο Δρ. Κιουτσούκ, αντί να προσπαθήσουν να αναχαιτίσουν τας ενεργείας

50. Αυτή η διαχωριστική γραμμή ονομάστηκε τότε «Γραμμή Μέισον-Ντίξον», σε ανάμνηση του ονόματος της γραμμής διαχωρισμού νοτίων και βορείων στις ΗΠΑ κατά τον αμερικανικό εμφύλιο.

51. Δικηγόρος, πολιτευτής και, μέχρι την εξορία του Μακαρίου, μέλος του εκτελεστικού συμβουλίου του Άγγλου κυβερνήτη. Πατέρας του Γλαύκου Ι. Κληρίδη, μετέπειτα προέδρου της Κυπριακής Δημοκρατίας.

ανευθύνων μελών της Τουρκικής κοινότητος, επεδίωξαν να δικαιολογήσουν την δράσιν των διά της επιρρίψεως της ευθύνης εις την ΕΟΚΑ, δικαιολογούντες ούτω τα ανεύθυνα στοιχεία της Τουρκικής μειονότητος διά την καταστροφήν της ζωής και της περιουσίας αθώων ανθρώπων».[52]

Αξιοσημείωτη και η αναφορά των Ιμπραχίμ Χασάν Αζίζ και Νουρεττίν Μεχμέτ Σεφέρογλου, για την περίοδο μέχρι το 1958:

«Όταν με υποδαύλιση των Βρετανών αποικιστών άρχισαν οι βανδαλισμοί, οι εμπρησμοί και οι καταστροφές ελληνικών περιουσιών, αντί να συλληφθούν οι ηθικοί αυτουργοί και τα εκτελεστικά τους όργανα, οι Τουρκοκύπριοι ηγέτες και τα παραπλανημένα, φανατισμένα νεαρά πρόσωπα που εκτελούσαν τυφλά τις διαταγές τους, συλλαμβάνονταν εκείνοι που καταδίκαζαν αυτές τις ενέργειες, οι Τούρκοι δημοκράτες, οι πολιτικοί και εργατικοί ηγέτες. Και από κοινού, τουρκοκυπριακή ηγεσία και Βρετανοί αποικιστές οργανώνουν την εξόντωση τους...».[53]

Την αποφυγή της απ' ευθείας ένοπλης αναμέτρησης με την ΕΟΚΑ, μαρτυρεί ο εκ των συνιδρυτών της ΤΜΤ Μουσταφά Κεμάλ Τανρισεβντί του τουρκικού προξενείου:

«Αν είχαμε συγκρούσεις με την ΕΟΚΑ αυτό θα σήμαινε και απώλειες ανθρώπων μας, γιατί η ΕΟΚΑ είχε επιτυχίες στους αγώνες της ακόμα και με τους Άγγλους».

Ο δε διοικητής της ΤΜΤ (αντισυνταγματάρχης Βουρουσκάν)

52. Εφημερίδα «Times of Cyprus» 1ης Ιουνίου 1956.
53. Έκδοση Ιμπραχίμ Χασάν Αζίζ και Νουρεττίν Μεχμέτ Σεφέρογλου, 1965.

αναφέρει, επίσης, «την ανάγκη που είχαν τον Αύγουστο του 1958 από την κατάπαυση του πυρός που εξήγγειλε τότε η ΕΟΚΑ, ώστε να μπορέσει με άνεση να οργανωθεί στρατιωτικά η ΤΜΤ».

B20: 1955, 1958, 1962 – Αυτοβόμβες

Οι πρακτικές που χρησιμοποίησε η τουρκοκυπριακή ηγεσία για τον φανατισμό της τουρκικής μειονότητας, ήταν πιστό αντίγραφο των πρακτικών που δοκιμάστηκαν με επιτυχία στην προετοιμασία του ανθελληνικού πογκρόμ στην Κωνσταντινούπολη της 6ης και 7ης Σεπτεμβρίου 1955, από τους μηχανισμούς του τουρκικού κράτους με επικεφαλής τους Μεντερές-Ζορλού:

Η έκρηξη μικρής ποσότητας δυναμίτη στο τουρκικό προξενείο της Θεσσαλονίκης στις 5 Σεπτεμβρίου 1955, όπου και το σπίτι του Μουσταφά Κεμάλ Ατατούρκ, ήταν διατεταγμένη ενέργεια Τούρκων πρακτόρων και κρατικών υπαλλήλων. Το τουρκικό κρατικό ραδιόφωνο κι ο τουρκικός τύπος παρουσίασε την έκρηξη ως «ανατίναξη του σπιτιού του Πατέρα μας από τους Έλληνες», αφιονίζοντας τους τουρκικούς όχλους εναντίον της ελληνικής κοινότητας της Πόλης.

Την ίδια ακριβώς μέθοδο χρησιμοποίησε η ΤΜΤ κι ο Ντενκτάς, με βόμβα στην είσοδο του Γραφείου Τύπου του τουρκικού προξενείου στην τουρκική συνοικία της Λευκωσίας, στις 7 Ιουνίου 1958. Απέδωσαν τη βόμβα στην ΕΟΚΑ και εξαπέλυσαν καταστροφικούς τους όχλους στις γειτονικές ελληνικές συνοικίες.

Ο ίδιος ο Ραούφ Ντενκτάς, 26 χρόνια αργότερα, ομολόγησε από βρετανικής τηλεοράσεως δημόσια την σκόπιμη εκείνη προβοκάτσια, ως αναγκαία για την κινητοποίηση του τουρκοκυπριακού πληθυσμού εναντίον των Ελλήνων.[54]

Την ίδια ακριβώς μέθοδο χρησιμοποίησε η ΤΜΤ το 1962, με βόμβα στο τέμενος Μπαϊρακτάρη στην ελληνική συνοικία της Λευκωσίας, αποδίδοντας την ενέργεια στους Έλληνες.

Β21: 1958 – «Χρήσιμοι νεκροί»

Μαρτυρία της τουρκοκύπριας δασκάλας Σεβίμ Ουλφέτ[55], η οποία βρέθηκε κατά τη διάρκεια επεισοδίων της 27ης Ιανουαρίου 1958 σε κλινική, όπου συνάντησε τυχαία τον Ραούφ Ντενκτάς:

> «Η κλινική είχε γεμίσει με τραυματίες και νεκρούς. Κάποια στιγμή είδα τον Ντενκτάς και του είπα: 'Για όνομα του Θεού, δώσε εντολή να σταματήσουν επιτέλους αυτοί οι σκοτωμοί'. Κι εκείνος μου έδωσε την εξής απάντηση: 'Οι νεκροί αυτοί, μας είναι χρήσιμοι. Μ' αυτούς θα κάνουμε να ακουστεί η φωνή μας στον κόσμο'. 'Τότε γιατί δεν πεθαίνετε εσείς και ο δρ Κιουτσούκ; Θα ακουστεί καλύτερα η φωνή μας', του είπα».[56]

Β22: 1963 – «Η μπανιέρα»

Η μαρτυρία της Σεβίμ Ουλφέτ είναι χρήσιμη, για να βρει την πραγματική της εξήγηση και η φρικιαστική ιστορία της περιβόητης «μπανιέρας» των Χριστουγέννων του 1963:

54. Τηλεοπτική συνέντευξη Ραούφ Ντενκτάς στο βρετανικό κανάλι ITV, 26 Ιουνίου 1984.

55. Ο Ουλούς Ουλφέτ, αδελφός της δασκάλας Σεβίμ Ουλφέτ, είχε σκοτωθεί στην Ομορφίτα στις 30 Αυγούστου 1957, μαζί με τους Μουσταφά Ερτάν, Κουμπιλάι Αλταϊλί και Ισμαήλ Μπέιογλου, από βόμβα που οι ίδιοι κατασκεύαζαν,

56. Από το βιβλίο του Αρίφ Χασάν Ταχσίν.

Για να προπαγανδίσουν, μέσω του βρετανικού Τύπου σε όλο τον κόσμο, «την βαρβαρότητα των Ελληνοκυπρίων του αιμοβόρου Μακάριου σε πράξεις γενοκτονίας των Τουρκοκυπρίων», παρουσίασαν την φωτογραφία μιας μητέρας και των τριών παιδιών της, νεκρών μέσα στα αίματα στο μπάνιο.

Ο άνθρωπος, που το 1963 φωτογράφισε την φρικιαστική σκηνή και οι φωτογραφίες του έγιναν κύριο μέσο προπαγάνδας, ήταν ο Τούρκος δημοσιογράφος Αχμέτ Μπαράν.

Το 1985, ως επικεφαλής του γραφείου του τουρκικού ειδησεογραφικού πρακτορείου «Ανατονλού» στην Αθήνα, ο Αχμέτ Μπαράν αποκάλυψε στον δημοσιογράφο Κώστα Γεννάρη ότι:

> «Το έγκλημα είχε διαπράξει σε κατάσταση αμόκ ο Τούρκος ταγματάρχης Νιχάτ Ιλχάν, που υπηρετούσε στην ΤΟΥΡΔΥΚ (Τουρκική Δύναμη Κύπρου), με θύματα την σύζυγο του και τα παιδιά του. Το σπίτι του (όπου έγινε το έγκλημα) βρισκόταν στο κέντρο της τουρκικής συνοικίας, όπου ποτέ δεν έφτασε οποιοδήποτε τμήμα των ελληνοκυπριακών δυνάμεων».[57]

Η ίδια ακριβώς λογική Ντενκτάς του 1958, όπως την κατέγραψε ο υπηρετήσας στην ΤΜΤ Αρίφ Χασάν Ταχσίν:

> «Αυτοί οι νεκροί μας είναι χρήσιμοι».

Στο βιβλίο του, ο Κώστας Γεννάρης έγραψε:

> «Όμως, εκείνη την νύχτα με άφησε άφωνο. Χωρίς προειδοποίηση, χωρίς κανένα προϊδεασμό ο Αχμέτ μου είπε:
>
> 'Ξέρεις, εκείνη την φωτογραφία με τα τρία παιδιά

57. Κώστας Γεννάρης «Εξ Ανατολών» - 2000.

και την μητέρα τους δολοφονημένους μέσα στο μπάνιο, εγώ τράβηξα εκείνη την φωτογραφία'.

Είπε πως εκείνη την περίοδο βρισκόταν στην Κύπρο, για να καλύψει τις διακοινοτικές ταραχές του 1963. Ένα βράδυ, όπως έπινε τον καφέ του με μερικούς φίλους σ' ένα μπαρ της τουρκικής συνοικίας της Λευκωσίας, μπήκαν δύο ένοπλοι και του ζήτησαν να τους ακολουθήσει. Τον πήραν με αυτοκίνητο στο σπίτι που είχε γίνει το έγκλημα. Μόλις έφθασαν, είδε πως ο χώρος ήταν γεμάτος από άλλους ένοπλους και αξιωματικούς του τουρκικού αποσπάσματος στην Κύπρο, οι οποίοι τον διέταξαν να φωτογραφίσει το έγκλημα.

Έκαμε ότι τον διέταξαν και, τότε, ένας από τους ένοπλους του ζήτησε να παραδώσει το φιλμ και να ξεχάσει ότι έκαμε και ότι είδε.

Ο Αχμέτ ήθελε να μάθει τι πραγματικά είχε συμβεί και το έμαθε:

Ο πατέρας των τριών παιδιών είχε τρελαθεί. Εκτέλεσε τα παιδιά και την γυναίκα του και μετά εξαφανίστηκε. Τον απομάκρυνε ο τουρκικός στρατός, για να εμφανιστεί και πάλι μετά από 24 χρόνια να υπηρετεί κάπου βαθιά στην Ανατολία, παντρεμένος ξανά».

Ο Αχμέτ είπε στον Γεννάρη ότι το έγκλημα ούτε καν έγινε στην Ομορφίτα, όπως διατείνεται η τουρκική προπαγάνδα. Εκτελέστηκε σε μια περιοχή βαθιά, στην καρδιά της τουρκικής συνοικίας της Λευκωσίας, όπου οι Ελληνοκύπριοι δεν μπορούσαν να πλησιάσουν [...].

Ο Κώστας Γεννάρης προσθέτει στο βιβλίο του:

«Ερευνώντας για το βιβλίο μου, βρήκα πολλά άλλα παρόμοια περιστατικά, που εξυπηρέτησαν τα τουρκικά

> συμφέροντα και τους στόχους της Άγκυρας και που η ΤΜΤ ενεργοποίησε ως την πολιτική της στην Κύπρο [...]».

Ο Αχμέτ Μπαράν ήθελε να πει σε κάποιον την αλήθεια, δεν επιθυμούσε να πεθάνει χωρίς να έχει ξεσκεπάσει εκείνη την σοβαρή αδικία σε βάρος των Ελληνοκυπρίων. Μίλησε στον Κώστα Γεννάρη, με την προϋπόθεση «ο Γεννάρης να μην πει τίποτε ενώ ο Μπαράν ζούσε». Αποκάλυψε την αληθινή ιστορία, μετά από τον θάνατο του Μπαράν.

B23: 1958 – Φόνοι εδραίωσης ΤΜΤ

Επιστρέφοντας στο 1958, είναι φανερό ότι η κύρια αποστολή της διοίκηση της ΤΜΤ, ως μυστικού πλέον τμήματος των τουρκικών Ενόπλων Δυνάμεων στην υπό βρετανική κατοχή Κύπρο, ήταν πρωτίστως να εδραιώσει τη δική της εξουσία επί της τουρκικής μειονότητας, από την οποία στρατολογούσε άνδρες και γυναίκες ως μαχητές (μουτζαχίντ) και να εμπεδώσει τον αιματηρό διαχωρισμό των Τουρκοκυπρίων από τους Ελληνοκυπρίους που πρώτοι προέκριναν οι Βρετανοί.

Η εδραίωση της ΤΜΤ απαιτούσε την καθυπόταξη και στρατιωτικοποίηση ολόκληρης της τουρκικής μειονότητας. Γι' αυτό, έπρεπε να σιγήσει και να εξαφανιστεί κάθε αντίθετη τουρκική φωνή.

Επιβλήθηκε η πολιτική «από Τούρκο σε Τούρκο», με αυστηρή τιμωρία των παραβατών Τουρκοκυπρίων.

Ακολούθησαν οι «παραδειγματικές» δολοφονίες από την ΤΜΤ, όσων Τουρκοκυπρίων επέμεναν να συνεργάζονται με τους Ελληνοκύπριους, με θύματα κυρίως τους Τουρκοκύπριους που ήσαν οργανωμένοι στο αριστερό συνδικαλιστικό κίνημα της ΠΕΟ.

Είναι σημαντικό το γεγονός ότι, οι αλλεπάλληλες δολοφονίες εξόντωσης των Τουρκοκυπρίων αριστερών, ακολούθησαν τον κοινό συνδικαλιστικό εορτασμό της ΠΕΟ, την Πρωτομαγιά του 1958:

> «Εκατοντάδες Τούρκοι εργάτες παίρνουν μέρος στις πρωτομαγιάτικες εκδηλώσεις της κυπριακής εργατικής τάξης. Μαζί με δεκάδες χιλιάδες Ελληνοκυπρίους εργάτες, αδελφωμένοι στους δρόμους της κυπριακής πρωτεύουσας, με επικεφαλής τις εθνικές τους σημαίες, ελληνικές και τουρκικές, και τα κόκκινα λάβαρα της Πρωτομαγιάς, διαδηλώνουν την απόφασή τους να παλέψουν ενωμένοι για τα κοινά ιδανικά της εργατικής τάξης».[58]

Ακολούθησαν οι δολοφονίες. Δείγματα της τρομοκρατικής επιβολής της ΤΜΤ επί των Τουρκοκυπρίων ήσαν και τα εξής:[59]

> 22 Μαΐου 1958: Πυροβολήθηκαν ο Αχμέτ Σατή Ερκούτ, υπεύθυνος του τουρκικού γραφείου της ΠΕΟ, και η σύζυγός του. Επέζησαν και, για να γλυτώσουν από την ΤΜΤ, μετανάστευσαν στην Αγγλία.

> 24 Μαΐου 1958: Δολοφονήθηκε ο 32χρονος Φαζίλ Οντέρ, της αριστερής εφημερίδας «Ινκιλαπσί» («Επαναστάτης») που έκλεισαν οι Εγγλέζοι το 1955. Με φυλλάδιο της, η ΤΜΤ ανέλαβε την ευθύνη της εκτέλεσης του «προδότη» Οντέρ και προειδοποιούσε τους Τουρκοκύπριους να αποκηρύξουν δημοσίως τις σχέσεις τους με Ελληνοκύπριους αν ήθελαν να ζήσουν.

58. Έκδοση Ιμραχίμ Χασάν Αζίζ και Νουρεττίν Μεχμέτ Σεφέρογλου, 1965.

59. Ο κατάλογος των δολοφονιών δημοσιεύτηκε από την εφημερίδα «ZAFER KIBRISLI TURKERIDIR» στις 15 Οκτωβρίου 1965, υπό τον τίτλο «επιχείρηση εκκαθάρισης των Τουρκοκυπρίων αριστερών».

29 Μαΐου 1958: Δολοφονήθηκε ο 26χρονος κουρέας Αχμέτ Γιαχγιά, μέλος αθλητικού-μορφωτικού συλλόγου. Την παραμονή της δολοφονίας του είχε καταχωρήσει δήλωση στην εφημερίδα «Μποζκούρτ» ότι «δεν ήταν μέλος της εργατικής ένωσης», ότι «δεν ήταν αριστερός» και ότι «θα είναι πιστός στη γραμμή που χάραξαν οι ηγέτες και ο λαός μας». Η δήλωση του δημοσιεύτηκε την ημέρα που βρέθηκε δολοφονημένος στο κρεβάτι του.

5 Ιουνίου 1958: Πυροβολήθηκε (αλλά επέζησε) ο Χασάν Αλί, συνδικαλιστής οικοδόμος της ΠΕΟ.

30 Ιουνίου 1958: Δολοφονήθηκε ο 46χρονος κουρέας Αχμέτ Ιμπραήμ, επειδή δεν διέκοψε τις φιλικές του σχέσεις με τους Ελληνοκυπρίους.

3 Ιουλίου 1958: Πυροβολήθηκε (αλλά επέζησε) ο 29χρονος Αρίφ Χουλουσί Παρουντί, γιατί εξακολουθούσε να εργάζεται σε ελληνική επιχείρηση.

Ένας από τους επιζώντες συντρόφους τους, ο Νουρεττίν Μεχμέτ Σεφέρογλου, που για να σώσει τη ζωή του μετανάστευσε στην Αγγλία, μίλησε για τις δολοφονίες των αριστερών Τουρκοκυπρίων από την ΤΜΤ.[60]

Το 1965, ο Σεφέρογλου και ο Ιμπραχίμ Χασάν Αζίζ (εκ μέρους της «Πατριωτικής Οργάνωσης Τούρκων Κυπρίων») υπέγραψαν την έκδοση ειδικού λευκώματος για τις δολοφονίες των Τουρκοκυπρίων αριστερών από την ΤΜΤ κατά την περίοδο 1958-1965, με τον τίτλο «Θύματα φασιστικής τρομοκρατίας».

Ο κύριος στόχος της ΤΜΤ να κυριαρχήσει ως η μόνη και

60. Συνέντευξη στην εφημερίδα «ΧΑΡΑΥΓΗ», 15 Απριλίου 2007.

αδιαμφισβήτητη εξουσία επί της τουρκικής μειονότητας επιτεύχθηκε. Όσοι διαφωνούντες δεν δολοφονήθηκαν ή δεν μετανάστευσαν, εξουδετερώθηκαν. Στην ουσία, η ΤΜΤ ήταν η ένοπλη επέκταση της κρατικής εξουσίας της Τουρκίας επί της τουρκοκυπριακής μειονότητας. Από το 1958, η ΤΜΤ αποτελούσε το μυστικό τμήμα των τουρκικών Ενόπλων Δυνάμεων στην αγγλοκρατούμενη τότε και «ανεξάρτητη», στη συνέχεια, Κύπρο.

Δεν υπήρξε ποτέ η παραμικρή χαλάρωση του ασφυκτικού ελέγχου που ασκεί στρατιωτικά, πολιτικά και ιδεολογικά, το τουρκικό κράτος επί της τουρκοκυπριακής μειονότητας. Ένας έλεγχος, που είναι ασφυκτικότερος, ακόμα και σε σύγκριση με πολλές εντός τουρκικής επικράτειας περιοχές.

Β24: 1958 – Σφαγή Κοντεμενιωτών

Παράλληλος κύριος στόχος της ΤΜΤ, από την αρχή και σε πλήρη συνεργασία με τους Βρετανούς, ήταν η εκτροπή του Κυπριακού. Από ζήτημα απελευθερωτικού –αντιαποικιακού αγώνα, να προβληθεί ως ελληνοτουρκικό πρόβλημα αιματηρών διακοινοτικών συγκρούσεων. Χρειαζόταν να χυθεί τόσο αίμα, ώστε να προκληθεί ασίγαστο μίσος.

Κορύφωση εκείνων των προσπαθειών, υπήρξε η Σφαγή των Κοντεμενιωτών στο Κιόνελι, στις 12 Ιουνίου 1958.

> «Το φρικιαστικότερο κακούργημα που διέπραξε η αγγλο-τουρκική συμμαχία εναντίον των Ελλήνων Κυπρίων, ήταν η ομαδική σφαγή των Κοντεμενιωτών στο Κιόνελι, ημέρα Πέμπτη, 12η Ιουνίου 1958. Την διέπραξαν, οργανωμένοι προς τούτο, ενεδρεύοντες στο αμιγώς τουρκικό χωριό Κιόνελι, 200 περίπου αιμοβόροι Τουρκοκύπριοι οι οποίοι, πυροβόλησαν, κατέσφαξαν, κατακρεούργησαν, αποκεφάλισαν, οκτώ

άοπλους Έλληνες, από ένα σύνολο 35 Κοντεμενιωτών που ο αγγλικός στρατός συνέλαβε νωρίτερα στο χωριό Σκυλλούρα και τους μετέφερε προς σφαγή, στους αναμένοντες τα ανυπεράσπιστα θύματά τους, Τούρκους Κιονελίτες».[61]

«Ομαδικές σφαγές Ελλήνων από Τούρκους παρά το Κιόνελι - Με κύρια και καθαρή ευθύνη μελών των 'δυνάμεων ασφαλείας' (στρατού, αστυνομίας και επικουρικών των Εγγλέζων) - Σ' αυτές τις άμορφες μάζες μετατράπηκαν οι κάτοικοι Κοντεμένου που κατακρεουργήθηκαν από Τούρκους βανδάλους - Τα ονόματα των οκτώ νεκρών: Κωστάκης Ν. Μουρρής 34χρ., Ευριπίδης Κυριάκου 24, Πέτρος Σταύρου 21, Γεώργιος Σταύρου 17, Σωτήρης Λοΐζου 17, Ιωάννης Σταύρου Παρπέρης 31, Χαράλαμπος Σταύρου 34 και Χριστόδουλος Σταύρου 34. Άλλοι εννέα τραυματίες, επέζησαν τελικά».[62]

Η Σφαγή στο Κιόνελι υπήρξε η ειδεχθέστερη κορύφωση της προμελετημένης από το Λονδίνο και την Άγκυρα αξιοποίησης της τουρκικής μειονότητας, για την απόκρουση του αντιαποικιακού, εθνικοαπελευθερωτικού αγώνα που διεξήγαγε η Κύπρος με την ΕΟΚΑ και την μετατροπή του Κυπριακού σε «ελληνο-τουρκικό πρόβλημα διακοινοτικών σχέσεων».

Χωρίς να είχε προηγηθεί ΚΑΜΙΑ επίθεση της ΕΟΚΑ εναντίον της μειονότητας και με υποκίνηση των Εγγλέζων, η Τουρκία συγκρότησε την τρομοκρατική ΤΜΤ με επικεφαλής Τούρκους αξιωματικούς, για να χυθεί αίμα ανύποπτων, άοπλων και αθώων και να «θεμελιωθεί» η απαίτηση της διχοτόμησης.

61. Επετειακό δημοσίευμα εφημερίδας «ΣΗΜΕΡΙΝΗ», 12 Ιουνίου 2008.
62. Εφημερίδα «ΧΑΡΑΥΓΗ» (8στηλο πρώτης σελίδας) 13ης Ιουνίου 1958, με φωτογραφίες φρίκης.

Για να επιτύχει -και έκτοτε επιτυγχάνει- η Βρετανία «λύσεις και διευθετήσεις» μόνιμης παραμονής ΒΡΕΤΑΝΙΚΩΝ ΒΑΣΕΩΝ στην Κύπρο.

Ταυτόχρονα, η Άγκυρα εκκινούσε το μακρόπνοο επιτελικό «Σχέδιο Επανάκτησης της Κύπρου», που έκτοτε και μέχρι σήμερα πιστά εφαρμόζει. Με ασφυκτικά ελεγχόμενο από την ίδια κατακτητικό όργανο την παραπλανητικά αποκαλούμενη «τουρκοκυπριακή κοινότητα».

Το 1958 και με οδηγίες της Άγκυρας, οι τουρκικές τρομοκρατικές ομάδες ενέτειναν της επιθέσεις τους κατά των Ελληνοκυπρίων.

Τούτο συνέπεσε με τις βρετανικές προσπάθειες για προώθηση μιας λύσης υπέρ των Τούρκων.[63]

Από τις 7 Ιουνίου 1958, το «διακοινοτικό μίσος» στη νησί εξήφθη και, ιδιαίτερα στην Λευκωσία, υπήρξαν πολλές περιπτώσεις τουρκικών επιθέσεων εναντίον μελών της ελληνοκυπριακής κοινότητας και ελληνικών περιουσιών.

Τόσο μεγάλη ήταν η κοινή κατακραυγή και αγανάκτηση, που η μόνη επιλογή του κυβερνήτη σερ Χιού Φουτ ήταν η δημιουργία Διερευνητικής Επιτροπής για τα γεγονότα.

Η πρώτη συνεδρίαση της Επιτροπής, υπό την προεδρία του αρχιδικαστή σερ Πάγετ Μπορν, έγινε στον προθάλαμο της Αγγλικής Σχολής, στην Λευκωσία.

Η απόφαση ήταν μακροσκελής και το περιεχόμενο της αποκαλυπτικό. Όμως, ο υπουργός Αποικιών και υπουργός Πολέμου στο Λονδίνο, ο στρατηγός Ντάρλιγκ στην Λευκωσία

63. Τον Ιανουάριο 1958, ο κυβερνήτης σερ Χιού Φουτ είχε ετοιμάσει και προσπάθησε να επικρατήσει μια τριζωνική λύση για την Κύπρο, η οποία αργότερα μετονομάστηκε σε «Σχέδιο Μακμίλαν», που ευνοούσε τους Τούρκους.

και άλλοι στην κυβέρνηση και τον στρατό, είχαν ισχυρές ενστάσεις αναφορικά με την δημοσίευση της, θεωρώντας ότι «θα έβλαπτε την φήμη και το ηθικό των βρετανικών Ενόπλων Δυνάμεων».

Ο αρχιδικαστής Μπορν, εάν όχι εντελώς ειλικρινής ως προς τα ευρήματα του, τουλάχιστο όφειλε να φαίνεται ειλικρινής. Στην έκθεση του, είχε το κουράγιο να γράψει:

> «Κλήθηκα από τον συνταγματάρχη Χάμιλτον, που εκπροσωπούσε τους στρατιωτικούς, να βρω ότι, όχι μόνο όλοι ενήργησαν με καλή πίστη, κάτι που δεν θα είχα δυσκολία να πράξω, αλλά και ότι η διαταγή που δόθηκε και ενέργειες που ανελήφθησαν ήσαν λογικές. Δεν μπορώ να το πράξω [...] Το μόνο συμπέρασμα στο οποίο μπορώ να καταλήξω είναι, ότι 'η τακτική που ακολουθήθηκε ήταν πέραν της φαντασίας και αρρωστημένη'. Επίσης, κατά την άποψη μου, ήταν και παράνομη. Δεν μπορώ ποτέ να πω ότι 'οτιδήποτε παρόμοιο με αυτά που έγιναν μπορούσε λογικά να αναμένεται' [...]".[64]

Στις 7 Μαΐου 1958, η ΤΜΤ κυκλοφόρησε στην Κύπρο το ακόλουθο φυλλάδιο:

> «Ω, Τουρκική Νεολαία! Η ημέρα, που θα κληθείτε να θυσιάσετε την ζωή και το αίμα σας για τον αγώνα της ΔΙΧΟΤΟΜΗΣΗΣ, τον αγώνα για ελευθερία, είναι κοντά [...] Είσαι ένα γενναίος Τούρκος. Είσαι πιστός στην πατρίδα και το έθνος σου που σού έχει εμπιστευθεί τον στόχο να αποδείξεις την τουρκική ισχύ. Να είσαι έτοιμος να σπάσεις τις αλυσίδες της σκλαβιάς, με την αποφασιστικότητα, την θέληση και την αγάπη σου για

64. Έγγραφο υπουργείου Αποικιών CO 926/907.

ελευθερία [...] ΔΙΧΟΤΟΜΗΣΗ Ή ΘΑΝΑΤΟΣ».[65]

Τέτοιας έκτασης ήσαν οι τουρκικές επιθέσεις και βιαιότητες εναντίον των Ελληνοκυπρίων, που η Κεντρική Επιτροπή του ΑΚΕΛ[66] εξέδωσε στις 28 Ιουνίου 1958 το ακόλουθο δελτίο τύπου, υπό τον τίτλο «Φέρτε πίσω τον Αρχιεπίσκοπο Μακάριο και αρχίστε μαζί του διαπραγματεύσεις»:

> «Μετά από ένα δεκαπενθήμερο, κατά το οποίο οι Τούρκοι ήσαν στην ουσία ελεύθεροι να πυρπολούν, να σφάζουν και να λεηλατούν τους Έλληνες της Κύπρου, η βρετανική κυβέρνηση ανακοίνωσε, υπό την μορφή τελεσιγράφου, το νέο της σχέδιο για την Κύπρο.
>
> Τι είναι αυτό το σχέδιο και ποιού τα συμφέροντα εξυπηρετεί; Πρόκειται για μια 'συνταγματική' διαίρεση σε επτά χρόνια. Είναι εναντίον των δικαιωμάτων του κυπριακού λαού για αυτοδιάθεση, καταστρέφει την ενότητα της Κύπρου και δημιουργεί ένα μόνιμο ρήγμα και παρέχει την αιτία για πόλεμο. Το σχέδιο βασίζεται καθαρά σε ιμπεριαλιστικά συμφέροντα και στην προσπάθεια να ικανοποιηθεί η Τουρκία, η οποία θεωρείται ως ο ισχυρότερος σύμμαχος μεταξύ των χωρών του ΝΑΤΟ στην Ανατολική Μεσόγειο. Είναι το χειρότερο από όλα τα σχέδια που προτάθηκαν μέχρι τώρα. Γ' αυτό και, δικαιολογημένα, ολόκληρος ο ελληνικός πληθυσμός στην Κύπρο το χαρακτήρισε ως απαράδεχτο.
>
> Το ΑΚΕΛ υποστηρίζει ολόθερμα την απάντηση που έδωσε ο Αρχιεπίσκοπος Μακάριος προς τον κυβερνήτη της Κύπρου, μετά από την συνάντηση

65. Κυπριακή Δημοκρατία, Γραφείο Δημοσίων Πληροφοριών «Δημιουργούν μια έρημο και την αποκαλούν ειρήνη».

66. Το κομμουνιστικό κόμμα Κύπρου (ΑΚΕΛ) επανιδρύθηκε το 1941, με την συγκατάθεση των Βρετανών.

που είχε στην Αθήνα με τους δημάρχους της Κύπρου και τους εθναρχικούς του συμβούλους, και καλεί την βρετανική κυβέρνηση να αποδεχθεί την απάντηση του Μακαρίου και να ενεργήσει ανάλογα, ούτως ώστε το Κυπριακό ζήτημα να βγει από το αδιέξοδο.

Στο μεταξύ, θα πρέπει να τεθεί τέρμα στο εγκληματικό όργιο και την ασυδοσία των Τούρκων εγκληματιών. Όλες οι παρακρατικές οργανώσεις πρέπει να αφοπλιστούν αμέσως. Όλοι οι ένοχοι για τις σφαγές, τους εμπρησμούς και τις λεηλασίες πρέπει να συλληφθούν και τιμωρηθούν. Όλα τα θύματα των πρόσφατων βανδαλισμών πρέπει να αποζημιωθούν. Να ληφθούν αποτελεσματικά μέτρα για την προστασία της ζωής και της περιουσίας όλων των Ελληνοκυπρίων. Πρέπει να τεθεί τέρμα στην αναρχία και την ασυδοσία των τυφλών οργάνων της Τουρκίας, οι οποίοι σκοπεύουν με τα εγκλήματα τους να αποδείξουν ότι οι Έλληνες και οι Τούρκοι δεν μπορούν να ζήσουν μαζί. Πως εξηγεί κανείς το γεγονός ότι εκατοντάδες χρόνια Έλληνες και Τούρκοι έζησαν αρμονικά σ' αυτό τον τόπο; Δεν είναι οφθαλμοφανές ότι ένα ξένο στοιχείο κατευθύνει και δημιουργεί αυτό το ρατσιστικό μίσος και την τραγωδία;» (Κ.Ε. ΑΚΕΛ 28.6.1958).

Αποδείξεις των τουρκικών θηριωδιών μέσα από τα Βρετανικά Εθνικά Αρχεία

Ο Βρετανός κυβερνήτης σερ Χιού Φουτ, στην αναφορά του προς τον υπουργό Αποικιών της 29.5.1958, αναφέρει: «ΤΜΤ: Από τις τελευταίες εκθέσεις, πρέπει να είδατε ότι κατά την τελευταία εβδομάδα η οργάνωση τουρκικής αντίστασης (ονομαζόμενη ΤΜΤ) δολοφόνησε έναν από τους Τούρκους πολιτικούς της αντιπάλους και αποπειράθηκε να δολοφονήσει άλλους δύο. Η οργάνωση υπερηφανεύτηκε δημόσια γι' αυτές τις επιθέσεις και απείλησε περισσότερες. Στις 27 Μαΐου στη Λευκωσία, δύο ακόμα Τούρκοι τραυματίστηκαν σε επεισόδιο πυροβολισμών, στο οποίο μάλλον ήταν αναμεμιγμένη η ΤΜΤ.

Τίθεται το ερώτημα κατά πόσο η ΤΜΤ πρέπει να αποκηρυχθεί. Εάν θα εξετάζαμε το θέμα αποκλειστικά από την άποψη της ασφάλειας στην Κύπρο, δεν θα έπρεπε να διστάσουμε να το πράξουμε και, εάν η ΤΜΤ συνεχίσει τέτοιες δολοφονικές επιθέσεις, ίσως δεν θα έχουμε άλλη επιλογή από του να το πράξουμε. Προφανώς, είμαστε εκτεθειμένοι σε βλαβερή κριτική, εάν δεν αποκηρύξουμε την τουρκική τρομοκρατική οργάνωση, ενώ την ίδια ώρα έχουμε αποκηρύξει την ελληνική τρομοκρατική οργάνωση.

Όμως, για την ώρα θα προτιμούσα να μην αποκηρύξω την ΤΜΤ, εκτός εάν η τουρκική τρομοκρατία αυξηθεί. Εάν το πράξουμε τώρα, φαντάζομαι ότι θα υπάρξει ισχυρή αντίθετη αντίδραση στην Τουρκία».[67]

Οι βρετανικές αρχές δεν μπορούσαν να προχωρήσουν με την αποκήρυξη της ΤΜΤ, όπως οι ίδιες παραδέχονται ότι όφειλαν να πράξουν, απλώς επειδή, ήδη, είχαν χρησιμοποιήσει την τουρκική μειονότητα εναντίον της ελληνοκυπριακής πλειονότητας και ήδη είχαν ετοιμάσει προχωρημένα διαιρετικά σχέδια προς όφελος της Τουρκίας. Οι αναφορές του σερ Χιού Φουτ περιέχουν και τα ακόλουθα:

«Ρίψη πυροβολισμών στην Δημοτική Αγορά της Λευκωσίας: Δεν κατέστη δυνατό να γίνουν συλλήψεις, αλλά όλα τα υπάρχοντα αποδεικτικά στοιχεία υποστηρίζουν το συμπέρασμα ότι οι πυροβολισμοί ρίφθηκαν από

67. Κυβερνήτης σερ Χιού Φουτ προς υπουργό Αποικιών 29 Μαΐου 1958, Έγγραφο Φόρεϊν Όφις FO 371/136280.

Τούρκους. Από τους τραυματισθέντες, ένας είναι σε επικίνδυνη και ένας σε σοβαρή κατάσταση. Αμφότεροι καταζητούντο από την αστυνομία για κοινά εγκλήματα. Έχει αναφερθεί ότι φαινομενικά μάζευαν χρήματα για την ΤΜΤ, τα οποία ιδιοποιούντο».[68]

«Με βάση επίσημο τουρκικό ανακοινωθέν της 16ης Ιουνίου, την 1η Ιουνίου η ΕΟΚΑ απείλησε να σφαγιάσει Τουρκοκυπρίους. Η [αγγλική] κυπριακή κυβέρνηση κανένα απολύτως στοιχείο ή πληροφορία κατέχει, που να προσδίδει ουσία σ' αυτόν τον ισχυρισμό.

Όπως γνωρίζετε, υπάρχει ισχυρή περιστασιακή μαρτυρία που καταδεικνύει ότι οι ταραχές που ξέσπασαν το βράδυ της 7ης Ιουνίου είχαν προετοιμαστεί από Τούρκους. Κατά τις ταραχές, που συνεχίστηκαν και κατά τις επόμενες μερικές ημέρες, έχασαν την ζωή τους δύο Τουρκοκύπριοι και δώδεκα Ελληνοκύπριοι».[69]

«Υπερθεματίζοντας το περιεχόμενο του προηγούμενου τηλεγραφήματος μου, δίδω την ακόλουθη πληροφόρηση:

1) Σε κανένα τουρκικό σπίτι τέθηκε φωτιά στην Αμμόχωστο ή Πάφο και κανένα τουρκικό κατάστημα λεηλατήθηκε στην Αμμόχωστο, όπως υπήρξε ισχυρισμός.

2) Ο ισχυρισμός ότι 6 Τούρκοι σκοτώθηκαν σε ενέδρες της ΕΟΚΑ, είναι επίσης αναληθής. Τα μόνα πρόσφατα επεισόδια, κατά τα οποία υπήρξαν τουρκικές απώλειες, ήσαν:

---

68. Κυβερνήτης σερ Χιού Φουτ προς υπουργό Αποικιών 1 Οκτωβρίου 1958, Έγγραφο Φόρεϊν Όφις FO 371/136286.

69. Κυβερνήτης σερ Χιού Φουτ προς υπουργό Αποικιών 22 Ιουνίου 1958, Έγγραφο Φόρεϊν Όφις FO 371/136337.

i. Στις 29 Ιουνίου, στην Τίμη της περιοχής Πάφου, ένα Τουρκοκύπριος δέχθηκε επίθεση από Ελληνοκυπρίους και τραυματίστηκε ελαφρά, ως συνέπεια ψιθύρων ότι το χωριό υφίστατο επίθεση Τουρκοκυπρίων.

ii. Στις 30 Ιουνίου, σε χαντάκι δρόμου κοντά στην Αρμίνου της περιοχής Πάφου, βρέθηκε νεκρός από πυροβολισμό ένα Τουρκοκύπριος κρεοπώλης. Τον είχαν ληστέψει. Μετά την ανακάλυψη του πτώματος, υπήρξε διακοινοτική σύγκρουση, κατά την οποία ένας Ελληνοκύπριος σκοτώθηκε και ένας άλλος τραυματίστηκε σοβαρά.

3) Η ΤΜΤ εξέδωσε φυλλάδιο, προειδοποιώντας τους Τουρκοκύπριους να μην συνεργαστούν με το Βρετανικό Σχέδιο».[70]

«Επιθέσεις Τουρκοκυπρίων κατά Ελληνοκυπρίων: Τα ακόλουθα είναι κύρια επεισόδια, που αφορούν επιθέσεις κατά Ελληνοκυπρίων ή της περιουσίας τους, μεταξύ 13ης και 17ης Ιουλίου:

- 13 Ιουλίου: Δύο Ελληνοκύπριοι τραυματίστηκαν στο Καϊμακλί. Ένας Τουρκοκύπριος συνελήφθη.
- 13 Ιουλίου: Τουρκοκύπριοι λιθοβόλησαν Ελληνοκυπρίους στην Λεύκα. Δύο Ελληνοκύπριοι τραυματίστηκαν.
- 14 Ιουλίου: Περιπτώσεις εμπρησμού κατά ελληνοκυπριακών περιουσιών στην Λευκωσία, Αμμόχωστο, Λεμεσό και Λεύκα.

70. Κυβερνήτης σερ Χιού Φουτ προς υπουργό Αποικιών 5 Ιουλίου 1958, Έγγραφο Φόρεϊν Όφις FO 371/136338.

- 15 Ιουλίου: Δύο περιπτώσεις εμπρησμού κατά ελληνοκυπριακών περιουσιών στην Λευκωσία, δύο στην περιοχή Πάφου, μία στην Λεμεσό και μία στην Αμμόχωστο.
- 16 Ιουλίου: Ελληνοκύπρια μαχαιρώθηκε από τρεις νεαρούς στην Αμμόχωστο. Συνελήφθη ένας Τουρκοκύπριος.
- 13 Ιουλίου: Απόπειρα εμπρησμού στην Λεμεσό. Συνελήφθησαν δύο Τουρκοκύπριοι».[71]

«Οι Τούρκοι ταραξίες ήσαν ιδιαίτερα δραστήριοι κατά τις τελευταίες μία-δύο εβδομάδες και, το περασμένο Σάββατο, οργάνωσαν διαδηλώσεις, κατά τις οποίες οι διαδηλωτές καταστρέψανε αγγλικές πινακίδες. Τούτο, ως συνέχεια των δολοφονιών Τούρκων αριστερών από την ΤΜΤ και την αύξηση των φυλλαδίων της ΤΜΤ με βιαιότατο περιεχόμενο, φαίνεται να καταδείχνει ότι οι Τούρκοι είναι προετοιμασμένοι για περαιτέρω βία, γεγονός που μπορεί να προκύψει προτού γίνει η δήλωση πολιτικής ενώπιον του Κοινοβουλίου.

Στις 12 Ιουνίου θα διοργανώσουμε παρέλαση με την ευκαιρία των γενεθλίων της Βασίλισσας. Η παρέλαση (που γινόταν κάθε χρόνο, ακόμα και κατά τους χειρότερους καιρούς εκτάκτου ανάγκης) παραδοσιακά διοργανώνεται στην τάφρο. Η τάφρος γειτνιάζει προς την τουρκική συνοικία της Λευκωσίας και είναι ο χώρος που γίνονται συνήθως οι τουρκικές διαδηλώσεις. Πρόσφατα, ο Κιουτσούκ μετονόμασε την τάφρο σε Πλατεία Taksim (Διχοτόμησης)[72]. Νομίζουμε πως είναι

71. Φόρεϊν Όφις προς βρετανική πρεσβεία στην Άγκυρα 18 Ιουλίου 1958, Έγγραφο Υπουργείου Άμυνας DEFE 11/266.
72. "Taksim" στα τούρκικα σημαίνει «Διχοτόμηση».

πιθανό οι Τούρκοι να αποπειραθούν να παρέμβουν -συγκρουσθούν με την παρέλαση δημιουργώντας κάποιου είδους διαδήλωση, αλλά θεωρώ και ο στρατηγός Γιάγκ συμφωνεί μαζί μου, ότι δεν υπάρχει θέμα ακύρωσης της παρέλασης».[73]

«Η ΤΜΤ δολοφόνησε δύο ακόμα αριστερούς Τούρκους. Επιπλέον, είναι τώρα καθαρό ότι αυτή η οργάνωση ήταν αναμεμειγμένη στην σοβαρή διακοινοτική βία των τελευταίων μερικών ημερών, που είχε ως αποτέλεσμα την δολοφονία τουλάχιστο πέντε Ελλήνων και δύο Τούρκων (πολύ περισσότεροι έχουν σοβαρά τραυματιστεί) και την πρόκληση σοβαρών ζημιών σε ελληνικές περιουσίες, κυρίως με εμπρησμό.

Κρίνοντας από την σκοπιά της εσωτερικής μας κατάστασης, πιστεύω ότι ήλθε η ώρα που αυτή η τρομοκρατική οργάνωση θα πρέπει να αποκηρυχθεί και ένας αριθμός από τα πλέον βίαια μέλη της θα πρέπει να αναχαιτιστούν».[74]

B25: ΤΜΤ 10.000 – ΕΟΚΑ 663

ΜΕΤΑ από την υπογραφή των Συμφωνιών Ζυρίχης-Λονδίνου (19 Φεβρουαρίου 1959) και μέχρι την ανακήρυξη της Κυπριακής Δημοκρατίας (16 Αυγούστου 1960), παρόλο ότι η αντιαποικιακή ΕΟΚΑ διαλύθηκε και παρέδωσε στις αρχές τον οπλισμό της, η τουρκική ΤΜΤ συνέχισε να υπάρχει, αυξάνοντας την δύναμη, τον οπλισμό, την εκπαίδευση και την οργάνωση της.

73. Κυβερνήτης σερ Χιού Φουτ προς υπουργό Αποικιών 4 Ιουνίου 1958, Έγγραφο Φόρεϊν Όφις FO 371/136280.

74. Κυβερνήτης Σερ Χιού Φουτ προς Υπουργό Αποικιών 12 Ιουνίου 1958, Έγγραφο Φόρεϊν Όφις FO 371/136280.

Είναι σημαντικό, να συγκριθούν τα αριθμητικά στοιχεία του εκατέρωθεν οπλισμού:

Από την μελέτη των στοιχείων, προκύπτει ότι ο οπλισμός, που διέθετε η ΕΟΚΑ προ της διαλύσεως της το 1959, δεν ξεπερνούσε συνολικά τα 663 όπλα (περίστροφα, πιστόλια, αυτόματα και τυφέκια).[75]

Το ίδιος έτος, μέχρι Ιούλιο 1959, η ΤΜΤ διέθετε 6.000 όπλα που, έως τον Σεπτέμβριο 1960, έφτασαν τις 10.000, περιλαμβανομένων και πολυβόλων, όλμων και αντιαρματικών.

B26: 27 Μαΐου 1960 – Πραξικόπημα στην Τουρκία

Την ίδια ακριβώς περίοδο έγινε το πρώτο στρατιωτικό πραξικόπημα στην Τουρκία, που ανέτρεψε την κυβέρνηση Αντνάν Μεντερές του Δημοκρατικού Κόμματος.

Ακολούθησε 9μηνη δίκη, με αποτέλεσμα τον απαγχονισμό του πρωθυπουργού Μεντερές (17 Σεπτεμβρίου 1961), καθώς και των υπουργών Εξωτερικών Φατίν Ρουστού Ζορλού και Οικονομικών Χασάν Πολατκάν (16 Σεπτεμβρίου 1961). Ο Τζελάλ Μπαγιάρ, πρόεδρος της Τουρκίας (1950-1960), επίσης καταδικάστηκε σε θάνατο, αλλά η ποινή του μετατράπηκε σε ισόβια λόγω γήρατος.

Το αναίμακτο αυγινό πραξικόπημα της 27ης Μαΐου 1960, ήταν έργο χούντας 38 στρατηγών και άλλων αξιωματικών, που ενήργησαν χωρίς τον αρχηγό των τουρκικών Ενόπλων Δυνάμεων στρατηγό Ρουστού Ερντελχούν.

75. «Απομνημονεύματα» και «Αγών ΕΟΚΑ και Ανταρτοπόλεμος» Γεωργίου Γρίβα-Διγενή (Αντισυνταγματάρχης ε.α., Αρχηγός ΕΟΚΑ). Επίσης «50 Χρόνια Σιωπής» Ανδρέα Αζίνα (αρμόδιος για την μυστικά αποστολή όπλων από την Αθήνα προς την ΕΟΚΑ).

Την ανατροπή της κυβέρνησης ανακοίνωσε από ραδιοφώνου αργά το πρωί της ίδιας ημέρας ο συνταγματάρχης Αλπασλάν Τουρκές. Επικεφαλής της χούντας τέθηκε ο πρώην αρχηγός του Γενικού Επιτελείου στρατηγός Κεμάλ Γκιουρσέλ, που ανέλαβε αρχηγός του κράτους, επικεφαλής της «επαναστατικής Επιτροπής Εθνικής Ενότητας» ως κυβέρνησης.

Η χούντα, αφού αποστράτευσε 235 από τους 260 αντιστράτηγους, υποστράτηγους και ταξίαρχους και 5.000 περίπου συνταγματάρχες και ταγματάρχες που κρίθηκαν αμφιβόλου αφοσιώσεως, ετοίμασε νέο σύνταγμα, θεσμοθέτησε για πρώτη φορά το Συμβούλιο Εθνικής Ασφαλείας (για τον διαρκή έλεγχο των κυβερνήσεων από τις Ένοπλες Δυνάμεις) και διενήργησε εκλογές στις 15 Οκτωβρίου 1961.

Στις 20 Νοεμβρίου 1961, ανέλαβε ως πρωθυπουργός της Τουρκίας ο εν αποστρατεία στρατηγός Ισμέτ Ινονού.[76] Ο στρατηγός Γκιουρσέλ ανήλθε στην προεδρία της Τουρκίας, ενώ αρχηγός των Ενόπλων Δυνάμεων ανέλαβε ο στρατηγός Τζεβντέτ Σουνάϊ.[77]

Στις δίκες εναντίον του καθεστώτος Μεντερές, η χούντα περιέλαβε και το «λόγω Κυπριακού» πογκρόμ κατά των Ελλήνων της Κωνσταντινουπόλεως της 6ης και 7ης Σεπτεμβρίου 1955, χωρίς όμως να θίξει την «εθνική-υπερκομματική» και αποτελεσματική πολιτική που η κυβέρνηση Μεντερές άσκησε στο Κυπριακό, διά της οποίας η Τουρκία επανήλθε νομίμως στην Κύπρο, πρώτη φορά μετά το 1878. Επάνοδος, ενισχυμένη με την επίσημη παρουσία αποσπάσματος των τουρκικών Ενόπλων Δυνάμεων (650 ανδρών) της ΤΟΥΡΔΥΚ (Τουρκική Δύναμη Κύπρου), καθώς και με δικαιώματα εγγύησης και

76. Ο Ισμέτ Ινονού ήταν διάδοχος του Μουσταφά Κεμάλ Ατατούρκ στην προεδρία της Τουρκίας (1938-1950) και διάδοχος του στην προεδρία του Ρεπουμπλικανικού Λαϊκού Κόμματος (CHP).

77. Ο Σουνάϊ διαδέχθηκε αργότερα τον Γκιουρσέλ στην προεδρία της χώρας (1966-1973).

επέμβασης επί της νεότευκτης Κυπριακής Δημοκρατίας.

Οι επικεφαλής της χούντας έλαβαν αμέσως γνώση των επιτευγμάτων του Γραφείου Ειδικού Πολέμου, του «Αρχηγείου Σχεδιασμού Επανάκτησης της Κύπρου» και του επιπέδου οργάνωσης και ισχύος που είχε αποκτήσει η ΤΜΤ, ως μυστικό τμήμα των τουρκικών Ενόπλων Δυνάμεων στην Κύπρο.

Ο συνταγματάρχης Τουρκές και το νέο καθεστώς Γκιουρσέλ έσπευσαν «να αγκαλιάσουν θερμά» την ΤΜΤ. Ο ταγματάρχης Ισμαήλ Τάνσου («εγκέφαλος» της ΤΜΤ στην Άγκυρα) αφηγείται:

> «Το πραξικόπημα έγινε στις 27 Μαΐου 1960. Την εποχή αυτή εμείς συνεχίζαμε τις εργασίες μας πάνω στα σχέδια που είχαμε καταστρώσει, μάλιστα δε, είχαμε διανύσει και μεγάλη απόσταση. Είχε ιδρυθεί η ΤΜΤ, είχαμε εκπαιδεύσει 5.000 περίπου μουτζαχίντ και η οργάνωση είχε αρκετό αριθμό όπλων.
>
> Η κυβέρνησή μας, χρησιμοποιούσε παρασκηνιακά, ως διπλωματικό ατού, τη δύναμη αυτή που είχαμε παρατάξει απέναντι στην ΕΟΚΑ και εξασφάλισε την υπογραφή των συμφωνιών Ζυρίχης και Λονδίνου. Τώρα πλέον η Τουρκία, ως εγγυήτρια δύναμη, θα μπορούσε να στείλει στο νησί μονάδα των Ενόπλων Δυνάμεων. Παρά ταύτα, η αποστολή του αρχηγείου της ΤΜΤ στην Άγκυρα δεν τερματίστηκε. Θα καταβάλλαμε κάθε προσπάθεια για να καταστήσουμε την ΤΜΤ πιο ισχυρή.
>
> Όμως, το πραξικόπημα της 27ης Μαΐου έπληξε και την σύνθεση μας. Οι πραξικοπηματίες είχαν λάβει τις πληροφορίες τους ότι τόσο ο στρατηγός Καράμπελεν όσο και οι υφιστάμενοι του ανήκαν στο Δημοκρατικό Κόμμα. Μας κόλλησαν μάλιστα και τη ρετσινιά 'Γκεστάπο του Μεντερές'. Είχαν προγραμματίσει να

συλλάβουν όλους τους αξιωματικούς του τμήματός μας. Τις βλακείες αυτές τις πληροφορήθηκα την πρώτη μέρα του πραξικοπήματος.

Ήλθα σε επαφή με τέσσερεις συναδέλφους, που ήσαν στην επαναστατική επιτροπή. Μίλησα με τον συνταγματάρχη Οσμάν Κοκσάλ, που ήταν διοικητής της φρουράς της προεδρίας, και με τον επιτελή συνταγματάρχη Αλπασλάν Τουρκές, που ήταν υφυπουργός Προεδρίας της κυβέρνησης. Τους εξήγησα ότι η αποστολή του Γραφείου μας ήταν αποκλειστικά για την Κύπρο. Και οι δυο μου είπαν: 'Σ' ευχαριστούμε, θα διαπράτταμε μεγάλο λάθος'. Μάλιστα ο Τουρκές, που ήταν κυπριακής καταγωγής, μου είπε και τα εξής: 'Οποιαδήποτε ανάγκη έχετε για την Κύπρο, ενημερώστε με και θα ικανοποιηθεί αμέσως. Κατόπιν τούτου, του υπέβαλα τις ανάγκες μας και άρχισε αμέσως να δίνει τις οδηγίες που απαιτούνταν.

Παρά τις ενέργειες αυτές, δεν μπόρεσα να αναστείλω τη μετάθεση του αρχηγού του Γραφείου μας στρατηγού Ντανίς Καράμπελεν. Ήταν αδελφός του βουλευτή του Δημοκρατικού Κόμματος, Ντανιέλ Ακμπέλ. Η μετάθεσή του με ενόχλησε. Είχαμε ακόμη πολλά να κάνουμε. Θα αυξάναμε τον αριθμό των αγωνιστών από 5.000 στις 10.000. Στη Μερσίνα και στο Ανεμούρι είχαμε τις αποθήκες μας όπου κρύβαμε τα όπλα και τα πυρομαχικά. Επικεφαλής του Γραφείου μας διορίστηκε ο εν αποστρατεία συνταγματάρχης Φαρούκ Ατέσνταγλη. Ήταν άνθρωπος των επαναστατών. Τον ενημερώσαμε για όσα έγιναν και όσα προγραμματίζονταν. Μου είπε να συνεχίσω την αποστολή μου όπως και πριν».[78]

78. Σπύρος Αθανασιάδης «Φάκελος Τ.Μ.Τ.» - 1998 (πηγή η τ/κ εφημερίδα «Χαλκίν Σεσί», Μάιος και Ιούνιος 1997) και Ismail Tansu "IN REALITY NO ONE WAS ASLEEP, a secret underground organization, with State support... TMT" 2007.

B27: 1959-1963 – Μεταζυριχική ΤΜΤ

Με δεδομένες τις τουρκικές επιδιώξεις για επέκταση στην Κύπρο και στρατηγικό έλεγχο του νησιού, την βρετανική απειλή για επιβολή της διαίρεσης[79] και την υποχωρητικότητα της Αθήνας, ο ηγέτης του κυπριακού απελευθερωτικού αγώνα Αρχιεπίσκοπος Μακάριος σύρθηκε στις 19 Φεβρουαρίου 1959 στην υπογραφή των εκτρωματικών Συμφωνιών Ζυρίχης-Λονδίνου, αποδεχόμενος την γένεση ενός θνησιγενούς κράτους, υπό την τριπλή επικυριαρχία – κηδεμονία των τριών «εγγυητριών δυνάμεων», Βρετανίας, Τουρκίας και Ελλάδος.

Η μη λειτουργία και η κατάρρευση του νέου κράτους διασφαλίζονταν από την αρχή, μέσα από το Σύνταγμα του.

Η τουρκοκυπριακή ηγεσία, εντεταλμένη της ΤΜΤ του Γραφείου Ειδικού Πολέμου του τουρκικού Γενικού Επιτελείου, υπό την «διπλή στρατιωτική εγγύηση» της Άγκυρας στο νησί (ΤΜΤ και ΤΟΥΡΔΥΚ) και αξιοποιώντας τα «συγκυριαρχικά» υπερπρονόμια που της παρείχε το Σύνταγμα και οι Συνθήκες Ζυρίχης και Λονδίνου, άρχισε από την πρώτη στιγμή, σταθερά και επίμονα να σπρώχνει το κράτος της Κυπριακής Δημοκρατίας στην παράλυση και τις σχέσεις Ελληνοκυπρίων και Τουρκοκυπρίων στην ένοπλη αναμέτρηση.

Αυτή η πολιτική της σκόπιμης και υστερόβουλης παράλυσης του κράτους, είναι αποτυπωμένη στα καθημερινά δημοσιεύματα του Τύπου της τριετίας 1960-1963, όπου τεκμηριώνονται, η στάση και οι ενέργειες της τουρκοκυπριακής ηγεσίας στην κυβέρνηση, στη Βουλή των Αντιπροσώπων, στα σώματα ασφαλείας, στον Κυπριακό Στρατό, στη δημόσια υπηρεσία και στους δήμους.

79. Σχέδιο Μακμίλαν 1958.

Σε κάθε περίπτωση, προβάλλονταν σκόπιμα ασύμβατες με τη λειτουργία του κράτους τουρκικές αξιώσεις και ενστάσεις, προλειαίνοντας καθημερινά το έδαφος για την υλοποίηση της προσχεδιασμένης αναμέτρησης.

Γι' αυτήν την αναμέτρηση, η Άγκυρα διατηρούσε και αύξανε ακόμα εντονότερα την πολεμική ισχύ της ΤΜΤ, μετά την εγκαθίδρυση της Κυπριακής Δημοκρατίας. Για να υλοποιήσει σταδιακά το επιτελικό «Σχέδιο Επανάκτησης της Κύπρου - ΚΙΡ 1958», στην «Γραμμή Νιχάτ Ερίμ - 1956».

Πίσω από την πρόσοψη των πολιτικών εξελίξεων, οι οποίες παραγόντουσαν από την τουρκοκυπριακά ηγεσία και μοιραία έσπρωχναν αναγκαστικά τον πρόεδρο Μακάριο στην πολιτική της αναθεώρησης του «εκτρώματος της Ζυρίχης», ο μυστικός τουρκικός στρατός των 10.000 της ΤΜΤ ετοίμαζε τα σχέδια της βίαιης μετακίνησης πληθυσμού, της οχύρωσης περίκλειστων θυλάκων, με δομές κρατικής διοίκησης και διοικητικής μέριμνας, μηχανισμούς προπαγάνδας κ.ο.κ.

Μετά την έναρξη της ένοπλης Τουρκανταρσίας τον Δεκέμβριο του 1963 και την εγκατάλειψη των πολιτειακών θέσεων από τους Τουρκοκυπρίους, στο χρηματοκιβώτιο του υπουργικού γραφείου που εγκατέλειψε ο Τουρκοκύπριος υπουργός Γεωργίας Φαζίλ Πλουμέρ, βρέθηκαν δυο αποκαλυπτικά έγγραφα της τουρκοκυπριακής ηγεσίας, για τους στόχους και την τακτική της εναντίον της Κυπριακής Δημοκρατίας.

Το πρώτο έγγραφο, Οκτωβρίου - Νοεμβρίου 1960, ανυπόγραφο, το δεύτερο ημερομηνίας 14 Σεπτεμβρίου 1963, με τις υπογραφές των Φαζίλ Κιουτσούκ και Ραούφ Ντενκτάς.[80]

80. Φωτοτυπίες του πρωτότυπου των δύο εγγράφων δημοσίευσε ο Γλαύκος Κληρίδης στο βιβλίο «Η Κατάθεσή μου», η Στέλλα Σουλιώτη στο βιβλίο «Fettered Independence Cyprus 1878–1964» και ο Αχμέτ Αν στο βιβλίο «Turk Mukavemet Teskilatinin».

Τα έγγραφα, που βρέθηκαν στο χρηματοκιβώτιο του υπουργού Πλουμέρ,[81] μαρτυρούν την προετοιμασία της Τουρκανταρσίας του 1963. Αναφέρονται ενδεικτικά και τα εξής:

> «Όταν ξεκινήσει ο αγώνας, η τουρκική κοινότητα που είναι διασπαρμένη σε ολόκληρο το νησί, θα συγκεντρωθεί με το ζόρι [διά της βίας] σε μία περιοχή, την οποία θα αναγκαστεί να υπερασπισθεί. Η επιλογή της περιοχής θα γίνει βάσει στρατηγικού σχεδίου, το οποίο θα εκπονηθεί από ειδικούς. Πριν την έναρξη του αγώνα, είναι αναγκαίο να εκπονηθούν λεπτομερή σχέδια προκειμένου να αυξηθεί η δυνατότητα επιστράτευσης της τουρκικής κοινότητας, αλλά και σχετικά με τον εξοπλισμό, τα αποθέματα, καθώς και την αποστολή προμηθειών και ενισχύσεων από την ηπειρωτική χώρα».

Συγκεκριμένο σχέδιο υπήρξε, επίσης, για τη μετακίνηση του τουρκοκυπριακού πληθυσμού:

> «Γι' αυτόν τον σκοπό και για τον προσδιορισμό των τοποθεσιών μετοικήσεως των Τούρκων, έγιναν μελέτες από την τουρκοκυπριακή ηγεσία και το σχέδιο στάλθηκε στο τουρκικό υπουργείο Εξωτερικών».[82]

Η ακαριαία και εκτεταμένη εφαρμογή των επιτελικών σχεδιασμών της ΤΜΤ με το ξέσπασμα της Τουρκανταρσίας, από ένα «τυχαίο» γεγονός αστυνομικού δελτίου της νύκτας της 21ης Δεκεμβρίου 1963, σε αιματηρό επεισόδιο σε δρόμο με οίκους ανοχής,[83] καταδεικνύει το εύρος των στρατιωτικών προετοιμασιών της ΤΜΤ κατά την διάρκεια της τριετίας 1960-1963, από το επίπεδο του επιτελείου μέχρι και το πιο

81. Βλ. επίσης Κεφάλαιο Γ6.
82. Αχμέτ Αν στο «Turk Mukavemet Teskilatinin».
83. Έκτακτες ειδήσεις κυπριακών εφημερίδων 22.12.1963.

απομακρυσμένο τουρκικό χωριό.

Η ΤΜΤ προετοίμαζε από το 1958 και πέτυχε το 1963 την ένοπλη αναμέτρηση, την εξασφάλιση οχυρωμένων θυλάκων και την «Πράσινη Γραμμή» της 2ης Διαίρεσης, καθώς και την προετοιμασία προγεφυρώματος για την εισβολή τουρκικών στρατευμάτων στο νησί, πέραν από την ΤΟΥΡΔΥΚ, που εξασφάλισε με τις συμφωνίες Ζυρίχης και Λονδίνου.

Οι πρακτικές που χρησιμοποίησε το 1960-1964 ήσαν ήδη δοκιμασμένες το 1958-1959, για να αναπτυχθούν έτι περαιτέρω.

Κεντρικός πυρήνας και στις δύο περιόδους, που εγγυόταν την συνέχιση και ανάπτυξη της πολιτικής Μεντερές-Ζορλού από το καθεστώς Γκιουρσέλ-Ινονού, ήταν το Γραφείο Ειδικού Πολέμου που είχε σε Τουρκία και Κύπρο την υπέρτατη εξουσία επί του Κυπριακού.[84]

Β28: 1960 – Σκυτάλη από Μεντερές

Η μεταβίβαση ατόφιας της πολιτικής επί του κυπριακού, παρά την αλλαγή καθεστώτων στην Τουρκία, πρέπει να αναγνωριστεί ως «ένα διαχρονικό επίτευγμα» της γενικότερης τουρκικής, εθνικής πολιτικής, μέχρι και σήμερα. Ο επιτελικός του ΓΕΠ, ιθύνων νους της ΤΜΤ Ισμαήλ Τάνσου, έγραφε χαρακτηριστικά:

84. Για να αντιληφθεί κανείς την συνέχεια και την συνοχή της τουρκικής πολιτικής στο Κυπριακό, πρέπει να ενδιατρίψει λεπτομερώς στον κύριο φορέα συνέχειας της κρατικής πολιτικής της Τουρκίας, όποια κυβέρνηση και αν βρέθηκε στην εξουσία. Ο φορέας αυτός ήταν στρατιωτικός, το Γραφείο Ειδικού Πολέμου, και χρειάζεται στρατιωτική αντίληψη, ικανή να παρακολουθεί και να αποκρυπτογραφεί την τουρκική στρατιωτική σκέψη και πρακτική, για να γίνει πλήρως αντιληπτή η τουρκική πολιτική, καθώς και ο τρόπος μεταβίβασής της από την ανατραπείσα πραξικοπηματικώς κυβέρνηση προς στους ανατροπείς της.

> «Η ίδρυση της κοινής Τουρκοελληνικής Δημοκρατίας στην Κύπρο δεν ανέκοψε την ταχύτητα μας. Όποια κατεύθυνση και αν έπαιρνε η πολιτική επί του Κυπριακού που ακολουθούσε η κυβέρνηση της Τουρκικής Δημοκρατίας, ο δικός μας αμετακίνητος στόχος ήταν να διασώσουμε το νησί της Κύπρου, το οποίο μεταβάλαμε σε Τουρκική Πατρίδα, ανεμίζοντας επ' αυτού τη σημαία μας για 340 χρόνια. Σε περίπτωση που οι συνθήκες δεν ευνοούσαν κάτι τέτοιο, τουλάχιστον να θεμελιώσουμε την τουρκική κυριαρχία στο μισό της νήσου και να εξασφαλίσουμε τη δημιουργία ενός ελεύθερου και ανεξάρτητου Τουρκικού Κράτους επί των εδαφών που κατείχαν οι Κύπριοι ομογενείς μας».[85]

Την «όποια κατεύθυνση» όμως, καθόριζε τελικά το τουρκικό Γενικό Επιτελείο και το Γραφείο Ειδικού Πολέμου. Ακόμα και ποιος από τους Τουρκοκύπριους ηγέτες της πολιτικής πτέρυγας θα είχε το προβάδισμα.

B29: 1959 – Φαζίλ Κιουτσούκ ή Ραούφ Ντενκτάς;

Η περιγραφή των περιστατικών της επιλογής του Φαζίλ Κιουτσούκ ως του Τούρκου αντιπροέδρου της Κυπριακής Δημοκρατίας, των καθηκόντων που ανατέθηκαν στον Ραούφ Ντενκτάς και του ρόλου του ΓΕΠ, έγινε από τον

85. Ismail Tansu "IN REALITY NO ONE WAS ASLEEP, a secret underground organization, with State support... TMT" 2007.

στρατηγό Κεμάλ Γιαμάκ[86] το 2002:

«Στις ειδικές επί του θέματος συζητήσεις που λάμβαναν χώρα στην Άγκυρα δύο ονόματα προκρίνονταν. Έπρεπε να γίνει μία επιλογή μεταξύ του μακαρίτη ιατρού Φαζίλ Κιουτσούκ και του αξιότιμου Ραούφ Ντενκτάς. Τότε έγινε μία πρόταση από τον αξιότιμο συνταγματάρχη Σουνάλπ, προκειμένου να τεθεί τέρμα στους δισταγμούς. Ο αξιότιμος διοικητής πρότεινε το εξής, παραθέτοντας και την αιτιολόγηση:

'Στην Κύπρο, λαμβάνοντας υπ' όψη το μέλλον και τις υφιστάμενες ανησυχίες μας, έχουμε ανάγκη δύο προσώπων. Το ένα εξ αυτών θα αναλάβει καθήκοντα ως επίσημος εκπρόσωπος, ένας άνθρωπος του σήμερα που αναγκαστικά εμφανίζει μία ειρηνική εικόνα και κατάσταση, ενώ το δεύτερο θα είναι ένας ηγέτης που θα μένει στο παρασκήνιο, στη σκιά, θα είναι περισσότερο δραστήριος, θα μπορεί να μιλά εξ ονόματος της κοινότητας, στην ανάγκη θα είναι μαχητικός και θα προετοιμάζεται για το μέλλον. Λαμβανομένης υπ' όψη και της ηλικιακής τους κατάστασης, στην επιλογή αυτή και υπό τις σημερινές περιστάσεις πρέπει να αναδειχθεί [ως Αντιπρόεδρος] ο αξιότιμος Φ. Κιουτσούκ, ενώ για το ακαθόριστο

86. Επιτελής συνταγματάρχης του Γραφείου Ειδικού Πολέμου στους ελεγχόμενους από την ΤΜΤ τουρκικούς θυλάκους στην Κύπρο (1966-1968) και αργότερα, ως ταξίαρχος, ανέλαβε επικεφαλής του ΓΕΠ. Επανήλθε, ως αντιστράτηγος, στις κατεχόμενες από το 1974 περιοχές και ανέλαβε διοικητής του 11ου Σώματος Στρατού (δηλαδή των τουρκικών κατοχικών δυνάμεων). Στη συνέχεια ανέλαβε διοικητής της 4ης «Στρατιάς Αιγαίου» και μετά, ως στρατηγός, ετέθη αρχηγός του στρατού ξηράς της Τουρκίας. Το 1959, ως επιτελής αξιωματικός και με επικεφαλής τον τότε συνταγματάρχη Τουργκούτ Σουνάλπ, μετείχε στην τουρκική αντιπροσωπεία, η οποία διαπραγματεύτηκε στην Αθήνα τις λεπτομέρειες εγκατάστασης στην Κύπρο της ΕΛΔΥΚ και της ΤΟΥΡΔΥΚ (που συμφωνήθηκαν στις Συμφωνίες Ζυρίχης-Λονδίνου στις 19 Φεβρουαρίου 1959).

του μέλλοντος πρέπει να επιλεγεί ως μελλοντικός ηγέτης ο αξιότιμος Ρ. Ντενκτάς'.

Η άποψή του έγινε αποδεκτή. Έτσι και έγινε. Στο εξής επρόκειτο για χρόνια ολόκληρα να ακολουθήσουμε την εύστοχη διπλή αυτή επιλογή και ανάθεση καθηκόντων».[87]

Ο στρατηγός Κεμάλ Γιαμάκ υπενθυμίζει, επίσης, ότι ο συνταγματάρχης Τουργκούτ Σουνάλπ ήταν, τότε, επικεφαλής της Διεύθυνσης του Γραφείου Σχεδιασμού και Επιχειρήσεων, του Αρχηγείου Επιχειρήσεων του τουρκικού Γενικού Επιτελείου. Η πρότασή του για την «διπλή ηγεσία» έγινε μετά την επιστροφή από την Αθήνα, όπου είχε μεταβεί τον Οκτώβριο του 1959 για τις διαπραγματεύσεις εγκατάστασης της ΕΛΔΥΚ και της ΤΟΥΡΔΥΚ στην Κύπρο.

Στην αντιπροσωπεία των Αθηνών, εκτός από τον Κεμάλ Γιαμάκ, μετείχαν ο διπλωμάτης Αντνάν Μπουλάκ (ως εκπρόσωπος του τουρκικού υπουργείου Εξωτερικών) και ο Ραούφ Ντενκτάς εκ μέρους των Τουρκοκυπρίων.

B30: 1958 – Τούρκοι «μεταναστεύουν» στο Βορρά

Οι αναφορές του Άγγλου κυβερνήτη σερ Χιού Φουτ προς τους προϊσταμένους του στο Λονδίνο, που ακολουθούν, προέρχονται από τα αρχεία του Φόρεϊν Όφις και αποτυπώνουν τα σχέδια που υλοποιούσε η ΤΜΤ, μέσα από τη διακοινοτική βία, για τη μετακίνηση («μετανάστευση» μετεγκατάσταση, τουρκοκυπριακών πληθυσμών κυρίως προς το βόρειο μέρος του νησιού στην επιδίωξη της διχοτόμησης:

87. Κεμάλ Γιαμάκ (στρατηγός ε.α.) «Ίχνη που Μείναν στη Σκιά, κι Εμείς που Γίναμε Σκιές» -2006.

10 Φεβρουαρίου 1958:

«Είδα τον Ντενκτάς και του είπα για το σχέδιο μου να επισκεφθώ την Αθήνα. Ο Ντενκτάς, ο οποίος χθες περιόδευσε με τον Κιουτσούκ χωριά της περιοχής Λάρνακας, ανέφερε ότι η γραμμή του Κιουτσούκ κατά τις συναντήσεις στα χωριά ήταν η ακόλουθη: Μπορεί να μην κερδίσουμε αμέσως την διχοτόμηση. Η πορεία προς αυτήν μπορεί να είναι σκληρή, αλλά έχω την διαβεβαίωση της τουρκικής κυβερνήσεως ότι τελικά θα την κερδίσουμε».[88]

21 Ιουνίου 1958:

«Για κάποιο διάστημα, δεν θα είναι δυνατό να εκτιμήσουμε πλήρως την έκταση και την μονιμότητα της μετανάστευσης, η οποία ακολούθησε τις πρόσφατες διακοινοτικές ταραχές. Παρόλα αυτά, η ακόλουθη πληροφόρηση έχει συλλεγεί από τις εκθέσεις των επαρχιακών επιτελείων διοίκησης και ευημερίας. Είμαι ικανοποιημένος ότι δίδουν μια λογικά ακριβή εικόνα της κατάστασης.

- Στην εντός των τειχών πόλη της Λευκωσίας, εκτιμάται ότι έχουν μεταναστεύσει 90 τουρκικές και 120 ελληνικές οικογένειες.
- 30 τουρκικές οικογένειες και 20 ελληνικές οικογένειες υπολογίζονται ότι έχουν μετακινηθεί εντός των περιοχών των προαστίων.
- Περίπου 20 αρμενικές οικογένειες φαίνεται ότι έφυγαν από την τουρκική συνοικία της παλιάς πόλης.

88. Κυβερνήτης σερ Χιού Φουτ προς υπουργό Αποικιών, Έγγραφο Φόρεϊν Όφις FO 371/136279.

- Είναι γνωστό, ότι μετακινήθηκαν 138 ελληνικές οικογένειες από την Λεύκα και τα γειτονικά τουρκικά χωριά Αμπελικού και Μέσανα, κυρίως προς την περιοχή Μόρφου.
- 20 τουρκικές οικογένειες έφυγαν από την Μόρφου και τα χωριά Φλάσου, Ξερός και Πέτρα.
- 6 τουρκικές οικογένειες μετακινήθηκαν από τον Άγιο Επίκτητο προς το Καζάφανι (Κερύνεια).
- 6 τουρκικές οικογένειες μετακινήθηκαν από το Δυο Ποτάμι (κοντά στον Κοντεμένο).
- Η μετακίνηση από άλλα τμήματα της περιοχής Λευκωσίας ήταν μηδαμινή.
- Στην Αμμόχωστο/Βαρώσια, μέχρι στιγμής εκτιμάται ότι περίπου 100 οικογένειες έχουν μετακινηθεί προς και εκτός της παλιάς πόλης.
- Στο Κτήμα, μετακινήθηκαν 20-25 τουρκικές οικογένειες και 50 ελληνικές οικογένειες.
- Στη Λεμεσό, μετακινήθηκαν 21 τουρκικές οικογένειες και 5 ελληνικές οικογένειες.
- Παρόμοια μετακίνηση στη Λάρνακα.

Στη Λεύκα και, ιδιαίτερα, στη Λευκωσία ήταν αναγκαίο να γίνουν προσωρινές διευθετήσεις. Στη Λεύκα, τουρκικές οικογένειες μένουν σε καταυλισμούς στα σχολεία».[89]

<u>28 Ιουλίου 1958:</u>

«Σήμερα μάθαμε ότι Τούρκοι χωρικοί από δύο χωριά

89. Κυβερνήτης σερ Χιού Φουτ προς υπουργό Αποικιών, Έγγραφο Φόρεϊν Όφις FO 371/136337.

της περιοχής Πάφου επρόκειτο να μετακινηθούν σε χωριά της περιοχής Λευκωσίας. Για τον σκοπό αυτό θα χρησιμοποιείτο μεγάλος αριθμός λεωφορείων και φορτηγών και οι διευθετήσεις θα αναλαμβάνονταν από Τούρκους επικεφαλής. Ο σκοπός ήταν να στεγάσουν τους μετανάστες χωρικούς σε αντίσκηνα, που έχουν αποσταλεί από την τουρκική Ερυθρά Ημισέληνο.

Λήφθηκαν επίσης πληροφορίες, ότι εγίνοντο σχέδια να μετακινηθούν Τούρκοι χωρικοί από άλλα χωριά, των περιοχών Πάφου και Λεμεσού, προς τις περιοχές Λευκωσίας και Αμμοχώστου.

Εάν άρχιζε τέτοιας κλίμακας μετανάστευση, θα ήταν αδύνατο να σταματήσει και οι χωρικοί που θα εγκατέλειπαν τα σπίτια και τα χωράφια και φυτείες τους, σύντομα θα καθίσταντο άποροι.

Σήμερα το πρωί είδα τους Κιουτσούκ και Ντενκτάς μαζί με τον βοηθό κυβερνήτη. Τους παροτρύναμε να κάμουν ότι μπορούν για να σταματήσουν τον πανικό και να τερματίσουν την μετανάστευση. Σχημάτισα την εντύπωση ότι επιθυμούν να συνεργαστούν πλήρως με την κυβέρνηση, ελέγχοντας κάθε περαιτέρω τουρκική βία και παρέχοντας πλήρη προστασία στις τουρκικές κοινότητες, ιδιαίτερα στις αγροτικές περιοχές, αλλά δεν μπορούμε να αποκλείσουμε την πιθανότητα ότι, ενώ προσποιούνται ότι θα συνεργαστούν, στην πραγματικότητα προωθούν ένα σχέδιο για την επιβολή της διχοτόμησης.

Πήρα την ευκαιρία να πω στον Κιουτσούκ για την μεγάλη ζημιά που προκάλεσαν οι δηλώσεις του, που επαναλήφθηκαν στον σημερινό πρωινό, επιτόπιο Τύπο, με τις οποίες καλεί να παρέμβουν τα τουρκικά στρατεύματα».[90]

90. Κυβερνήτης σερ Χιού Φουτ προς υπουργό Αποικιών, Έγγραφο Φόρεϊν Όφις FO 371/136281.

Β31: Η Τουρκία χρηματοδοτεί την «μετανάστευση»

7 Αυγούστου 1958:

«Φαίνεται ότι οι μετακινήσεις χρηματοδοτούνται από την τουρκική κυβέρνηση, μέσω της Ομοσπονδίας Τουρκοκυπριακών Οργανώσεων και του ΕΒΚΑΦ. Πρόσφατα, δύο τουρκικά καΐκια μετέφεραν στην Κύπρο φαγώσιμα και αντίσκηνα από την Τουρκία. Η Ομοσπονδία είναι υπεύθυνη για την παροχή μεταφορικού μέσου για τις μετακινήσεις και οι Κιουτσούκ και Ντενκτάς το παραδέχθηκαν σε συζητήσεις με εκπροσώπους της κυβέρνησης. Μακροπρόθεσμα, μπορεί να εποφθαλμιούν την εύφορη ομάδα χωριών στην περιοχή Κυθρέας στο βορρά, που κατοικούνται από Έλληνες. Εκατό πενήντα χωρικοί έχουν μετακινηθεί στην συνοικία Ταχτακαλά, στην εντός των τειχών πόλη της Λευκωσίας. Αυτή η συνοικία αποτελεί μια τουρκική προεξοχή μέσα στην ελληνική πλευρά της Γραμμής Μέισον-Ντίξον.[91] Οι χωρικοί εγκαταστάθηκαν, μετακινούμενοι σε ελληνικά σπίτια που εκκενώθηκαν. Φαίνεται ότι υπήρξε εσκεμμένη πρόθεση για πλήρωση αυτής της συνοικίας με Τούρκους, ούτως ώστε να εξασφαλιστεί ότι, στο ενδεχόμενο οποιασδήποτε αναπροσαρμογής της Γραμμής Μέισον-Ντίξον (που τώρα εξετάζεται), αυτή η συνοικία θα παραμείνει αδιαμφισβήτητα τουρκική ».[92]

91. Η «Γραμμή Μέισον-Ντίξον» ήταν η αρχική «διαιρετική γραμμή» που επιβλήθηκε στην Λευκωσία από την αποικιακή δύναμη το 1956. Σχεδιάστηκε ξανά από τον Βρετανό στρατηγό Πήτερ Γιάγκ το Δεκέμβριο 1963 και έκτοτε αποκαλείται ως «Πράσινη Γραμμή». Βλέπε επίσης Κεφάλαιο Β21.

92. Κυβερνήτης σερ Χιού Φουτ προς υπουργό Αποικιών, Έγγραφο Φόρεϊν Όφις FO 371/136281.

2 Σεπτεμβρίου 1958:

«Υπάρχουν ενδείξεις ότι οικογένειες, οι οποίες εγκατέλειψαν τα χωριά τους, αρχίζουν τώρα να αισθάνονται το άγχος να ζουν σαν ξένοι στα νέα τους σπίτια και υπό μη άνετες συνθήκες. Οικογένειες που μετακινήθηκαν, τώρα επιθυμούν να επιστρέψουν και ζητούν την αρωγή της κυβέρνησης για μέσο μεταφοράς. Άλλες οικογένειες θα ήσαν τώρα διατεθειμένες να επιστρέψουν, αλλά φοβούνται για την υποδοχή που θα τύχουν».[93]

1 Σεπτεμβρίου 1958:

«Άσχετα από το κατά πόσο, τελευταία, η τουρκική κυβέρνηση έχει ειδικά ενθαρρύνει αυτή την ιδέα της μετανάστευσης, φαίνεται ότι αποτελεί μια λογική συνέπεια της εξαιρετικά ξεροκέφαλης και ανηλεούς τακτικής, την οποία έχουν ακολουθήσει προς υποστήριξη μιας ολοκληρωτικής διχοτομικής πολιτικής από τον περασμένο Μάιο, όταν η κυβέρνηση της Αυτής Μεγαλειότητος ανακοίνωσε την πρόθεση να ετοιμάσει ένα νέο σχέδιο για την Κύπρο. Όπως γνωρίζετε, αυτή η τακτική ήταν το μαστίγωμα της τουρκοκυπριακής κοινότητας, ώστε να δημιουργήσει μια τέτοια κατάσταση μεταξύ τους και των Ελληνοκυπρίων, που ως μόνη δυνατή λύση να ήταν η διχοτόμηση».[94]

Β32: «Χωριστή αυτοδιάθεση μόνο όταν και οι δύο κοινότητες συμφωνήσουν»

Στις 12 Δεκεμβρίου 1958, οι Ραούφ Ντενκτάς και Φαζίλ

93. Κυβερνήτης σερ Χιού Φουτ προς υπουργό Αποικιών 12 Ιουνίου 1958, Έγγραφο Υπουργείου Αποικιών CO 926/848.

94. Βρετανός πρέσβης στην Άγκυρα προς Φόρεϊν Όφις, Έγγραφο Υπουργείου Αποικιών CO 926/848.

Κιουτσούκ είχαν συνάντηση με τον Βρετανό υπουργό Εξωτερικών στο Λονδίνο, κατά την οποία:

Ο Ντενκτάς ζήτησε διαβεβαιώσεις ότι οι φήμες, πως η βρετανική κυβέρνηση θα άλλαζε το σχέδιο της και θα προωθούσε λύση με ένα κοινοβούλιο, δεν ευσταθούν.

Ο υπουργός είπε ότι δεν υπήρχε αλλαγή στο 7ετές σχέδιο, εκτός εάν κάτι τέτοιο συμφωνούσαν μεταξύ τους οι Έλληνες και οι Τούρκοι υπό βρετανικό έλεγχο! Επρόκειτο για το «Σχέδιο Τριχοτόμησης Μακμίλαν».[95]

Ο Ντενκτάς εξέφρασε τους φόβους του για την εσωτερική ασφάλεια κατά την διάρκεια εκείνων των 7 ετών και ζήτησε διευθετήσεις για τον εξοπλισμό μερικών Τούρκων για την προστασία των χωριών. Ο υπουργός είπε ότι θα πληροφορήσει τον κυβερνήτη.

Ο Ντενκτάς είπε επίσης, ότι 33 τουρκικά χωριά εγκαταλείφθηκαν και ότι οι κάτοικοι τους αντιμετώπιζαν οικονομική δυσπραγία, ζήτησε χωριστό νοσοκομείο καθόσον δεν εμπιστεύονταν τους Ελληνοκυπρίους και είπε στον υπουργό ότι στους Τουρκοκύπριους δεν θα άρεσε ο αποκλεισμός της διχοτόμησης, γεγονός που «θα κατέληγε σε αιματοχυσία».

Ο υπουργός Εξωτερικών ΕΠΑΝΕΛΑΒΕ την διαιρετική δήλωση της 19ης Δεκεμβρίου 1956, για χωριστή αυτοδιάθεση, αλλά ότι «αυτό θα συμβεί, μόνο όταν

95. Εκείνο το σχέδιο ήταν το ούτω καλούμενο «σχέδιο συνεταιρισμού μεταξύ Τούρκων και Ελλήνων», το οποίο πήρε σάρκα και οστά το 2004 υπό την μορφή των «δύο συνιστώντων κρατών», όπως απεικονίστηκε στο «Σχέδιο Ανάν», που απορρίφθηκε από το 76% των Ελληνοκυπρίων στο Δημοψήφισμα της 24ης Απριλίου 2004.

συμφωνηθεί και από τις δύο κοινότητες, παρόλο ότι η ημέρα που θα πραγματοποιηθεί η διχοτόμηση θα είναι θλιβερή».[96] [97]

Άρα λοιπόν, αφού πρώτα ξερίζωσαν όλους εκείνους τους Τουρκοκύπριους από τα χωριά τους στα νότια τμήματα της Κύπρου και τους μετακίνησαν δια της βίας στις βόρειες περιοχές του νησιού, τις οποίες οι Τούρκοι είχαν κατά νου τελικά να μετατρέψουν σε είδος «τουρκικού συνιστώντος κράτους», ο Ραούφ Ντενκτάς υποστήριξε (και ο Βρετανός υπουργός Εξωτερικών αποδέχθηκε) ότι αυτοί οι άνθρωποι «εγκατέλειψαν» τα χωριά τους, κατηγορώντας έμμεσα για τούτο τους Ελληνοκύπριους.

Παρόλα αυτά, οι Βρετανοί εγκατέλειψαν το «7ετές Σχέδιο Μακμίλαν»[98], μετά που το υπουργείο Εξωτερικών των ΗΠΑ απέρριψε τα διαιρετικά τους σχέδια και υποστήριξε ένα ενιαίο ανεξάρτητο κράτος, μανουβράροντας έξυπνα την κατάσταση:

Τον Φεβρουάριο 1959, οι Βρετανοί κατάφεραν να υπογραφούν από την Ελλάδα και την Τουρκία στην Ζυρίχη οι συμφωνίες λύσης, των οποίων όλες οι πρόνοιες είχαν καταρτιστεί μυστικά από τους ίδιους. Οι συμφωνίες προνοούσαν την ίδρυση ενός ενιαίου κράτους, της Κυπριακής Δημοκρατίας, παρά την ύπαρξη μιας αμφίβολης «Συνθήκης Εγγυήσεως» (με Εγγυητές τη Βρετανία, την Τουρκία και την Ελλάδα), καθώς και ένα μη λειτουργικό Σύνταγμα.

Συμπτωματικά και σε εύθετο χρόνο, θα δημιουργούντο οι συνθήκες για την υλοποίηση της υπόσχεσης τους της 19ης

96. Έγγραφο του υπουργείου Αποικιών CO 926/1119.

97. Μισό αιώνα αργότερα, εκείνη η υπόσχεση βγήκε ξανά στην επιφάνεια υπό την μορφή του «Σχεδίου Ανάν» και των δύο χωριστών Δημοψηφισμάτων.

98. Αρχικά "Σχέδιο σερ Χιού Φουτ», Ιανουάριος 1958.

Δεκεμβρίου 1956 προς την τουρκοκυπριακή μειονότητα του 18%, δηλαδή την αποδόμηση της Κυπριακής Δημοκρατίας και την δημιουργία δύο χωριστών και πολιτικά ίσων οντοτήτων.[99]

Β33: Αριστεροί Τουρκοκύπριοι και Χούντα 27 Μαΐου 1960

Το 1960, εντός της τουρκικής μειονότητας στην Κύπρο είχαν απομείνει ελάχιστοι αριστεροί και δημοκρατικοί που δεν υποτάχθηκαν στους Κιουτσούκ-Ντενκτάς-ΤΜΤ, τους οποίους οι ίδιοι θεωρούσαν ως «φασίστες δικτάτορες της τουρκοκυπριακής κοινότητας». Οι γνωστότεροι ήσαν ο γιατρός Ιχσάν Αλί, οι δικηγόροι Αϊχάν Χικμέτ και Αχμέτ Μουζαφέρ Γκιουρκάν και ο συνδικαλιστής Αλί Ντερβίς Καβάζογλου.

Στις 9 Ιουνίου 1960, ο Ιχσάν Αλί ανακοίνωσε την απόφαση του να ιδρύσει κόμμα υπέρ της φιλίας και συνεργασίας των δύο κοινοτήτων και για την εξυγίανση των τουρκοκυπριακών πραγμάτων, με την εξασφάλιση ελευθερίας σκέψης και έκφρασης των Τουρκοκυπρίων, την οποίαν στερούντο από τους Κιουτσούκ-Ντενκτάς.[100]

Στις 11 Ιουνίου 1960, ο Ιχσάν Αλί ταξίδευσε στην Άγκυρα με πέντε συνεργάτες του, για να καταγγείλουν στη νέα, μετά το πραξικόπημα της 27ης Μαΐου 1960, κυβέρνηση της «Επιτροπής Εθνικής Ενότητας» της Τουρκίας και στον Ισμέτ Ινονού, πρόεδρο του κεμαλικού Ρεπουμπλικανικού Λαϊκού Κόμματος, την «δικτατορική και φιλομεντερική πολιτική των Ντενκτάς και Κιουτσούκ». Στην Άγκυρα, ο Ινονού έθεσε το

99. Αυτό επιχειρήθηκε το 2004 με το «Σχέδιο Ανάν», οι διαιρετικές πρόνοιες του οποίου είχαν ετοιμαστεί από τον σερ (αργότερα λόρδο) Ντέιβιντ Χάνεϊ.

100. Συνέντευξη Τύπου, ξενοδοχείο «Λήδρα Πάλας», Λευκωσία, 9 Ιουνίου 1960

προσωπικό του αυτοκίνητο στη διάθεση του Ιχσάν Αλί, ο οποίος συναντήθηκε και με τον αρχηγό της χούντας στρατηγό Γκιουρσέλ.

Τον ίδιο μήνα, ο Ιχσάν Αλί ανακοίνωσε την απόφαση για έκδοση της νέας εβδομαδιαίας εφημερίδας «Τζουμχουριέτ» και για την κάθοδο του κόμματος του, Τουρκικό Λαϊκό Κόμμα, στις βουλευτικές εκλογές με τρεις υποψηφίους, τον ίδιο, τον Γκιουρκάν και τον Χικμέτ.

Στην αρθρογραφία της, η «Τζουμχουριέτ» τασσόταν υπέρ της ειρηνικής συνύπαρξης Ελλήνων και Τούρκων, καταδίκαζε τα Σεπτεμβριανά του 1955 σε βάρος των Ελλήνων της Κωνσταντινουπόλεως και, προσωπικά, ο Ιχσάν Αλί δημοσίευε την αξίωση για διεξαγωγή έρευνας προς ανακάλυψη των δραστών της βόμβας στο Γραφείο Τύπου του τουρκικού προξενείου στη Λευκωσία της 7ης Ιουνίου 1958.

Τον Οκτώβριο 1960, όταν στην Τουρκία άρχισε η δίκη εναντίον του ανατραπέντος πρωθυπουργού Μεντερές, η τουρκοκυπριακή «Τζουμχουριέτ» δημοσίευσε άρθρα, ότι η τουρκοκυπριακή ηγεσία Κιουτσούκ-Ντενκτάς πλήρωνε ανθρώπους για να βρίζουν και να προπαγανδίζουν εναντίον της Επιτροπής Εθνικής Ενότητας της Τουρκίας, η οποία στο δικαστήριο του Γιασσί-Αντά κατηγορεί τον Μεντερές για τα ανθελληνικά γεγονότα της 6-7 Σεπτεμβρίου:

> «Αυτοί οι Δον-Κιχώται που κυβέρνησαν την κοινότητά μας με τα ρόπαλα και τα πιστόλια, αποτραβήχτηκαν ως οι καράολοι εις το όστρακόν των μετά την στρατιωτικήν επανάστασιν της 27ης Μαΐου. Όμως τώρα, που οι φίλοι των, Μεντερές και Ζορλού, δικάζονται ως υπεύθυνοι των γεγονότων της 6-7 Σεπτεμβρίου, ξετρύπωσαν από τα καβούκια τους διά να υβρίζουν την Επιτροπήν Εθνικής Ενότητος, φοβούμενοι ότι θα αποκαλυφθούν ως συνένοχοι των Μεντερές και

Ζορλού. Οι Δον Κιχώται φοβούνται, διότι γνωρίζουν καλώς ποιοι διέδωσαν την ψευδή είδησιν ότι εις τας 28 Αυγούστου 1955 θα εγένετο γενική σφαγή των Τουρκοκυπρίων εκ μέρους των Ελλήνων εις την Κύπρον, είδησις που συνετάραξε την κοινήν γνώμην εις την Τουρκίαν και προεκάλεσε το μίσος».

Στις 7 Νοεμβρίου 1960, η «Τζουμχουριέτ» προκάλεσε τον δρα Φαζίλ Κιουτσούκ να απολογηθεί δημοσίως για την επιστολή του με τα ψεύδη περί δήθεν «επικείμενης σφαγής των Τουρκοκυπρίων στις 28 Αυγούστου 1955», η οποία διαβάστηκε στη δίκη των Μεντερές-Ζορλού στο Δικαστήριο της «Νήσου των Σκύλλων».

Αυτά τα στοιχεία μαρτυρούν, ότι οι καταδιωκόμενοι από την ΤΜΤ, τον Ντενκτάς και τον Κιουτσούκ εναπομείναντες δημοκρατικοί, αριστεροί, φιλέλληνες Τουρκοκύπριοι,[101] είχαν εναποθέσει τις ελπίδες τους στη «δημοκρατικότητα» που πίστευαν ότι διακατείχε την χούντα της 27ης Μαΐου 1960, τους ανατροπείς του Μεντερές και τον Ισμέτ Ινονού. Χωρίς να έχουν ιδέα για τον πραγματικό χαρακτήρα της ΤΜΤ, ως προέκτασης των τουρκικών Ενόπλων Δυνάμεων στην Κύπρο, και για την «σκυτάλη» που η νέα τουρκική κυβέρνηση παρέλαβε ατόφια, μέσω του Γραφείου Ειδικού Πολέμου και της «Γραμμής» των Εκθέσεων Νιχάτ Ερίμ.

Είχαν προσεγγίσει και τον ίδιο τον Νιχάτ Ερίμ όταν είχε σταλεί στην Κύπρο τον Ιανουάριο του 1957, προβάλλοντας τις διαφωνίες τους έναντι της διχοτόμησης και υποστηρίζοντας την ελληνοτουρκική φιλία και το αντιαποικιοκρατικό καθήκον.

---

101. Στο ημερολόγιο του, ο Νιχάτ Ερίμ τους καταχώρισε ως «Τουρκικό Κλάδο του ΑΚΕΛ» και δημοσίευσε την επιστολή τους στο βιβλίο του «Το Κυπριακό πρόβλημα κατά το μέτρο των όσων γνωρίζω και έχω δει» - 1975. Εκτενείς αναφορές για το θέμα και στο βιβλίο του Νεοκλή Σαρρή «Η Άλλη Πλευρά».

Β34: 1962 – Πρέσβης Ντιρβάνα

Τις ελπίδες των Ιχσάν Αλί, Χικμέτ, Γκιουρκάν κ.ά. αναπτέρωσε ο πρώτος πρέσβης της Τουρκίας στην Κύπρο Μεχμέτ Εμίν Ντιρβάνα,[102] με τον οποίον είχαν επαφές.

Εκ των υστέρων, φάνηκε ότι ο Ντιρβάνα δεν ήταν «στο κόλπο» του Γραφείου Ειδικού Πολέμου και της ΤΜΤ, αλλά γνώριζε μόνο την «προς τα έξω» επιδεικνυόμενη, επίσημη πολιτική της τουρκικής κυβέρνησης.

Ο Ντιρβάνα αντιπαρατάχθηκε τελικά προς τον Ντενκτάς, στις 26 Σεπτεμβρίου 1962 υποχρεώθηκε σε παραίτηση και έφυγε από την Κύπρο. Τρία χρόνια αργότερα ξεσπάθωσε προσωπικά εναντίον του Ντενκτάς ειδικά για τη βόμβα της 7ης Ιουνίου 1958, δηλώνοντας ότι «δι' αυτής οι Τούρκοι της Κύπρου υποκινήθηκαν τότε να κυριευτούν από ιερή αγανάκτηση και διέπραξαν ενέργειες όμοιες με εκείνες που είχαν διαπραχθεί την 6η και 7η Σεπτεμβρίου 1955 στην Κωνσταντινούπολη».[103]

Β35: Καβάζογλου και 27 Μαΐου 1960

Για να γίνει απόλυτα κατανοητό πόσες φρούδες ελπίδες και ψευδαισθήσεις έτρεφαν, από άγνοια, οι διωκόμενοι από την ΤΜΤ και τον Ντενκτάς δημοκρατικοί, αριστεροί Τουρκοκύπριοι για την φύση και τον χαρακτήρα του πραξικοπήματος της 27ης Μαΐου 1960, την Επιτροπή Εθνικής Ενότητας του στρατηγού Γκιουρσέλ και την κυβέρνηση Ινονού, αρκεί να αναφερθεί ένα απόσπασμα της ομιλίας του Ντερβίς Αλί Καβάζογλου:[104]

102. Εν αποστρατεία αξιωματικός, κυπριακής καταγωγής.
103. Άρθρο Ντιρβάνα στην «Μιλλιέτ» της 15ης Μαΐου 1965.
104. Αριστερός συνδικαλιστής και μέλος του ΑΚΕΛ.

«Ο Ντενκτάς και οι ομοϊδεάτες του, για να ικανοποιήσουν τις δικές τους πολιτικές φιλοδοξίες και για να παρέχουν σημαντικές υπηρεσίες στα αφεντικά τους - αποικιοκράτες, είπαν ψέματα στον λαό και με δημαγωγίες για 'ομαδικές σφαγές' και εκμεταλλευόμενοι τα αγνά αισθήματα του λαού, ξερίζωσαν από τον τόπο τους, από τα χωριά τους, από την πατρίδα τους, 30 χιλιάδες αδέλφια μας και τους έριξαν σ' αυτές τις άθλιες συνθήκες [στους θυλάκους]. Αδέλφια μου, θεωρώ εθνικό μου καθήκον και πατριωτικό μου χρέος να απευθυνθώ ενώπιόν σας, στους δημοκρατικά σκεπτόμενους και προοδευτικούς ανθρώπους, διανοούμενους, στις ακμαίες δυνάμεις της μητέρας πατρίδας. Αξιότιμα παιδιά της Τουρκίας, αδέλφια μας Κεμαλιστές, προοδευτικοί, παιδιά της 27ης Μαΐου, άτομα δημοκρατικά σκεπτόμενα, η απερίσκεπτη πολιτική του Ντενκτάς και των ομοίων του [...] έχει οδηγήσει τους Τουρκοκυπρίους σε μια τρομακτική καταστροφή. Αυτός ο άνθρωπος μαζί με τους όμοιους του στην Τουρκία, προσπαθεί να στήσει παγίδες στις ακμαίες δυνάμεις και να δημιουργήσει προβλήματα στην κυβέρνηση Ινονού».[105]

Η ομιλία έγινε στο μεικτό χωριό Δάλι, λίγο προτού ο Καβάζογλου δολοφονηθεί από την ΤΜΤ στις 11 Απριλίου 1965.

Πριν από τη δολοφονία του Καβάζογλου, η ΤΜΤ είχε δολοφονήσει τους Αϊχάν Χικμέτ και Αχμέτ Μουζαφέρ Γκιουρκάν (23 Απριλίου 1962).

Ο Ιχσάν Αλί διέφυγε, προστατεύτηκε στις ελληνικές συνοικίες και έγινε σύμβουλος του προέδρου Μακαρίου.

Είναι φανερό, ότι οι διωκόμενοι από την ΤΜΤ Τουρκοκύπριοι

105. Το κείμενο της ομιλίας διέσωσε ο φίλος του Καβάζογλου, Χριστάκης Βανέζος, στο βιβλίο-αφιέρωμα για τον Καβάζογλου που εξέδωσε το 2008.

δεν αντιλήφθηκαν πως την «σκυτάλη» της πολιτικής Μεντερές την παρέλαβαν και συνέχισαν τα «αδέλφια της 27ης Μαΐου», τα «αδέλφια Κεμαλιστές» και η κυβέρνηση Ινονού. Δεν αντιλήφθηκαν, ότι η πραγματική και υπέρτερη εξουσία επί της τουρκοκυπριακής μειονότητας ήταν η ΤΜΤ, ως εγκάθετη και εντολοδόχος των τουρκικών Ενόπλων Δυνάμεων, υπό τας διαταγάς απευθείας του Γραφείου Ειδικού Πολέμου και δεν αντιλήφθηκαν, ότι οι Κιουτσούκ-Ντενκτάς ήσαν οι διατεταγμένοι επικεφαλής της πολιτικής πτέρυγας της ΤΜΤ.

Β36: 1962 – Βόμβες Μπαϊρακτάρη και Δολοφονίες Τουρκοκύπριων Δημοσιογράφων

Η σχεδιασμένη από την ΤΜΤ κλιμάκωση της έντασης το 1962, χρειαζόταν εύκολη και δοκιμασμένη μέθοδο, για να προκαλέσει ξανά το μίσος και τον φόβο των Τούρκων εναντίον των Ελλήνων:

Στις 25 Μαρτίου 1962, ημέρα που οι Έλληνες Κύπριοι γιόρταζαν την εθνική επέτειο της Ελληνικής Επανάστασης του 1821 εναντίον της Οθωμανικής κατοχής τεσσάρων αιώνων, βόμβες της ΤΜΤ ανατίναξαν στην Λευκωσία τα δύο μουσουλμανικά τεμένη, Ομεριέ και Μπαϊρακτάρη.

Στις 23 Απριλίου 1962, οι αντιντενκτασικοί δημοσιογράφοι Αϊχάν Χικμέτ και Αχμέτ Μουζαφέρ Γκιουρκάν δημοσίευσαν στην τουρκοκυπριακή εφημερίδα τους, την «Τζουμχουριέτ», ότι η ανατίναξη των τεμενών ήταν δουλειά εκείνων των εγκληματικών στοιχείων εντός της τουρκικής κοινότητας, που προετοίμαζαν νέες διακοινοτικές συγκρούσεις. Προειδοποιούσαν, επίσης, ότι στην επόμενη έκδοση της εφημερίδας θα αποκάλυπταν τους δράστες.

Δολοφονήθηκαν και οι δύο το ίδιο εκείνο βράδυ της 23ης Απριλίου 1962!

Ο μεν Αϊχάν Μουσταφά Χικμέτ ενώ κοιμόταν στο κρεβάτι του δίπλα από τη σύζυγο και τα δύο ανήλικα παιδιά τους, ο δε Αχμέτ Μουζαφέρ Γκιουρκάν προτού κατεβεί από το αυτοκίνητό του, έξω από την πόρτα του σπιτιού του.

Η δολοφονία ήταν έργο της ΤΜΤ. Οι Αζίζ και Σεφέρογλου έγραψαν σχετικά:

> «Με τη δολοφονία του Χικμέτ και του Γκιουρκάν σίγησε και η φωνή της 'Τζουμχουριέτ', γιατί κανένας από τους συνεργάτες τους δεν τολμούσε να διακινδυνεύσει τη ζωή του για να συνεχίσει την έκδοσή της. Δεν υπήρχε καμιά ασφάλεια για τους πιθανούς διαδόχους των δύο δημοσιογράφων. Το δολοφονικό χέρι της φασιστικής κλίκας του Ντενκτάς ήταν έτοιμο να δράσει ενάντια σ' οποιονδήποτε τολμούσε να σηκώσει κεφάλι».

Στις 13 Απριλίου 1965, δύο μέρες μετά την δολοφονία του Ντερβίς Αλί Καβάζογλου, ο δρ. Ιχσάν Αλή, σε μήνυμά του προς τους Έλληνες και Τούρκους της Κύπρου, ανέφερε και τα εξής:

> «Όλοι μας ξέρουμε καλά, κάτω από ποιες συνθήκες ανέβηκε στην εξουσία το 1960 η τουρκική ηγεσία [Φαζίλ Κιουτσούκ και Ραούφ Ντενκτάς]. Ανέβηκε με την τρομοκρατία και ως εκ τούτου δεν αντιπροσωπεύει νόμιμα την τουρκική κοινότητα. Χωρίς αμφιβολία τόσο η τουρκική κυβέρνηση όσο και ο Τύπος γνωρίζουν τούτο, απορώ δε πώς παραπλανούνται από τέτοιους ανθρώπους. Ξέρουν επίσης ότι είναι η τουρκοκυπριακή ηγεσία που δολοφόνησε τους Χικμέτ και Γκιουρκάν επειδή ακολουθούσαν πολιτική ειρηνικής συμβιώσεως μεταξύ των δύο κοινοτήτων. Τώρα διέπραξαν το ίδιο κτηνώδες έγκλημα δολοφονούντες τον Τούρκο συντεχνιακό ηγέτη Καβάζογλου για τον ίδιο ακριβώς λόγο. Απορεί κανείς πώς ο Τύπος και η τουρκική

κυβέρνηση μπορούν να υποστηρίζουν τέτοιους δολοφόνους».

Στις 12 Μαΐου 1965, σε άλλο μήνυμα του προς την τουρκοκυπριακή κοινότητα Αγγλίας, ο δρ. Ιχσάν Αλή αναφερόταν σε «πληρωμένα όργανα του αρχιτρομοκράτη Ντενκτάς», προσθέτοντας:

> «Η τουρκοκυπριακή ηγεσία, που όπως ξέρετε μας την επέβαλε η αποικιοκρατία, έχει σκορπίσει την τρομοκρατία σε όλη την κοινότητα και έχει επιβάλει αστυνομικό καθεστώς, κάτω από το οποίο κανένας δεν μπορεί να εκφράσει ελεύθερα τη γνώμη του ή να επικρίνει τα λάθη της. Όποιος εκφράσει τη γνώμη του ή τους επικρίνει είτε ξυλοδέρνεται είτε εκτελείται. Σαν αποτέλεσμα αυτής της απάνθρωπης μεταχειρίσεως οι συμπατριώτες μας έχουν μεταβληθεί σε ρομπότ στα χέρια των ηγετών τους και πολλοί υποχρεώθηκαν να εγκαταλείψουν την Κύπρο, όπως πολλοί από εσάς, για να γλυτώσουν από την τρομοκρατία. Εκείνοι που έμειναν και τόλμησαν να φωνάξουν τη γνώμη τους δολοφονήθηκαν όπως οι Αϊχάν Χικμέτ και Μουζαφέρ Γκιουρκάν το 1962. Πρόσφατα, γίναμε μάρτυρες μια άλλης απάνθρωπης δολοφονίας, του Καβάζογλου, που δολοφονήθηκε απλώς γιατί τόλμησε να επικρίνει την τουρκοκυπριακή ηγεσία, που υποχρέωσε με τη βία μεγάλο αριθμό συμπατριωτών μας να εγκαταλείψουν τα σπίτια και τις περιουσίες τους και επειδή διακήρυττε την ειρηνική συμβίωση μεταξύ των δύο κοινοτήτων».

Οι Αζίζ και Σεφέρογλου έγραψαν:

> «Τα άρθρα του Καβάζογλου, οι δημοσιογραφικές συνεντεύξεις του με εφημερίδες του εξωτερικού και του εσωτερικού, οι ομιλίες του από το ραδιόφωνο, οι εμφανίσεις του από την τηλεόραση, ήταν ένα

καθημερινό κατηγορώ μια ανοικτή αδυσώπητη καταγγελία των τρομοκρατικών φασιστικών μεθόδων της πουλημένης στον ιμπεριαλισμό τουρκοκυπριακής ηγεσίας. Παράλληλα όμως τα λόγια του ήταν μηνύματα εμψύχωσης, ελπίδας και θάρρους για τη βασανισμένη μάζα των Τουρκοκυπρίων εργαζομένων που στενάζει κάτω από το πέλμα της τρομοκρατίας...».

Ο ίδιος ο Καβάζογλου, όπως αναφέρουν στην έκδοσή τους οι Αζίζ και Σεφέρογλου, έγραψε σε ομιλίες που ο ίδιος εκφωνούσε και τα ακόλουθα:

«Οι ιμπεριαλιστές, για να προωθήσουν τους απαίσιους σκοπούς των, δημιούργησαν τον μύθο και το ψεύδος πως είναι τάχα αδύνατο να συνυπάρξουν ειρηνικά οι δύο κοινότητες στην Κύπρο. Και, με την βοήθεια των πρακτόρων τους, ξεσπίτωσαν κάπου 20 χιλιάδες Τούρκους και τους μάντρισαν σε τόπους που δεν διαφέρουν από στρατόπεδα συγκέντρωσης. Σήμερα, χιλιάδες Τούρκοι ζουν σαν νομάδες σε αντίσκηνα και στην ύπαιθρο, μακριά από τα σπίτια τους, τα χωριά τους, τα χωράφια τους, τις ειρηνικές τους ασχολίες. Τα σχολεία κατώτερης και μέσης εκπαίδευσης είναι κλειστά και χιλιάδες παιδιά στερούνται τη μόρφωση τους. Μια δράκα φασίστες, βοηθούμενοι από τους ιμπεριαλιστές και χρησιμοποιώντας όπλα και φασιστικές μέθοδες, άρπαξαν την ηγεσία της τουρκικής κοινότητας. Αυτοί είναι υπεύθυνοι για τα βάσανα του τουρκοκυπριακού πληθυσμού. Η φασιστική αυτή ομάδα εμποδίζει τον τουρκικό πληθυσμό να εκφράσει τα αληθινά του αισθήματα και τις σκέψεις του που στρέφονται ενάντια στον ιμπεριαλισμό. Δεν είναι υπερβολή να συγκρίνουμε αυτά τα στρατόπεδα των Τουρκοκυπρίων προσφύγων με τα χιτλερικά στρατόπεδα συγκέντρωσης του Μπούχενβαλτ και άλλων. Στο σκοτάδι της νύχτας πυροβολούν και δολοφονούν δημοκρατικούς δημοσιογράφους και προοδευτικούς παράγοντες της κοινότητάς μας. Συλλαμβάνουν, απάγουν και φυλακίζουν όσους τολμούν να μιλήσουν ελεύθερα και να εκφράσουν τις σκέψεις τους. Τους βασανίζουν με μεσαιωνικά όργανα χιτλερικής επινόησης»...

Οι καταγγελίες των Καβάζογλου, Ιχσάν Αλή, Αζίζ και Σεφέρογλου, διατυπώνονταν δύο χρόνια μετά την έναρξη της ένοπλης Τουρκανταρσίας του 1963-64 και την, βάσει του σχεδίου της ΤΜΤ και των εγγράφων του «χρηματοκιβωτίου Πλουμέρ», εφαρμογή της προσχεδιασμένης και δια της βίας μετακίνησης του τουρκοκυπριακού πληθυσμού στους ένοπλα ελεγχόμενους από την ΤΜΤ θυλάκους.

Κεφάλαιο Γ: 1963 - Ιούλιος 1974

Γ1: 1963 – Τουρκανταρσία

Η τουρκική κυβέρνηση και η τουρκοκυπριακή ηγεσία, υπό την εποπτεία του Συμβουλίου Εθνικής Ασφαλείας των στρατηγών της Τουρκίας, υλοποιούσαν κλιμακωτά το επιτελικό «Σχέδιο Επανάκτησης της Κύπρου».

Δόρυ και ασπίδα της τουρκικής ισχύος στην Κύπρο ήταν ο μυστικός στρατός της ΤΜΤ, που μέχρι το 1960 είχε ήδη εξοπλιστεί, όπως υπερήφανα ομολογούσαν οι αρχηγοί της ΤΜΤ στην Άγκυρα, με 10.000 όπλα και με πλήθος «υπό κάλυψη» μόνιμους Τούρκους αξιωματικούς εκ Τουρκίας, καθώς και με τους 650 αξιωματικούς, υπαξιωματικούς και οπλίτες της ΤΟΥΡΔΥΚ, που προβλέπονταν από τις Συμφωνίες Ζυρίχης και Λονδίνου.

Όλοι αυτοί μαζί, τάχθηκαν να προετοιμάσουν στρατιωτικά, πολιτικά, υλικά, ψυχολογικά και προπαγανδιστικά, την Τουρκανταρσία του 1963.

Η πολεμική ισχύς που διέθεταν στην Κύπρο έδειξε την αποτελεσματικότητά της, στις συγκρούσεις που ακολούθησαν την 21η Δεκεμβρίου 1963.

Οι Έλληνες Κύπριοι, παρότι πλειοψηφία του 82% και οικονομικά ασυγκρίτως ισχυρότεροι, δεν μπόρεσαν να έχουν κατάλληλα εξοπλισμένη, εκπαιδευμένη και προετοιμασμένη, ανάλογη πολεμική ισχύ τον Δεκέμβριο του 1963. Με κύριο οπλισμό τα δίκαννα κυνηγετικά τυφέκια, προσέτρεξαν στην «Οργάνωση Ακρίτα», στον «Λόχο Λυσσαρίδη», στον «Λόχο Σαμψών» και στις άλλες ομάδες, χωρίς να μπορέσουν να καταστείλουν την Τουρκανταρσία και να ανατρέψουν τους οχυρωθέντες θυλάκους της ΤΜΤ στο έδαφος της Κυπριακής Δημοκρατίας, προτού η παρέμβαση των Άγγλων «ως ειρηνευτών» παγιώσει την ντε φάκτο διαιρετική κατάσταση.

Η ΤΜΤ διέταξε και επέβαλε, με την χρήση βίας, την μετακίνηση μεγάλου όγκου τουρκοκυπριακού πληθυσμού από τα σπίτια και τα χωριά που διέμενε, εξαναγκάζοντας τους να ζουν άθλια και μαζικά στους στρατιωτικοποιημένους θυλάκους που οχύρωσε.

Γ2: 1964 – Τουρκική απάντηση στην Τουρκική Προπαγάνδα

Κύρια κατεύθυνση της τουρκικής προπαγάνδας ήταν ότι, η διά της βίας μετακίνηση του τουρκοκυπριακού πληθυσμού έγινε, προκειμένου «να προστατευθεί από την εξόντωση και τις σφαγές, που σχεδίαζαν εναντίον των Τουρκοκυπρίων ο Μακάριος και οι Ελληνοκύπριοι».

Την τουρκική προπαγάνδα αντίκρουσαν πειστικά οι (τουρκικές) απαντήσεις του Ντερβίς Αλί Καβάζογλου (που αργότερα δολοφονήθηκε), του δρα Ιχσάν Αλή, του Ιμπραχίμ Χασάν Αζίζ και του Νουρεττίν Μεχμέτ Σεφέρογλου.

Στις 5 Νοεμβρίου 1964, ο δρ. Ιχσάν Αλή απέστειλε εκτενή επιστολή προς τον Φιλανδό διοικητή της Ειρηνευτικής Δυνάμεως των Ηνωμένων Εθνών στην Κύπρο (UNFICYP) στρατηγό Τιμάγια:

> «Εξοχότατε,
>
> Με την επιστολή μου αυτή επιθυμώ, πάνω απ' όλα, να κάμω έκκληση στα ανθρωπιστικά σας αισθήματα, τα οποία ελπίζω να σας οδηγήσουν στη λήψη πιο δραστικών μέτρων για να σώσετε την Τουρκική κοινότητα από τους Τούρκους τρομοκράτες.

Ένιωσα την υποχρέωση να σας γράψω αυτό το γράμμα, όχι για να εκφράσω οποιαδήποτε πολιτικά σχόλια, αλλά γιατί καθημερινά η καρδιά μου ξεσκίζεται από τα βασανιστήρια που υφίσταται η Τουρκική κοινότητα από τους Τούρκους τρομοκράτες.

Είναι πραγματικά πολύ λυπηρό, την εποχή που ο άνθρωπος προσπαθεί να κατακτήσει το διάστημα, να βλέπομε την Τουρκική κοινότητα να βασανίζεται αχρείαστα και χωρίς κανένα λόγο από τους Τούρκους τρομοκράτες.

Θα ήθελα να σας υποδείξω τα ακόλουθα γεγονότα:

(α) Αρκετοί Τούρκοι που έχουν επιστρέψει στα σπίτια τους, απειλούνται από τους τρομοκράτες για να τους υποχρεώσουν να εγκαταλείψουν τα σπίτια και τις περιουσίες τους και να επιστρέψουν στις άθλιες κατασκηνώσεις που ήταν προηγουμένως.

(β) Οι Τούρκοι τρομοκράτες, η τουρκική κυβέρνηση και μερικές ανεύθυνες εφημερίδες ισχυρίζονται από την μια ότι οι Τούρκοι έχουν αποκλεισθεί και στερούνται βασικά είδη τροφίμων, ενώ από την άλλη οι Τούρκοι τρομοκράτες δεν επιτρέπουν στους Τούρκους να αγοράζουν τίποτα από τους Έλληνες συμπατριώτες τους ή να έχουν οποιαδήποτε συναλλαγή μαζί τους.

Αν και οι ίδιοι οι τρομοκράτες συναλλάττονται με τους Έλληνες, δεν επιτρέπουν στον λαό να κάμει το ίδιο. Δύο είναι οι λόγοι γι' αυτό. Πρώτα γιατί πιστεύουν, λανθασμένα, ότι με το να προσπαθήσουν να αποτρέψουν τις συναλλαγές και την επαφή με τους Έλληνες, θα δημιουργήσουν την εντύπωση στο εξωτερικό ότι οι δύο κοινότητες δεν μπορούν να ζήσουν μαζί και δεύτερο, για να εκμεταλλευθούν την περίπτωση, με το να κάμνουν οι ίδιοι αγορές από τους Έλληνες και να πουλούν στην κοινότητά τους σε εξαιρετικά ψηλές τιμές.

Με ποιες αρχές ή ηθική συμβιβάζονται αυτές οι πράξεις; Θα έπρεπε να μην είχα καθόλου ανθρώπινα αισθήματα, όπως τους τρομοκράτες, για να μην λυπάμαι για τους Τούρκους συμπατριώτες μου που με επισκέπτονται και παραπονούνται καθημερινά με δάκρυα στα μάτια.

Κατά τη γνώμη μου, είναι καθήκον της Κυπριακής κυβερνήσεως να σώσει αυτούς τους αθώους και καταπιεζομένους ανθρώπους από τα δόντια των τρομοκρατών. Η «πράσινη γραμμή» όμως, που δημιουργήθηκε από τους αποικιοκράτες για να εξυπηρετήσουν τους σκοτεινούς τους σκοπούς, δεν επιτρέπει στην κυβέρνηση να κάμει κάτι τέτοιο. Δεν αμφιβάλλει κανένας ότι είναι πολύ εύκολο για την κυπριακή κυβέρνηση να σώσει τους καταπιεσμένους Τούρκους από τους τρομοκράτες. Αν όμως η κυβέρνηση ήθελε αποφασίσει να εξαλείψει την τρομοκρατία και να σώσει τους Τούρκους, οι αποικιοκράτες και οι συνεργάτες τους, που επιθυμούν την συνέχιση της ανωμαλίας στον τόπο, θα χρησιμοποιήσουν τη διαστρεβλωμένη προπαγάνδα τους για να δώσουν στη διεθνή κοινή γνώμη και ιδιαίτερα στην τουρκική κυβέρνηση, την οποία πάντοτε παραπλανούσαν, την λανθασμένη εντύπωση ότι η κυπριακή κυβέρνηση ακολουθεί επιθετική πολιτική.

Εξοχότατε, είναι για τους πιο πάνω λόγους που θεώρησα καθήκον μου να κάμω και πάλι έκκληση στα ανθρωπιστικά σας αισθήματα. Αν σας δηλώσω ότι, στην επαρχία μου μόνο, χιλιάδες Τούρκοι υποφέρουν από τους Τούρκους τρομοκράτες, πιστεύω ότι θα το θεωρήσετε ιερό σας καθήκον να εκθέσετε αυτά τα γεγονότα στα Ηνωμένα Έθνη και στην τουρκική κυβέρνηση.

Ενόψει των αδιαμφισβήτητων αυτών γεγονότων, πιστεύω ότι είναι καθήκον της εξοχότητάς σας να προσπαθήσει να πείσει την τουρκική κυβέρνηση ότι ο τουρκικός πληθυσμός υποφέρει από τις ενέργειες των Τούρκων τρομοκρατών και όχι από τους Έλληνες συμπατριώτες τους.

Ο πολιτισμός και ο ανθρωπισμός απαιτούν όπως όλοι όσοι ενδιαφέρονται για το κυπριακό πρόβλημα, περιλαμβανομένης της τουρκικής κυβερνήσεως, αφήσουν τις πολιτικές μηχανορραφίες και ακολουθήσουν ρεαλιστική πολιτική και σώσουν την Τουρκική κοινότητα από την αξιοθρήνητη κατάσταση που βρίσκεται σήμερα»[106]...

Παρόμοιες και εκτενέστερες επιστολές, ο δρ Ιχσάν Αλή απέστειλε κατ' επανάληψη στον Γενικό Γραμματέα του ΟΗΕ Ου Θαντ (16 Φεβρουαρίου 1965, 18 Αυγούστου 1965 και 15 Σεπτεμβρίου 1965), καθώς και προς τον Τούρκο πρωθυπουργό Σουάτ Ούρκουπλου (24 Οκτωβρίου 1965).

Στις 8 Δεκεμβρίου 1965, ο Ιχσάν Αλή τηλεγράφησε προς τον Γενικό Γραμματέα του ΟΗΕ το ακόλουθο μήνυμα:[107]

«Αναμφισβήτητα, οι Τούρκοι της Κύπρου κινδυνεύουν από τους Τούρκους τρομοκράτες και όχι από τους Έλληνες όπως ισχυρίστηκε ο Τούρκος αντιπρόσωπος στα Ηνωμένα Έθνη. Όλοι οι Τούρκοι, εκτός των τρομοκρατών, επιθυμούν αρμονική συμβίωση με τους Έλληνες και ανυπομονούν ν' ακούσουν την

106. Απομνημονεύματα Ιχσάν Αλή, σελίδα 119.
107. Απομνημονεύματα Ιχσάν Αλή, σελίδα 148.

απόφαση των Ηνωμένων Εθνών ότι υποστηρίζουν την εφαρμογή της Εκθέσεως Πλάζα και ότι καταδικάζουν κάθε ξένη επέμβαση. Παρακαλώ κυκλοφορήσατε το παρόν τηλεγράφημα».[108]

Γ3: 1965 – Ιχσάν Αλή και «γενοκτονία»

Σε ραδιοφωνική συνέντευξη, ο Ιχσάν Αλή είπε:[109]

> «Θα επαναλάβω εκείνο που είπα στο παρελθόν. Η τουρκική κοινότητα είναι θύμα προδοσίας που διέπραξε η τουρκική κυβέρνηση. Οι Τουρκοκύπριοι δεν είναι θύματα της κυπριακής κυβερνήσεως ή των Ελληνοκυπρίων. Όλος ο κόσμος πρέπει να γνωρίζει ότι η διαίρεση υπήρξε επιθυμία και εισήγηση των αποικιοκρατών, την οποία προωθούσαν καταχθόνιες δυνάμεις από του 1957, όταν ο Ζορλού υπέβαλε την ακόλουθη ερώτηση στους Τουρκοκυπρίους εκπροσώπους που τον επισκέφθηκαν:
>
>> ‘Δεν έχετε μερικούς εθελοντές που θα ήσαν έτοιμοι να θυσιασθούν σε συγκρούσεις με τους Ελληνοκυπρίους ώστε να δημιουργηθεί ανωμαλία και να επιβληθεί ντε φάκτο διχοτόμηση;’.

Τι ακολούθησε μετά, είναι σ’ όλους γνωστό. Βέβαια ο Ζορλού απαγχονίστηκε ως προδότης. Λυπούμαι

108. Ο Γκάλο Πλάζα υπηρέτησε στην Κύπρο από τον Μάιο 1964 μέχρι το τέλος του 1965, ως προσωπικός αντιπρόσωπος του Γενικού Γραμματέα των Ηνωμένων Εθνών και ως μεσολαβητής, και η αποστολή του υπήρξε εκπληκτικά επιτυχής, παρά τις πολύ σοβαρές δυσκολίες που αντιμετώπισε. Στην έκθεση του, ο Πλάζα απέρριψε τις τουρκικές αξιώσεις για μια διαιρετική/ομόσπονδη λύση. Οι Τούρκοι αντετάχθησαν με σφοδρότητα κατά των θέσεων και ευρημάτων του, και πέτυχαν τον τερματισμό του ρόλου του στο Κυπριακό. Πέθανε στις 22 Ιανουαρίου 1987, στην ιδιαίτερη πατρίδα του Εκουαδόρ.

109. Ραδιοφωνικό Ίδρυμα Κύπρου, 28 Σεπτεμβρίου 1965.

όμως να παρατηρήσω, ότι όλες οι κυβερνήσεις που ακολούθησαν συνεχίζουν την πολιτική του στο κυπριακό πρόβλημα.

Είναι σ' όλους γνωστό, ότι ο αρχιτρομοκράτης Ντενκτάς δήλωσε πέρσι στο ραδιόφωνο της Άγκυρας, ότι η μετακίνηση των Τουρκοκυπρίων έγινε σκόπιμα για να επιτευχθεί η διχοτόμηση. Κατόπιν τούτου, είναι γελοίο να προβάλλεται ο ισχυρισμός ότι οι Τουρκοκύπριοι δεν μετακινήθηκαν με τη βία.

Ο ισχυρισμός ότι οι Τούρκοι θέλουν γεωγραφικό διαχωρισμό επειδή φοβούνται τους Έλληνες, είναι δικαιολογίες που προβλήθηκαν εκ των υστέρων.

Εξάλλου, είναι πρόδηλον ότι οι Τούρκοι που ζουν μαζί με τους Έλληνες είναι πιο ασφαλείς από αυτούς που είναι εγκλωβισμένοι με τους συμπατριώτες τους.

Αν πούμε ότι αυτοί, που προβάλλουν τους ισχυρισμούς περί απειλής γενοκτονίας από τους Ελληνοκυπρίους, θα έπρεπε τουλάχιστον να ντρέπονται την κοινή γνώμη, δεν εξυπηρετεί κανένα σκοπό, γιατί αυτοί οι άνθρωποι είναι αναίσθητοι και δόλιοι και δεν πρόκειται ν' αλλάξουν».[110]

Γ4: Επάνοδος Προπαγάνδας χάριν Σχεδίου Αννάν

Κατά την περίοδο 2002-2004, σαράντα περίπου χρόνια μετά από την Τουρκανταρσία (1963-1964) και τρεις δεκαετίες μετά την τουρκική εισβολή στην Κύπρο (1974), έγινε η προσπάθεια να πεισθεί και να εξαναγκασθεί ο κυπριακός λαός όπως «το

110. Απομνημονεύματα Ιχσάν Αλή, σελίδα 144.

Κυπριακό ζήτημα επιλυθεί με το Σχέδιο Ανάν». [111]

Το σχέδιο προνοούσε την αποδόμηση της Κυπριακής Δημοκρατίας χάριν της δημιουργίας ενός παγκόσμια πρωτόγνωρου «ομοσπονδιακού μορφώματος», που θα απαρτιζόταν από δύο ούτω καλούμενες «συνιστώσες κρατικές οντότητες», μια ελληνοκυπριακή και μια τουρκοκυπριακή, υπό την άμεση επικυριαρχία της Τουρκίας και την κηδεμονία της Αγγλίας μέσω των βρετανικών βάσεων στο νησί, οι οποίες θα νομιμοποιούνταν στο διηνεκές ως κυρίαρχες επί του εδάφους, του αέρα και της θάλασσας της Κύπρου.

Την ίδια ώρα, το Σχέδιο Ανάν θα νομιμοποιούσε όλες τις παραβιάσεις των βασικών ανθρωπίνων δικαιωμάτων του κυπριακού λαού, όπως ο σοβαρός περιορισμός του δικαιώματος για επιστροφή των προσφύγων στις νόμιμες ιδιοκτησίες τους στην κατεχόμενη Κύπρο, η νομιμοποίηση του διεθνούς εγκλήματος του εποικισμού, με την παροχή «υπηκοότητας» στους παράνομους εποίκους που η Τουρκία απέστειλε μετά από την εισβολή του1974 κατά εκατοντάδες χιλιάδες, για να αλλοιώσει τον δημογραφικό χάρτη της Κυπριακής Δημοκρατίας, και πολλά άλλα.

111. Το Σχέδιο Ανάν ήταν το τελικό αποτέλεσμα (11 Νοεμβρίου 2002) της «15ετούς περιόδου διαπραγματεύσεων», κατά την διάρκεια της οποίας πρόεδροι της Κυπριακής Δημοκρατίας ήσαν ο Γιώργος Βασιλείου (1988-1993) και ο Γλαύκος Κληρίδης (1993-2003). Το Σχέδιο είχε προωθηθεί από τους Άγγλους, συμφώνησαν οι Αμερικάνοι, το αποδέχθηκε αριθμός πολιτικών ηγετών της Κύπρου και της Ελλάδας και το υπέγραψε ο τότε Γενικός Γραμματέας των Ηνωμένων Εθνών, Κόφφι Ανάν. Τελικά, το Σχέδιο προωθήθηκε για αποδοχή από τους Ελληνοκυπρίους και τους Τουρκοκυπρίους, σε δύο χωριστά δημοψηφίσματα στις 24 Απριλίου 2004. Οι «Τουρκοκύπριοι ψηφοφόροι» (η μεγάλη πλειοψηφία των οποίων αποτελείτο από Τούρκους στρατιώτες και παράνομους εποίκους) ψήφισε κατά 64% υπέρ του Σχεδίου, σε αντίθεση με τους Έλληνες της Κύπρου, το 76% των οποίων απέρριψε το Σχέδιο. Κατά την περίοδο του δημοψηφίσματος, πρόεδρος της Κυπριακής Δημοκρατίας ήταν ο Τάσσος Παπαδόπουλος (2003-2008), ο οποίος κάλεσε τους Έλληνες της Κύπρου «να απορρίψουν το Σχέδιο Ανάν». Μία εβδομάδα αργότερα (1 Μαΐου 2004), η Κυπριακή Δημοκρατία εντάχθηκε επίσημα στην Ευρωπαϊκή Ένωση ως ισότιμο κράτος-μέλος, κυρίαρχο επί ολοκλήρου της νήσου Κύπρος.

Όλες αυτές οι πρόνοιες του Σχεδίου Ανάν στόχευαν την συρρίκνωση και, τελικά, την εξαφάνιση της ελληνικότητας της Κύπρου στο προβλεπτό μέλλον.

Στο πλαίσιο πειθαναγκασμού των Ελλήνων Κυπρίων για αποδοχή του Σχεδίου Ανάν, έγιναν σύντονες προσπάθειες από την Τουρκία, με ουσιαστική υποστήριξη των Άγγλων αλλά και άλλων, για να επιβληθούν αισθήματα ενοχής επί των Ελλήνων, ότι δήθεν «το 1963-64 επιτέθηκαν και σφάγιασαν τους Τουρκοκύπριους, τους εξανάγκασαν να μετακινηθούν σε θυλάκους, τους έδιωξαν από το κράτος και τους καταπίεζαν, προκειμένου να μονοπωλήσουν οι Ελληνοκύπριοι την Κυπριακή Δημοκρατία» και, ως εκ τούτου, η εισβολή της Τουρκίας το 1974, η για δεκαετίες κατοχή του 37% του εδάφους της Κυπριακής Δημοκρατίας και η προσφυγοποίηση του 1/3 των Ελλήνων αποτελούσαν «ειρηνευτική επιχείρηση, για την προστασία των Τουρκοκυπρίων» και δεν συνιστούσαν παράνομη επιδρομή.

Στην έντονη αυτή προσπάθεια άσκησης ψυχολογικού πολέμου κατά των Ελλήνων της Κύπρου, ένας από τους κεντρικούς πυρήνες της τουρκικής προπαγάνδας σε σχέση με τα γεγονότα του 1963-1964 ήταν και το λεγόμενο «Σχέδιο ΑΚΡΙΤΑΣ».

Γ5: 1961-1963 – «Οργάνωση ΑΚΡΙΤΑΣ»

Λόγω της ιδιαίτερης σπουδαιότητας του θέματος, ως «κορυφαίο επιχείρημα της τουρκικής προπαγάνδας», όλα τα γεγονότα τίθενται με απ' ευθείας αναφορά στις αυθεντικές μαρτυρίες που τα τεκμηριώνουν, κατονομάζοντας μόνο τις πηγές που είναι ήδη δημόσια γνωστές.

Γ5-1: Αυθεντική Μαρτυρία[112]

Από το προσωπικό αρχείο επιτελικού στελέχους της «Οργάνωσης ΑΚΡΙΤΑΣ»:

«Πρωτεργάτες της Οργάνωσης ήσαν μια ομάδα από τομεάρχες της ΕΟΚΑ και άλλους επιφανείς αγωνιστές του απελευθερωτικού αγώνα 1955-1959, που υποστήριζαν την Κυπριακή Δημοκρατία και τον τότε πρόεδρο, Αρχιεπίσκοπο Μακάριο.

Αυτή η ομάδα ανθρώπων, είχαν παραμείνει συνδεδεμένοι και μετά τις Συμφωνίες Λονδίνου-Ζυρίχης και, χωρίς να είναι 'θεσμοποιημένοι' με οποιοδήποτε τρόπο, κατά καιρούς είχαν συναντήσεις και επικοινωνίες.

Για να γίνει κατανοητή αυτή η 'ανάμειξη' στις εξελίξεις, ένας πρέπει να κατανοήσει το θετικό κλίμα που επικρατούσε αμέσως μετά την ανεξαρτησία για τους αγωνιστές της ΕΟΚΑ. Ιδιαίτερα για τους τομεάρχες, οι οποίοι είχαν μεγάλη επιρροή και εκτός των περιοχών των τομέων τους, σε ολόκληρη την Κύπρο.

Δεν είναι εξακριβωμένο πώς και πότε προέκυψε το όνομα 'ΑΚΡΙΤΑΣ', σίγουρα όμως αρκετούς μήνες μετά από την δημιουργία της Οργάνωσης, η οποία αρχικά δεν είχε ονομασία.

Όταν καταρτίσθηκε 'το Σχέδιο Αντίδρασης για Υπεράσπιση σε Πιθανή Τουρκική Επίθεση κατά των Ελληνοκυπρίων', στο οποίο δόθηκε η κωδική ονομασία 'Σχέδιο ΑΚΡΙΤΑΣ', η Οργάνωση άρχισε να αναφέρεται ως 'Οργάνωση ΑΚΡΙΤΑΣ'.

Σε όλη την διάρκεια της Μεταβατικής Περιόδου, από την

112. Απόρρητη, μη δημοσιοποιημένη πηγή.

υπογραφή των Συμφωνιών μέχρι την ανακήρυξη της Κυπριακής Δημοκρατίας [Φεβρουάριος 1959-Αύγουστος 1960], υπήρχαν πολλές και συχνές, έγκυρες πληροφορίες για συνεχή αποστολή οπλισμού από την Τουρκία και μυστικό εξοπλισμό των Τουρκοκυπρίων, που στο μεταξύ είχαν ιδρύσει ισχυρή δική τους παρακρατική οργάνωση, με πολιτικό αρχηγό τον Ραούφ Ντενκτάς, με γενικό στρατιωτικό υπεύθυνο τον εν ενεργεία συνταγματάρχη του τουρκικού στρατού Βουρουσκάν και με κατά τόπους στελέχη, αξιωματικούς του τουρκικού στρατού.[113]

Ένα από τα πολλά επεισόδια ήταν η σύλληψη από τους Άγγλους του πλοιαρίου 'Ντενίζ' στις ακτές της Καρπασίας, το οποίο μετέφερε οπλισμό ικανό να εφοδιάσει πέντε περίπου λόχους.[114]

Επρόκειτο για το δεύτερο πλοιάριο που είχε συλληφθεί. Η πρώτη περίπτωση είχε αποσιωπηθεί από τους Άγγλους. Σημειώνεται, ότι η αγγλική αποικιοκρατία διατηρούσε πλήρη εξουσία για θέματα ασφάλειας, μέχρι τον Αύγουστο 1960.

Παρόλο ότι η Οργάνωση δεν είχε θεσμοθετηθεί και, αρχικά, όλα τα έξοδα για μια υποτυπώδη οργανωτική διάρθρωση καλύπτονταν από εθελοντικές προσωπικές εισφορές των μελών της, εν τούτοις είχε άριστο δίκτυο πληροφοριών και αρκετούς πράκτορες στην τουρκική κοινότητα.

Το 1961, ενόψει των πολλαπλασιαζομένων πληροφοριών για συστηματικό εξοπλισμό των Τουρκοκυπρίων με σκοπό την δημιουργία ισχυρής παραστρατιωτικής

113. Βλ. Κεφάλαια Β6-Β18.
114. Βλ. Κεφάλαιο Β19.

οργάνωσης, στελεχωμένης από εν ενεργεία Τούρκους αξιωματικούς, πρωτεργάτες της Οργάνωσης, όπως οι Πολύκαρπος Γιωρκάτζης, Νίκος Κόσιης, Γλαύκος Κληρίδης, Τάσσος Παπαδόπουλος, Χριστόδουλος Χριστοδούλου και άλλοι, συνάντησαν τον πρόεδρο Μακάριο, τον οποίον ενημέρωσαν για την ύπαρξη της Οργάνωσης και ζήτησαν την έγκριση και υποστήριξη του, καθώς και οικονομική βοήθεια για την εξασφάλιση οπλισμού.

Αρχικά, ο πρόεδρος Μακάριος είχε επιφυλάξεις, λέγοντας χαρακτηριστικά 'έχουμε κράτος και δεν μου αρέσουν οι παρακρατικές οργανώσεις'.

Ο πρόεδρος Μακάριος ανησύχησε πραγματικά, όταν πήρε τις ίδιες έγκυρες πληροφορίες και από Ελληνοκύπριους της ανώτατης ιεραρχίας της 'μικτής' Αστυνομίας, καθώς και από ανεξάρτητα κλιμάκια της ΚΥΠ, για τους εξοπλισμούς και την οργάνωση των Τουρκοκυπρίων με την ενεργό εμπλοκή της Τουρκίας.[115]

Γνωρίζοντας δε ότι ΔΕΝ ΗΤΑΝ ΕΦΙΚΤΟ να επιληφθεί του θέματος η επίσημη Αστυνομία (στην οποία μετείχαν 'ισότιμα και σε κάθε βαθμό' Τουρκοκύπριοι) ή το 'μικτό' Υπουργικό Συμβούλιο, έδωσε την συγκατάθεση του για προετοιμασία και υποσχέθηκε ανάλογη βοήθεια.[116]

Η δικτύωση της Οργάνωσης σε παγκύπρια κλίμακα άρχισε εντός του 1961, με τη συμμετοχή πρώην τομεαρχών και αγωνιστών της ΕΟΚΑ και άλλων πολιτών, που υποστήριζαν την Κυπριακή Δημοκρατία

115. ΚΥΠ: Η Κυβερνητική Υπηρεσία Πληροφοριών.

116. Τις πληροφορίες περί στρατιωτικών εξοπλισμών των Τούρκων είχε και η ελληνική κυβέρνηση της ΕΡΕ (του Κωνσταντίνου Καραμανλή), η οποία ενημερωνόταν μέσω του εν Κύπρω κλιμακίου της ελληνικής ΚΥΠ.

και τον Μακάριο, αλλά χωρίς καμιά εμφανή ανάμειξη της κυβέρνησης.

Στην Οργάνωση, μετείχαν και Έλληνες αξιωματικοί της ΕΛΔΥΚ,[117] οι οποίοι ενεργούσαν ως ομόλογοι-σύμβουλοι των περιφερειακών υπευθύνων και του Κεντρικού Αρχηγείου και δήλωναν ότι 'ενεργούσαν αυτοβούλως, χωρίς γνώση και έγκριση της κυβέρνησης της Ελλάδας'.[118]

Για την εξασφάλιση οπλισμού, οι Πολύκαρπος Γιωρκάτζης και Τάσσος Παπαδόπουλος επισκέφθηκαν δύο φορές υπουργούς της ελληνικής κυβέρνησης, στην Αθήνα, οι οποίοι τους εξεδίωξαν 'κακείν κακώς'.

Έγιναν τότε ανεπίσημες επαφές στην Κρήτη και στην Αίγυπτο. Η Αίγυπτος, επί προεδρίας Νάσσερ, ανταποκρίθηκε θετικά και απέστειλε με πλοιάρια, ανεπίσημα και δωρεάν, τον μόνο ουσιαστικό οπλισμό, που όμως υπολειπόταν κατά πολύ, τόσο ποσοτικά όσο και ποιοτικά, από τον οπλισμό που, όπως γνώριζε η Οργάνωση, κατείχαν οι Τουρκοκύπριοι.

Σε σύντομο χρονικό διάστημα, η Οργάνωση είχε δικτυωθεί σε όλη την Κύπρο, με επαρχιακούς και περιφερειακούς υπεύθυνους πρώην αγωνιστές της ΕΟΚΑ και άλλους και με αξιωματικό της ΕΛΔΥΚ, ως ομόλογο-σύμβουλο του κάθε υπεύθυνου. Ταυτόχρονα, άρχισε και η εκπαίδευση επί του εδάφους και επί χάρτου.

Αρχηγός ήταν ο Πολύκαρπος Γιωρκάτζης, Υπεύθυνος

117. ΕΛΔΥΚ (Ελληνική Δύναμη Κύπρου): Η ελλαδική στρατιωτική δύναμη 950 ανδρών, που στάθμευε στην Κύπρο, βάσει των Συμφωνιών Ζυρίχης και Λονδίνου.

118. Η «άγνοια» της Ελλάδας παραμένει αδιευκρίνιστη.

Κεντρικού Γραφείου Επιχειρήσεων - 3ο Γραφείο ήταν ο τότε πρόεδρος της Βουλής Γλαύκος Κληρίδης και Οργανωτικός Υπεύθυνος και Συντονιστής των Ομάδων Κρούσεως ήταν ο Νίκος Κόσιης.

Σε εκείνο το στάδιο και με την συνεργασία των αξιωματικών της ΕΛΔΥΚ, καταρτίστηκε το 'Σχέδιο Αντίστασης - Υπεράσπισης' με τον κωδικό 'ΑΚΡΙΤΑΣ', που έμεινε γνωστό ως 'Σχέδιο ΑΚΡΙΤΑΣ'.

Ο σκοπός της Οργάνωσης ήταν: 'ΣΕ ΠΕΡΙΠΤΩΣΗ ΕΠΙΘΕΣΗΣ των Τουρκοκυπρίων ή στρατιωτικής επέμβασης της Τουρκίας στην Κύπρο, η Οργάνωση να αντιδρούσε για υπεράσπιση των Ελληνοκυπρίων και των ελληνοκυπριακών χωριών, που τυχόν θα υφίσταντο επίθεση'.

Ο σκοπός ήταν καθαρά ΑΜΥΝΤΙΚΟΣ. Σε καμιά περίπτωση, το Σχέδιο ΑΚΡΙΤΑΣ ήταν 'σχέδιο εξόντωσης των Τουρκοκυπρίων', παρά μόνο Σχέδιο Άμυνας, που περιλάμβανε εξουδετέρωση των τουρκοκυπριακών θυλάκων στις ΜΙΚΤΕΣ κοινότητες και δήμους, σε περίπτωση επίθεσης κατά των Ελληνοκυπρίων.»

Γ5-2: Claire Palley[119]

Στον πρόλογο της μονογραφίας της Στέλλας Σουλιώτη[120] η Claire Palley γράφει:

«Η Σουλιώτη δεν δικαιολογεί τους Ελληνοκυπρίους, παρόλο ότι εξηγεί 'γιατί θεωρούσαν αναγκαία την

119. Σύμβουλος της Στέλλας Σουλιώτη στην Γενική Εισαγγελία.
120. «FETTERED INDEPENDENCE Cyprus, 1878-1964» – 2006 (2 τόμοι, 1450 σελίδες).

ίδρυση παράνομων, παραστρατιωτικών οργανώσεων για να αντιμετωπίσουν τους κινδύνους από την ισχυρά στελεχωμένη με Τούρκους αξιωματικούς και εξοπλισμένη ΤΜΤ' (η οποία, παρά την διευθέτηση του 1959, συνέχισε να υπάρχει από την ίδρυση της το 1957 από την Τουρκία, για να επιτύχει διαίρεση κατά την διάρκεια του ενωτικού αγώνα για ανεξαρτησία).

Η Σουλιώτη καταδεικνύει επιτυχώς ότι η πολιτική της κυπριακής κυβέρνησης δεν ήταν η ανατροπή της διευθέτησης για την Κύπρο και η διά της βίας αποστέρηση των Τουρκοκυπρίων από τα δικαιώματα τους, σε περίπτωση που δεν θα καθίστατο εφικτή, με συνταγματικά μέσα και διεθνείς πιέσεις, η αλλαγή της διευθέτησης του 1959.

Αυτή η κατηγορία προβάλλεται μέχρι και σήμερα, με την ευρεία κυκλοφορία ενός εγγράφου μιας ελληνοκυπριακής, παραστρατιωτικής οργάνωσης.

Εκείνο το έγγραφο, που ειρωνικά ονομάστηκε ως Σχέδιο Ακρίτας από Ελληνοκύπριους εξτρεμιστές, πολιτικούς αντιπάλους [του Μακαρίου], που ΗΘΕΛΑΝ βίαιη ανατροπή της διευθέτησης, απετέλεσε το κύριο όπλο στο οπλοστάσιο της τουρκοκυπριακής προπαγάνδας.

Η αποδόμηση εκείνου του εγγράφου από την Σουλιώτη και η ανάλυση των περιστάσεων κάτω από τις οποίες ετοιμάστηκε, ακυρώνει τους τουρκικούς ισχυρισμούς για ύπαρξη σχεδίου καταπάτησης του Συντάγματος.

Αντιθέτως, όχι μόνο αποδεικνύει [η Σουλιώτη] εσκεμμένη υπόσκαψη του συστήματος διακυβέρνησης από την τουρκοκυπριακή ηγεσία από το 1960 μετά υπό την διαρκή καθοδήγηση της Άγκυρας, αλλά και τεκμηριώνει ότι τον Σεπτέμβριο 1963 η τουρκοκυπριακή ηγεσία σχεδίαζε να οργανώσει ουσιαστική δράση για διαίρεση της Κύπρου, εάν η κυπριακή κυβέρνηση άρχιζε διαδικασία προς την κατεύθυνση συνταγματικών αλλαγών.

Η Τουρκία είχε παρόμοια σχέδια, τα οποία πλάσαρε προς Βρετανούς και Αμερικανούς διπλωμάτες: Οι Τουρκοκύπριοι θα αποσύρονταν από όλα τα κρατικά όργανα, θα εγκαθίδρυαν χωριστικούς τουρκοκυπριακούς θεσμούς, θα συναθροίζοντο [δια της βίας] σε καθορισμένες εδαφικές περιοχές ως προοίμιο της διαίρεσης, οι Τούρκοι θα διείσδυαν στην Κύπρο και οι Τούρκοι της Κύπρου θα ανακήρυτταν ένα ανεξάρτητο Κράτος που, τελικά, θα διευθετούσαν να απορροφηθεί από την Τουρκία. Αυτή η διαδικασία άρχισε την 21η Δεκεμβρίου 1963...»

Γ5-3: Στέλλα Σουλιώτη[121]

Στην μονογραφία της, με πληθώρα αυθεντικών παραπομπών, η Στέλλα Σουλιώτη γράφει:[122]

«Ελληνοκυπριακό Μυστικό Έγγραφο: Το Σχέδιο Ακρίτας»

Αυτό το έγγραφο αποκαλύφθηκε, όταν για πρώτη φορά δημοσιεύθηκε με κάποιες παραλείψεις στις 21 Απριλίου 1966, στην ελληνοκυπριακή, φιλογριβική εφημερίδα

121. Πρώτη υπουργός Δικαιοσύνης (1960-1970) και μετέπειτα Γενική Εισαγγελέας (1984-1988) της Κυπριακής Δημοκρατίας. Από το 1964 ήταν σύμβουλος των προέδρων της Κυπριακής Δημοκρατίας για το Κυπριακό γενικά και, ειδικότερα, για τις προσπάθειες και διαπραγματεύσεις για την επίτευξη 'ομοσπονδίας που να επανενώνει την Κύπρο', η οποία έχει διαιρεθεί από το 1974 λόγω της τουρκικής εισβολής.

122. Στέλλα Σουλιώτη «FETTERED INDEPENDENCE Cyprus, 1878-1964» – 2006, Τόμος Πρώτος, σελ. 275-281.

ΠΑΤΡΙΣ, η οποία αντιτίθετο στον Μακάριο διότι ήταν υπερβολικά μετριοπαθής έναντι των Τούρκων.[123]

Έκτοτε, χρησιμοποιήθηκε από τους Τούρκους και άλλους, για να υποστηρίξουν την κατηγορία ότι ο Μακάριος αποσκοπούσε από την αρχή να αφανίσει το Σύνταγμα του 1960 και, ακόμα, να εξοστρακίσει τους Τούρκους και να υλοποιήσει την ένωση [της Κύπρου με την Ελλάδα].[124]

Το πλήρες κείμενο του εγγράφου δημοσιεύθηκε το 1983, υπό τον τίτλο 'Έγγραφο Ακρίτας [Π. Γιωρκάτζης] αναφορικά με τους στόχους της ελληνικής κυπριακής πλευράς και τις προοπτικές όπως παρουσιάζονταν κατά το τέλος του 1963'.[125] Ακολουθεί περίληψη του κειμένου:

Στόχοι

Οι εθνικές διενέξεις περνούν διάφορα εξελικτικά στάδια και χρονοδιαγράμματα, καθόσον η επίτευξη τους δεν μπορεί να καθοριστεί. Ο τελικός στόχος, η άσκηση του δικαιώματος της αυτοδιάθεσης του λαού, παραμένει αναλλοίωτος. Θα πρέπει να εξεταστεί η στρατηγική.

Διεθνείς Τακτικές

Το πρώτο βήμα είναι να πείσουμε την διεθνή κοινή γνώμη ότι το Κυπριακό πρόβλημα δεν έχει πραγματικά επιλυθεί και ότι η λύση χρειάζεται αναθεώρηση. Ανάμεσα στα υποστηρικτικά επιχειρήματα είναι

123. Από το προσωπικό αρχείο της συγγραφέως.

124. Νεκατί Μ. Ερτεκούν "The Cyprus Dispute and the Birth of the Turkish Republic of Northern Cyprus", Λευκωσία 1984, σελ. 165.

125. Παπαγεωργίου "Crucial Documents", σελ. 250-257.

ότι η αναθεώρηση των συμφωνιών, που είναι μη ικανοποιητικές και άδικες, αποτελεί θέμα επιβίωσης και όχι μια προσπάθεια από πλευράς των Ελλήνων να αθετήσουν την υπογραφή τους. Επιπλέον, η συνύπαρξη των δύο κοινοτήτων είναι δυνατή.

Αφού το πρώτο βήμα επιτευχθεί σε ικανοποιητικό βαθμό, το δεύτερο θα είναι να καταδειχθεί ότι ο στόχος των Ελλήνων είναι η απάλειψη των παράλογων και άδικων προνοιών και όχι η καταπίεση των Τούρκων. Αυτό πρέπει να γίνει σήμερα καθόσον αύριο θα είναι πολύ αργά. Εφόσον η από κοινού ενέργεια με τους Τούρκους είναι αδύνατη λόγω της παράλογης στάσης τους, η μονομερής ενέργεια είναι δικαιολογημένη. Η αναθεώρηση είναι εσωτερική υπόθεση των Κυπρίων, που δεν δίνει προς οποιονδήποτε το δικαίωμα για επέμβαση διά της βίας ή άλλως πως. Οι προτεινόμενες τροποποιήσεις είναι λογικές και δίκαιες και προστατεύουν τα καλώς νοούμενα συμφέροντα της μειονότητας.

Για την εξασφάλιση του δικαιώματος αυτοδιάθεσης, οι Ελληνοκύπριοι πρέπει να απαλλαγούν από εκείνες τις πρόνοιες του Συντάγματος και τις Συνθήκες Εγγυήσεως και Συμμαχίας, που παρεμποδίζουν την αδέσμευτη έκφραση της βούλησης του λαού και που περικλείουν κινδύνους εξωτερικής επέμβασης.

Για την υλοποίηση των ανωτέρω, είναι αναγκαίες οι ακόλουθες ενέργειες:

Τροποποίηση των αρνητικών στοιχείων των συμφωνιών και παράλληλη παράκαμψη των Συμφωνιών Εγγύησης και Συμμαχίας, η οποία θα καταστήσει νομικά και ουσιαστικά ανεφάρμοστο το δικαίωμα επέμβασης που προκύπτει από την Συνθήκη Εγγύησης. Αφ' ης στιγμής απαλλαγεί από τις δεσμεύσεις των συμφωνιών, ο λαός θα είναι ελεύθερος να εκφράσει και υλοποιήσει την επιθυμία του. Η νόμιμη απάντηση προς οποιανδήποτε εσωτερική ή εξωτερική επέμβαση θα δοθεί από τις δυνάμεις του κράτους (αστυνομία, ή ακόμα και φιλικές στρατιωτικές δυνάμεις).

Εσωτερικό Μέτωπο

Οι ενέργειες στο εσωτερικό πρέπει να εξεταστούν υπό το φως του τρόπου, με τον οποίον θα ερμηνευθούν διεθνώς και των συνεπειών που θα έχουν στην εθνική υπόθεση.

Ο μόνος κίνδυνος που θα μπορούσε να χαρακτηριστεί ως ανυπέρβλητος, είναι η πιθανότητα βίαιης εξωτερικής επέμβασης, κυρίως λόγω των πιθανών πολιτικών συνεπειών. Εάν η επέμβαση εκδηλωθεί προτού οι Ελληνοκύπριοι απαλλαγούν από τις δεσμεύσεις βάσει των συμφωνιών, τότε η νομιμότητα μιας τέτοιας επέμβασης θα ήταν συζητήσιμη και πιθανόν δικαιολογημένη.

Η ιστορία διδάσκει, ότι σε καμιά απολύτως περίπτωση επέμβασης, νομικά αιτιολογημένης ή όχι, τα Ηνωμένα Έθνη ή οποιαδήποτε άλλη δύναμη πέτυχε να εκδιώξει τον εισβολέα χωρίς σοβαρές παραχωρήσεις, επιζήμιες για το θύμα. Ακόμα και στην περίπτωση της επίθεσης του Ισραήλ στο Σουέζ τον Οκτώβριο 1956, που καταδικάστηκε σχεδόν παγκόσμια, παρόλο ότι το Ισραήλ αποσύρθηκε, κράτησε ως υποχώρηση το λιμάνι Εϊλάτ. Για την Κύπρο ισχύουν πολύ πιο σοβαροί κίνδυνοι.

Για να αποφευχθεί η επέμβαση, ο πρώτος στόχος πρέπει να είναι η προσεκτική επιλογή των τροποποιήσεων που θα προταθούν. Εάν είναι λογικές και δικαιολογημένες, θα εξασφαλιστεί η αναγκαία διεθνής υποστήριξη κατά το στάδιο της διαβούλευσης μεταξύ των εγγυητριών δυνάμεων, Βρετανίας, Ελλάδας και Τουρκίας, η οποία, βάσει της Συνθήκης Εγγυήσεως, οφείλει να λάβει χώρα πριν από τυχόν επέμβαση.

Τακτική

Λογικές συνταγματικές τροποποιήσεις, μετά από εξάντληση των προσπαθειών για κοινή συμφωνία με τους Τούρκους. Για να μπορεί μια επέμβαση να είναι δικαιολογημένη, θα πρέπει να υπάρχει ένα πιο σοβαρός λόγος από την απλή συνταγματική τροποποίηση, όπως η άμεση ανακήρυξη της ένωσης ή σοβαρή διακοινοτική σύγκρουση, η οποία να παρουσιαστεί ως σφαγή των Τούρκων.

Εφόσον οι Ελληνοκύπριοι δεν σκοπεύουν να επιτεθούν ή να σκοτώσουν Τούρκους, υπάρχει η πιθανότητα, μόλις οι Ελληνοκύπριοι προχωρήσουν σε μονομερή τροποποίηση οποιουδήποτε άρθρου του Συντάγματος, οι Τούρκοι να αντιδράσουν παρορμητικά, δημιουργώντας επεισόδια και προστριβές, ή με προβοκάτσιες και δολοφονίες Τούρκων, με σκοπό να δημιουργήσουν την εντύπωση ότι 'πράγματι οι Έλληνες επιτέθηκαν κατά των Τούρκων', οπότε και θα χρειάζεται επέμβαση για την προστασία τους.

Οι ενέργειες για συνταγματικές τροποποιήσεις θα είναι διάφανες, με τους Ελληνοκυπρίους να εμφανίζονται έτοιμοι για ειρηνικές διαπραγματεύσεις. Οι ενέργειες δεν θα είναι με οποιονδήποτε τρόπο προκλητικές ή βίαιες. Εάν προκύψουν επεισόδια, θα τα επιληφθούν νομίμως οι νόμιμες δυνάμεις ασφαλείας. Όλες οι ενέργειες θα είναι νόμιμης φύσης.

Επειδή όμως, θα ήταν αφέλεια να πιστέψουμε ότι θα ήταν δυνατό να προχωρήσουμε σε ουσιαστική τροποποίηση του Συντάγματος, χωρίς οι Τούρκοι να αποπειραθούν να δημιουργήσουν ή να προκαλέσουν βίαιες προστριβές, η ύπαρξη και ενδυνάμωση της Οργάνωσης [Ακρίτας] αποτελεί επιτακτική αναγκαιότητα. Οι λόγοι είναι οι ακόλουθοι:

Οι αντεπιθέσεις προς οποιανδήποτε τουρκική αντίδραση πρέπει να είναι άμεση, ούτως ώστε να προληφθεί ο πανικός μεταξύ των Ελλήνων, που θα έθετε σε κίνδυνο την απώλεια ουσιωδών, ζωτικών εδαφών. Η καταστολή μιας προσχεδιασμένης ή προβοκατόρικης τουρκικής επίθεσης στον ελάχιστο δυνατό χρόνο, δίδοντας τον έλεγχο της κατάστασης στους Ελληνοκυπρίους σε μια ή δυο μέρες, θα εξασφαλίσει την αποτροπή οποιασδήποτε, πιθανής ή δικαιολογημένης, εξωτερικής επέμβασης. Η δυναμική και αποτελεσματική απάντηση προς τους Τούρκους θα διευκολύνει τις εν συνεχεία ενέργειες για περαιτέρω τροποποιήσεις, διότι οι Τούρκοι θα γνωρίζουν ότι οποιαδήποτε αντίδραση εκ μέρους τους θα είναι είτε αδύνατη είτε σοβαρά ζημιογόνος για την κοινότητα τους. Σε περίπτωση γενικότερης σύγκρουσης, όλα τα στάδια, συμπεριλαμβανομένης της ανακήρυξης της ένωσης, θα υλοποιηθούν, καθόσον δεν θα υπάρχει λόγος αναμονής ή εμπλοκής σε διπλωματικές ενέργειες.

Ο σκοπός γίνεται δυσκολότερος διότι, τόσο εξ ανάγκης όσο και ανάλογα με τις επικρατούσες συνθήκες, ακόμα και οι συνταγματικές τροποποιήσεις πρέπει να γίνουν σε στάδια. Ασχέτως τούτου, η ανεύθυνη δημαγωγία, η πολιτική πεζοδρομίου, ή ο ανταγωνισμός ως προς το ‘ποιος είναι περισσότερο εθνικιστής’ πρέπει να αποφευχθούν. Οι ενέργειες μας πρέπει να είναι οι πιο αξιόπιστοι υποστηρικτές μας. Πρέπει να επιδειχθεί παραδειγματική αυτοσυγκράτηση και να επιδειχθεί ψυχραιμία.

Το υπόλοιπο του κειμένου αφιερώνεται στην ανάγκη για διαφώτιση, ενότητα και πειθαρχία, μυστικότητα και διαδικαστικά.

Αξιολόγηση του 'Σχεδίου Ακρίτας'

Ο τίτλος, καθώς και το περιεχόμενο, του εγγράφου δεικνύουν ότι είχε γραφτεί μόλις πριν τις 30 Νοεμβρίου 1963, δηλαδή την ημέρα που ο Μακάριος υπέβαλε τις από Δεκατρία Σημεία Προτάσεις του για τροποποίηση του Συντάγματος, και τρεις εβδομάδες προτού ξεσπάσει η διακοινοτική βιαιότητα στις 21 Δεκεμβρίου [1963].[126]

Το γεγονός αυτό, δεν μπορεί να υποστηρίξει την θεωρία ότι το έγγραφο αποτελούσε σχέδιο μακροπρόθεσμης πολιτικής των Ελληνοκυπρίων για ανατροπή του status quo και 'αποκλεισμού των Τούρκων'.

Είναι φανερό ότι το έγγραφο συντάχθηκε ex post facto [εκ των υστέρων], όταν η προετοιμασία των προτάσεων Μακαρίου για τροποποίηση του Συντάγματος είχε ήδη προχωρήσει κατά πολύ. Ο διπλός σκοπός

126. Για παράδειγμα, οι αναφορές στις «πρόσφατες δημόσιες δηλώσεις» του Μακαρίου ως προς το ότι κάποιοι αντικειμενικοί στόχοι «έχουν επιτευχθεί» και ότι «ο πρώτος στόχος υπήρξε η Συνθήκη Εγγυήσεως, η οποία ήταν το πρώτο που αναφέρθηκε ότι δεν αναγνωρίζεται πλέον από τους Ελληνοκύπριους» και αριθμός αναφορών ως προς τις προτεινόμενες συνταγματικές τροποποιήσεις.

Πρέπει να σημειωθεί ότι η πρώτη φορά, κατά την οποία η Συνθήκη Εγγυήσεως έτυχε καθαρής «επίθεσης», ήταν σε μια συνέντευξη που έδωσε ο Αρχιεπίσκοπος Μακάριος στην «Contemporary Review» τον Ιούλιο 1963, όταν ο Αρχιεπίσκοπος είπε ότι «η Συνθήκη Εγγυήσεως οφείλει να πάψει να υφίσταται» και ότι «δεν αναγνωρίζουμε στις ούτω καλούμενες Εγγυήτριες Δυνάμεις οποιοδήποτε δικαίωμα επέμβασης στις εσωτερικές υποθέσεις της Κύπρου και θα απορρίψουμε και εναντιωθούμε προς κάθε απόπειρα τους να παρέμβουν με οποιονδήποτε τρόπο».

του εγγράφου, που απευθυνόταν προς τα μέλη της οργάνωσης Γιωρκάτζη, είναι ξεκάθαρος: Από την μια, αποσκοπούσε να συμβιβάσει την πραγματική πολιτική του Μακαρίου με τον αρχικό στόχο (αυτοδιάθεση/ ένωση), ώστε να εξαλειφθεί η ενάντια κριτική ότι ο αρχικός στόχος είχε εγκαταλειφθεί. Από την άλλη, αποσκοπούσε να προλάβει βιαστικές ενέργειες από ανεύθυνα ή ανυπόμονα στοιχεία της Οργάνωσης. Προς αυτή την κατεύθυνση ήταν, που το έγγραφο τόνιζε τα ακόλουθα σημεία:

- Την ανάγκη για ενέργειες κατά στάδια, ακαθόριστης διάρκειας,
- την αναγκαιότητα διεθνούς υποστήριξης, που μπορούσε να εξασφαλιστεί μόνο εάν πειθόταν η διεθνής κοινή γνώμη για την ορθότητα της ελληνοκυπριακής υπόθεσης ότι 'οι Συμφωνίες Ζυρίχης / Λονδίνου ήσαν άδικες και έχρηζαν αναθεώρησης,
- την επεξήγηση ότι ο στόχος ήταν να εξασφαλιστεί καλή κυβέρνηση και όχι να καταπιεστούν οι Τούρκοι, προς τους οποίους οι Ελληνοκύπριοι δεν σκόπευαν να επιτεθούν ή να εξοντώσουν, καθόσον η συνύπαρξη των δύο κοινοτήτων είναι δυνατή,
- τους κινδύνους από εξωτερική επέμβαση, οι οποίοι περιγράφονταν χαρακτηριστικά με παραδείγματα της πρόσφατης ιστορίας, καθώς και την ανάγκη πρώτα να εξαλειφθούν αυτοί οι κίνδυνοι, με την αφαίρεση εκείνων των προνοιών των Συνθηκών και του Συντάγματος που εμπόδιζαν την άσκηση του δικαιώματος της αυτοδιάθεσης, αλλά και με αποφυγή σοβαρής διακοινοτικής διένεξης ή με άμεση ανακήρυξη της ένωσης.

- τον περιορισμό του ενδεχομένου μονομερούς αναθεώρησης των συμφωνιών, που θα ήταν δικαιολογημένος εάν δεν θα καθίστατο δυνατή η συμφωνία με τους Τούρκους, λόγω της παράλογης στάσης των Τούρκων, με υλοποίηση μόνο στις περιπτώσεις που ήταν δυνατό να γίνει 'παθητικά' χωρίς την χρήση βίας. Ακόμα και η κρίσιμη ενοποίηση των δήμων, αναφέρθηκε ως παράδειγμα της φύσης των μονομερών ενεργειών που πρέπει να αποφευχθούν.

- την θέση των περαιτέρω ενεργειών υπό την αίρεση 'της διακριτικής μας ευχέρειας' και 'της δύναμης μας'.

- την μεγάλη σπουδαιότητα της νομιμότητας και της αποφυγής πρόκλησης βίας, καθώς και την αντιμετώπιση κάθε επεισοδίου παρέμβασης από τις νόμιμες δυνάμεις του κράτους.

- τον αμυντικό σκοπό της Οργάνωσης, η οποία θα έδιδε δυναμική απάντηση σε περίπτωση βίαιων επεισοδίων Τούρκων εναντίον Τούρκων, ώστε να προκληθεί εξωτερική επέμβαση, με την λογική ότι 'μια γρήγορη και αποτελεσματική απάντηση θα προλάμβανε τον πανικό ανάμεσα στους Ελληνοκυπρίους και θα εξάλειφε τον κίνδυνο εξωτερικής επέμβασης',

- την νουθεσία ότι η άμεση ανακήρυξη της ένωσης θα ήταν δικαιολογημένη μόνο σε περίπτωση γενικότερης σύγκρουσης, και

- την αναγκαιότητα για υπεύθυνη συμπεριφορά, αυτοσυγκράτηση και ψυχραιμία, καθώς και την αποφυγή 'άμιλλας των δήθεν πατριωτών'.

Ποιος ετοίμασε το Έγγραφο

Ο ισχυρισμός ότι το έγγραφο ετοιμάστηκε με οδηγίες του Μακαρίου ή με την συμμετοχή του[127], είναι παντελώς αβάσιμος για πολλούς λόγους:

- Η γράφουσα [Στέλλα Σουλιώτη] γνωρίζει τον συγγραφέα του εγγράφου και δεν ήταν ο Μακάριος. Το προσχέδιο εγκρίθηκε από τους επικεφαλής της Οργάνωσης και όχι από τον Μακάριο, ο οποίος κατά πάσα πιθανότητα ούτε καν γνώριζε την ύπαρξη του.

- Το ύφος και η γλώσσα του εγγράφου έχουν προφανές πρότυπο τις 'Ημερήσιες Διαταγές' της ΕΟΚΑ, τις οποίες γνώριζαν πολύ καλά εκείνοι που συνέταξαν το έγγραφο και εκείνοι που το ενέκριναν, καθόσον ήσαν πρώην μέλη της ΕΟΚΑ. Ο Μακάριος, που υπερηφανευόταν για το διακριτικό, γλαφυρό και λόγιο του ύφους και της γλώσσας, θα τρόμαζε αν του αποδιδόταν ένα τέτοιο έγγραφο.[128]

- Πριν από την δημοσίευση του στην εφημερίδα «Πατρίς» στις 21 Απριλίου 1966, οι Ελληνοκύπριοι υπουργοί δεν γνώριζαν την ύπαρξη του εγγράφου. Μόνο οι αναμεμειγμένοι στην Οργάνωση (Γιωρκάτζης

127. Mayes "Makarios", σελ. 161-63. Patrick "Political Geography", σελ. 35 και 42. John Reddaway "Burdened with Cyprus", London 1986, σελ. 133-35 και 147-48. Ertekun "The Cyprus Dispute", σελ. 10 και 165.

128. Αποτελεί εικασία της συγγραφέως, ότι η μέγιστη «ανάμειξη» του Μακαρίου (ίσως και το έναυσμα για την σύνταξη του εγγράφου) υπήρξε η διαρκής νουθεσία του Μακαρίου προς τους επί κεφαλής της Οργάνωσης, ότι θα πρέπει να ασκούν αυστηρό έλεγχο και πειθαρχία επί των μελών και να μην τους επιτρέπουν να βγουν εκτός ελέγχου με οποιονδήποτε τρόπο. Οφείλει να υπομνησθεί ότι ο Μακάριος ήταν πολύ ανήσυχος για τις πιθανές βίαιες αντιδράσεις και την ανυπομονησία κάποιων Ελληνοκυπρίων εξτρεμιστών.

και οι άλλοι) είχαν γνώση από την αρχή.[129]

Εκμετάλλευση του Εγγράφου από τους Τούρκους

Μόλις δημοσιεύτηκε στην «Πατρίδα», οι Τούρκοι άδραξαν το έγγραφο για να υποστηρίξουν τους ισχυρισμούς, ότι οι Ελληνοκύπριοι σχεδιάζουν να καταστρέψουν το Σύνταγμα, να εκμηδενίσουν τους Τούρκους και να υλοποιήσουν την ένωση. Για να υποστηρίξουν αυτή την άποψη, παρέλειψαν κάποια τμήματα του εγγράφου και αγνόησαν άλλα σημαντικά [τα οποία αντικρούουν την τουρκική προπαγάνδα].

Συμπέρασμα

Δεν ήταν παρά μόνο το 1962, όταν έγινε αντιληπτό ότι η παραστρατιωτική οργάνωση των Τούρκων [ΤΜΤ], που είχε εξοπλιστεί από την Τουρκία, ήταν δυνατή και έτοιμη για δράση, που οι Ελληνοκύπριοι συγκρότησαν την Οργάνωση, για να χρησιμοποιηθεί για αμυντικούς σκοπούς. Ως προς το 'Σχέδιο Ακρίτας', δεν ήταν ένα σχέδιο μελλοντικής πολιτικής και δράσης, αλλά συντάχθηκε ex post facto [εκ των υστέρων] για να εξουδετερώσει την κριτική για την πολιτική που είχε ήδη υιοθετηθεί και εξαγγελθεί από τον Μακάριο, που δεν ήταν πλέον η επιδίωξη του αρχικού σκοπού της ένωσης, αλλά και για να προλάβει παρορμητικές ενέργειες από ανεύθυνα στοιχεία.

Σε αντίθεση με το δεύτερο τουρκοκυπριακό έγγραφο, υπογραμμένο από τους Κιουτσούκ και Ντενκτάς,[130] το ελληνοκυπριακό έγγραφο ['Σχέδιο Ακρίτας'] δεν έτυχε της έγκρισης της επίσημης ελληνοκυπριακής ηγεσίας, δηλαδή του Μακαρίου και των υπουργών του.»

129. Προσωπική γνώση της συγγραφέως, ως υπουργού της κυβερνήσεως Μακαρίου κατά τα έτη 1960-1970.

130. Βλ. επίσης κεφάλαια Β27 και Γ6.

Γ5-4: Αυθεντική Μαρτυρία[131]

Από το προσωπικό αρχείο επιτελικού στελέχους της «Οργάνωσης ΑΚΡΙΤΑΣ»:

«Άλλωστε, αυτοί που πρωτοστάτησαν για την δημιουργία της Οργάνωσης, δεν ζήτησαν άδεια ή έγκριση από κανένα».

«Η αρχική τοποθέτηση του Μακαρίου, που είχε ενημερωθεί εκ των υστέρων, ήταν 'δεν μου αρέσουν παρακρατικές Οργανώσεις', αλλά είχε πλήρως κατανοήσει ότι η μόνη δυνατή ΑΜΥΝΑ των Ελλήνων Κυπρίων σε πιθανή εκδήλωση τουρκικής δράσης, ΔΕΝ μπορούσε να είναι η 'διάτρητη' Αστυνομία, ούτε ο ανύπαρκτος 'Κυπριακός Στρατός' αλλά ΜΟΝΟ η Οργάνωση».

«Να ληφθεί υπόψη ότι, την ίδια περίοδο, η τουρκική πλευρά συνέχιζε ανελλιπώς και έντονα την οργάνωση και εξοπλισμό της τουρκοκυπριακής παρακρατικής οργάνωσης, στην οποία είχαν ενεργό ανάμειξη Τουρκοκύπριοι μέλη της αστυνομικής δύναμης και χωροφυλακής. Συνεπώς, η Αστυνομία δεν μπορούσε να αντιδράσει επίσημα και δυναμικά. Επίσης, ότι μέχρι τον Δεκέμβριο του 1963, οι Τουρκοκύπριοι μετείχαν στην κυβέρνηση, στην αστυνομία, στον στρατό και ένα τέτοιο θέμα δεν ήταν δυνατό να συζητηθεί επίσημα. Δύο ή τρεις φορές το θέμα των τουρκικών εξοπλισμών είχε αναφερθεί στον υπουργικό συμβούλιο, αλλά φυσικά η τουρκοκυπριακή πλευρά αρνιόταν κατηγορηματικά την ύπαρξη τουρκοκυπριακής παρακρατικής οργάνωσης και τις πληροφορίες για εξοπλισμούς και σχετικές δραστηριότητες».

131. Απόρρητη, μη δημοσιοποιημένη πηγή.

«Ο πρόεδρος Μακάριος, σε κατ' ιδίαν συναντήσεις του με τον Τουρκοκύπριο αντιπρόεδρο Φαζίλ Κιουτσούκ, είχε εγείρει έντονα το θέμα και έθετε υπόψη του Κιουτσούκ συγκεκριμένες πληροφορίες, που κατά καιρούς η Οργάνωση έθετε υπόψη του Μακαρίου. Πέραν της άρνησης, ο Κιουτσούκ φυσιολογικά ζητούσε 'αποδείξεις' των κατηγοριών και, εξίσου φυσιολογικά, τέτοιες αποδείξεις δεν μπορούσαν να δοθούν.»

«Μια οργάνωση, στην οποία σταδιακά μετείχαν αρκετές εκατοντάδες οργανωμένοι μαχητές και άλλες εκατοντάδες μη οργανωμένοι αλλά εφεδρικοί, δεν μπορούσε να είναι 'μυστική'. Όμως, δεν υπήρξαν δημόσιες αναφορές, ούτε επίσημη αναγνώριση.»

«Η τουρκική πλευρά, σε γνώση τουλάχιστον των Άγγλων, είχε πρώτη αρχίσει τους εξοπλισμούς και την δική της οργάνωση. Γι' αυτό, η ελληνοκυπριακή κοινότητα δεν μπορούσε να παραμείνει ανοχύρωτη».

«Ελπίζω να μην υιοθετηθεί ο πολιτικός μύθος, ότι οι συγκρούσεις στην Κύπρο οφείλονταν στην ύπαρξη 'κλίματος καχυποψίας' μεταξύ των δύο κοινοτήτων και στην 'καταπίεση των φτωχών και αδύναμων Τουρκοκυπρίων από τους Ελληνοκύπριους σωβινιστές'. Οι Τουρκοκύπριοι είχαν οργανωμένο παρακρατικό στρατό, στελεχωμένο από Τούρκους μόνιμους αξιωματικούς και στρατιώτες που υπερέβαινε τους 10.000 άνδρες.»

«Οι συγκρούσεις στην Κύπρο ήταν το αποτέλεσμα πολιτικού σχεδιασμού στην Τουρκία για σταδιακή διχοτόμηση της Κύπρου, με τη συμμετοχή τόσο του τότε αντιπροέδρου Φαζίλ Κιουτσούκ, όσο και του τότε προέδρου της Τουρκικής Κοινοτικής Συνέλευσης Ραούφ Ντενκτάς. Σχετικό πρακτικό σύσκεψης που έγινε στην Άγκυρα, καθώς και έγγραφο για την στρατηγική διχοτόμησης, που φέρει τις υπογραφές υπουργών της Τουρκίας και στρατιωτικών όπως και των Κιουτσούκ και Ντενκτάς, είχε βρεθεί στο χρηματοκιβώτιο Τουρκοκύπριου υπουργού.»[132]

«Όσοι εκ των υστέρων προβαίνουν σε εκτιμήσεις εκ του ασφαλούς, πρέπει να λάβουν υπόψη την κατάσταση που τότε επικρατούσε, όταν η ίδια η ύπαρξη του κράτους βρισκόταν υπό απειλή και αμφισβήτηση και οι δυνάμεις ασφαλείας του κράτους αντιμετώπιζαν το χάος και τον κίνδυνο διάλυσης τους».

Γ5-5: Χριστόδουλος Χριστοδούλου[133]

Διατελέσας βοηθός επιτελάρχης της «Οργάνωσης ΑΚΡΙΤΑΣ», ο δρ. Χριστόδουλος Χριστοδούλου, καταθέτει την δική του αυθεντική μαρτυρία :[134]

«Όταν μιλά κανείς για ιστορικά γεγονότα, που σημάδεψαν τον χρόνο και καθόρισαν τη μοίρα του [ελληνικού] κυπριακού λαού, ο οποίος έχει τιμήσει όσον λίγοι την ελληνική ιστορία και το Έθνος με τους αγώνες του, δεν χωρούν ούτε παραποιήσεις ούτε υπερβολές ούτε υποκειμενισμοί. Πολύ περισσότερο, δεν χωρούν παραχαράξεις της ιστορίας».

132. Φέρει ημερομηνία 'Σεπτέμβριος 1963' και δημοσιεύτηκε αυτούσιο στο βιβλίο «Η Κατάθεση μου», του πρώην προέδρου της Κυπριακής Δημοκρατίας Γλαύκου Κληρίδη.

133. Ο δρ. Χριστόδουλος Χριστοδούλου διετέλεσε υπουργός Εσωτερικών και υπουργός Οικονομικών επί προεδρίας Γλαύκου Κληρίδη και διοικητής της Κεντρικής Τράπεζας της Κυπριακής Δημοκρατίας επί προεδρίας Τάσσου Παπαδόπουλου.

134. Συνέντευξη στον Λάζαρο Μαύρο, εφημερίδα «ΣΗΜΕΡΙΝΗ», 20ης και 21ης Οκτωβρίου 2008.

«Η ελληνοκυπριακή ηγεσία δεν εστερείτο πληροφοριών. Μάλιστα, στην Κεντρική Υπηρεσία Πληροφοριών υπήρχε ειδικό τμήμα παρακολούθησης των έκνομων δραστηριοτήτων και των προσπαθειών που καταβάλλονταν για την δημιουργία, τον εξοπλισμό, την εκπαίδευση και τα σχέδια δράσης της ΤΜΤ. Υπήρχε σωρεία πληροφοριών που προήρχοντο από πηγές απευθείας από την τουρκοκυπριακή πλευρά. Της κατάστασης ηγείτο, από πολιτικής πλευράς, ο Ραούφ Ντενκτάς, ο οποίος ήταν ο σκληρός, ο αδιάλλακτος, ο εξτρεμιστής, και από στρατιωτικής πλευράς Τούρκος ανώτερος αξιωματικός, αποσπασμένος στην εδώ τουρκική πρεσβεία, ο λεγόμενος Μποζκούρτ».

«Το ελληνοκυπριακό σκέλος της κυπριακής κυβερνήσεως, που είχε αυτές τις πληροφορίες, ασφαλώς δεν τις απεκάλυπτε στους Τούρκους υπουργούς. Τόσον ο Μακάριος όσον και ο Κληρίδης, αλλά και οι περί αυτούς, όπως ο Πολύκαρπος Γιωρκάτζης, ο Τάσσος Παπαδόπουλος και άλλοι σημαίνοντες παράγοντες, υιοθετούσαν, με την επίμονη παρότρυνση και της τότε ελληνικής κυβερνήσεως, μια στάση ανοχής, με την ελπίδα ότι θα μπορούσε το πράγμα να υπερκερασθεί και να υπερπηδηθεί, χωρίς να κλιμακωθούν οι εκατέρωθεν ενέργειες που θα οδηγούσαν σε σύγκρουση. Ήτο, δηλαδή, ανεπιθύμητη και απευκταία από δικής μας πλευράς η σύγκρουση. Τόσον ο Αρχιεπίσκοπος Μακάριος όσον και η κυβέρνηση της ΕΡΕ, του Κωνσταντίνου Καραμανλή, ενημερώνονταν για τις πληροφορίες περί στρατιωτικών εξοπλισμών των Τούρκων, μέσω του εδώ κλιμακίου της ελληνικής ΚΥΠ».

«Ο βασικός οπλισμός των ανδρών μας ανά την Κύπρο ήταν κυνηγετικά όπλα. Είχαμε μερικές δεκάδες αυτόματα μικρού βεληνεκούς ‘στεν’, ‘μαρσίπ’ και 'στέρλινγκ', μερικά οπλοπολυβόλα 'μπρεν', αρκετά τυφέκια 'μαρτίνι' και τέσσερα πολυβόλα 'τουρτούρες', δύο από τις οποίες χρησιμοποιήθηκαν κατά τις δύο σοβαρές αντεπιθέσεις μας για να αντιμετωπισθεί η τουρκική ανταρσία, στις 24 και 25 Δεκεμβρίου 1963. Η μία με επικεφαλής τον Τάσο Μάρκου προς τους μύλους του Σεβέρη και η άλλη με επικεφαλής τον Χριστάκη Μασωνίδη και άλλους αξιωματικούς του Κυπριακού Στρατού προς την περιοχή της Ομορφίτας. Είχαμε, επίσης, και δύο 'μπαζούκας', που χρησιμοποιήθηκαν ελάχιστα, το ένα στην Λευκωσία και το άλλο στην Λάρνακα. Μετέπειτα εξασφαλίσαμε ακόμα δύο, το ένα από τα οποία χρησιμοποιήθηκε στην Πάφο. Το μεγαλύτερο όμως μέρος του οπλισμού μας ήταν τα κυνηγετικά».

«Κινούμασταν μεταξύ δύο αλληλοσυγκρουόμενων στόχων: Ο ένας ήταν 'πάση θυσία να αποφύγουμε τη σύγκρουση' [...] ο άλλος ήταν 'η ευθύνη του Μακαρίου και των πέριξ του, να προστατεύσουν τον κυπριακό Ελληνισμό από μια ενδεχόμενη επίθεση των Τούρκων', που εκινούντο μεθοδικά, εκπαιδεύονταν και εξοπλίζονταν με οδηγίες της Άγκυρας».

«Αναφορικά με τον ισχυρισμό ότι 'την σύγκρουση επιδίωξε και προκάλεσε ο Πολύκαρπος Γιωρκάτζης με τους ανθρώπους του (βόμβες στα τεμένη Μπαϊρακτάρη και Ομεριέ, βόμβα στο άγαλμα του Μάρκου Δράκου κ.λ.π), η απάντηση είναι ξεκάθαρη: Πέραν του γεγονότος ότι σε καμία περίπτωση ο Μακάριος ή Πολύκαρπος Γιωρκάτζης ή οποιοσδήποτε άλλος νομιμόφρων στον Μακάριο, ήθελαν να δημιουργήσουν ένοπλη σύγκρουση, διότι ήταν σε θέση να αντιληφθούν τις οδυνηρές συνέπειες, όταν κάναμε τις σταθμίσεις και τις εκτιμήσεις, γνωρίζαμε ότι οποιοδήποτε και αν ήταν το αποτέλεσμα μιας ένοπλης σύγκρουσης, θα είχαμε θύματα. Και ακόμη ότι, πολιτικά, κανείς δεν ήξερε πού θα οδηγούμασταν. Αυτές οι εκτιμήσεις γίνονταν από ανθρώπους που είχαν εμπειρία και ήταν σε θέση να γνωρίζουν. Ταυτόχρονα, τις ίδιες εκτιμήσεις είχε και η ελληνική κυβέρνηση, η οποία γνώριζε με κάθε λεπτομέρεια τα τεκταινόμενα, τόσο από δικής μας πλευράς όσο και από πλευράς των Τουρκοκυπρίων, της ΤΜΤ κλπ. Όλοι συμμεριζόμαστε και είχαμε ταυτόχρονη ευθύνη. Ως εκ τούτου, τα ισχυριζόμενα είναι εντελώς ανυπόστατα.»[135]

«Και αν ακόμα ήταν στις προθέσεις μας να αρχίσουμε εμείς τα γεγονότα, θα ήμασταν εντελώς ανόητοι, επιπόλαιοι και ανεύθυνοι να δώσουμε έναυσμα για την έναρξη τους, όταν ήμασταν εντελώς ανέτοιμοι. Διότι, ακόμα και στις 21 Δεκεμβρίου 1963 που ξεκίνησαν οι συγκρούσεις, η δική μας πλευρά ήταν άοπλη, αδύναμη και ανέτοιμη να αντιμετωπίσει τα γεγονότα, πράγμα που αποδείχθηκε από τις εξελίξεις».

«Η Οργάνωση δημιουργήθηκε ως αναπόδραστο απότοκο της φυσιολογικής ανασφάλειας που είχε δημιουργηθεί εξαιτίας της σοβινιστικής συμπεριφοράς της Τουρκίας και των Τουρκοκυπρίων εξτρεμιστών, ευθύς μετά την υπογραφή των Συμφωνιών και την ανακήρυξη της Κυπριακής Δημοκρατίας. Κάποιοι [...] μονομερώς αποτιμούν όχι όλα ή όχι τα πραγματικά γεγονότα. Και μου κάνει εντύπωση πως γράφονται και βιβλία που αναφέρουν, ως κύριες πηγές τους, τα

135. Μεταξύ άλλων, η γνωστή επιστολή του Ευάγγελου Αβέρωφ Τοσίτσα προς τον Μακάριο (Νοέμβριος 1963), με την οποία προέβη στην δραματική έκκληση: «Σας εξορκίζω δέσποτα, πράξετε το κατά δύναμιν, ό,τι είναι δυνατόν για να αποφευχθεί μια σύγκρουση με την άλλην πλευρά, η οποία θα οδηγήσει ενδεχομένως σε καταστροφές και πέραν της Κύπρου. Και έχομεν και στην Πόλιν και στη Σμύρνη Ελληνισμό, ο οποίος θα υποφέρει».

εθνικά αρχεία των ΗΠΑ και της Βρετανίας. Και ερωτώ: Γιατί όχι τα δικά μας αρχεία; Γιατί όχι οι δικές μας πηγές; Γιατί όχι εμείς που τα ζήσαμε; Και ποια εμπιστοσύνη μπορεί να υπάρχει ιδιαίτερα στους Εγγλέζους, που είναι γνωστό ποιο ρόλο διαδραμάτισαν και τότε και ύστερα ακόμη; Αλλά και οι Αμερικανοί, ποια γνώση των πραγμάτων είχαν σε σχέση με τα καθημερινά γεγονότα, για να μην αναφέρω και το ότι κι αυτοί έχουν αποδείξει πόσο ήταν και παραμένουν υπέρ των τουρκικών συμφερόντων και θέσεων, ασφαλώς για τα δικά τους συμφέροντα; Και πάλι, ερωτώ: Γιατί να μην είμαστε εμείς, οι οποίοι ζήσαμε τα γεγονότα, από του αρχηγού της Οργάνωσης, του αθέατου αλλά πραγματικού αρχηγού, του εθνάρχη Μακαρίου, μέχρι και του τελευταίου μέλους μας;».

«Τα σχέδια μας [της Οργάνωσης ΑΚΡΙΤΑΣ] δεν ήσαν επιθετικά, αλλά αμυντικά. Αντεπιθέσεις, ναι, περιλαμβάνονταν στα σχέδιά μας, αλλά ως μέρος της αυτοάμυνας προς ανακατάληψη τυχόν απολεσθέντων χώρων. Δεν ήταν επιθετικά, με σκοπό να καταληφθούν χωριά ή περιοχές που κατοικούσαν οι Τούρκοι για να τους εξοντώσουν. Αυτό το λέω με κάθε κατηγορηματικότητα. Δεν υπάρχει πουθενά το παραμικρό στοιχείο, που να υποδηλοί κάτι τέτοιο και όλα όσα αντίθετα ισχυρίζονται εκ των υστέρων μερικοί, δυστυχώς αποτελούν ένα άδικο και ακατανόητο αυτομαστίγωμα και παραχάραξη της ιστορίας, που σκόπιμα ενοχοποιεί τη δική μας πλευρά, μέχρι που να δίδεται και άφεση αμαρτιών στην τουρκική εισβολή».

«Η Ελλάς ήτο εν πλήρη γνώσει της εκπαιδεύσεως που Ελλαδίτες αξιωματικοί και αξιωματικοί της ΕΛΔΥΚ μας παρείχαν.»

«Οι βόμβες στα τεμένη και στο άγαλμα Μάρκου

Δράκου ήταν έργο οργάνων της ΤΜΤ. Η ίδια μέθοδος που χρησιμοποίησαν και το 1958, με τη βόμβα στο τουρκικό Γραφείο Τύπου στην τουρκική συνοικία της Λευκωσίας, για να εξαπολύσουν τις ανθελληνικές επιθέσεις, αλλά και το 1955 στο τουρκικό προξενείο της Θεσσαλονίκης, που προκάλεσε τα γεγονότα του πογκρόμ στην Κωνσταντινούπολη, για τα οποία ύστερα δίκασαν, καταδίκασαν και κρέμασαν τον πρωθυπουργό Μεντερές. Αυτά είναι ιστορικά γεγονότα και με εκπλήττει που κάποιοι δικοί μας αρθρογράφοι, τώρα, από μία σπουδή να δικαιώσουν την Τουρκία και τους Τουρκοκυπρίους, παριστάνουν ότι τα αγνοούν ή προσφεύγουν στα Αρχεία των Άγγλων και των Αμερικανών.»

«Ο ισχυρισμός ότι δήθεν ‘ο Γιωρκάτζης, ελεγχόμενος από ξένες μυστικές υπηρεσίες, ήταν περίπου εξ απορρήτων συνεργάτης και συνεργός του Ραούφ Ντενκτάς στην προετοιμασία της ένοπλης αντιπαράθεσης των δύο κοινοτήτων’, είναι όχι μόνο μύθευμα, φαντασίωση ή μια απλή παραχάραξη της ιστορίας, αλλά εγκληματική σύλληψη, η οποία δολοφονεί χαρακτήρες ανθρώπων, οι οποίοι, ανεξάρτητα από τα όποια λάθη τους, είχαν γράψει με το αίμα τους θρυλική ιστορία στον αγώνα του ‘55-’59. Προκαλώ οποιονδήποτε να παραθέσει έστω και ένα τεκμήριο, που να δικαιολογεί τέτοια συμπεράσματα και τέτοιες υποθέσεις.»

«Τα σχέδια των Τούρκων εξτρεμιστών της ΤΜΤ και του Ντενκτάς κατάγγελλαν δύο σημαντικές προσωπικότητες της τουρκοκυπριακής κοινότητας, οι δημοσιογράφοι Αϊχάν Χικμέτ και Αχμέτ Γκιουρκάν, οι οποίοι είχαν την τόλμη να αντιπαρατίθενται δημοσίως προς τους σκοπούς του Ντενκτάς και τις ένοπλες προπαρασκευές του, που κατά την άποψη τους οδηγούσαν σε εκείνο που τελικά δεν απεφεύχθη, εξ ου και δολοφονήθηκαν από τον Ντενκτάς. Περί τούτου οι πληροφορίες και τα στοιχεία που είχαμε ήταν αδιάσειστα. Τους εκτέλεσαν, επειδή ήταν αντίπαλοι του Ντενκτάς και της προπαρασκευής για την κατάλυση του νόμιμου κράτους από την ΤΜΤ, εν γνώσει και του τουρκικού Γενικού Επιτελείου. Ο Γιωρκάτζης, στην παρουσία μου, επανειλημμένως είχε εκφραστεί με εκτίμηση και θαυμασμό γι' αυτούς τους δυο ανθρώπους, και αποκάλυψε ότι η δολοφονία τους ήταν έργο του Ντενκτάς και της ΤΜΤ.»

«Εν γνώσει του Μακαρίου και χωρίς αυτό να σήμαινε ότι αμφισβητούσαμε τον πατριωτισμό των απλών ανθρώπων του κόμματος, το ΑΚΕΛ είχε μείνει εκτός Οργάνωσης, για δύο λόγους: Πρώτον, διότι υπήρχε η προκατάληψη, που συνεχιζόταν από την εποχή του αγώνα της ΕΟΚΑ και μετά, λόγω της στάσης της τότε ηγεσίας του ΑΚΕΛ έναντι του Απελευθερωτικού Αγώνα. Δεύτερον, διότι η πολιτική του ΑΚΕΛ, όπως πάντοτε, δεν μπορούσε να δει την πτυχή της ανασφάλειας που δημιουργείτο από τους τουρκικούς εξοπλισμούς, αλλά πίστευε ότι με το να έχει σχέσεις με το αντίστοιχο κομμουνιστικό κόμμα των Τουρκοκυπρίων, θα μπορούσαν τα γεγονότα να αποφευχθούν. Μακάρι να ήταν έτσι, όμως δεν ήταν.»

«Το σπίτι που βρέθηκαν σκοτωμένα τα μωρά με τη μάνα τους, ήταν σε περιοχή της τουρκικής συνοικίας, όπου κανένα τμήμα Ελληνοκυπρίων ενόπλων είχε φτάσει ποτέ. Η οδηγία της Οργάνωσης προς όλους, επί ποινή εκτελέσεως εάν δεν ακολουθείτο, ήταν σαφής: 'Μην αγγίξετε άμαχο, αλλά ούτε και μάχιμο από τη στιγμή που θα έχει παραδοθεί'. Συνεπώς, απορρίπτω ως μύθευμα και ως κακοποίηση της ιστορίας τον ισχυρισμό, ότι δήθεν 'αποτελούσε πολιτική μας να εξοντώσουμε τους Τουρκοκυπρίους'.»

«Οι Τούρκοι εκπαιδεύονταν διαρκώς από αξιωματικούς της ΤΟΥΡΔΥΚ, τόσο μέσα στο στρατόπεδό της όσο και σε άλλους χώρους, ακόμα και στο οίκημα της τουρκοκυπριακής ποδοσφαιρικής ομάδας 'Τσετίνκαγια'. Έχοντας τότε το 40% της Αστυνομίας υπό τον έλεγχό της, όπως και τον Τουρκοκύπριο αρχηγό της Χωροφυλακής, η ΤΜΤ μπορούσε να διακινεί εύκολα και τον οπλισμό της. Οι περισσότεροι από τους Τουρκοκύπριους αστυνομικούς, είχαν υπηρετήσει ως επικουρικοί στην αστυνομία των Άγγλων και έδρασαν εναντίον της ΕΟΚΑ, κατά διαταγή της μυστικής οργάνωσης 'Βολκάν', η οποία στη συνέχεια εντάχθηκε και απορροφήθηκε από την ΤΜΤ.»

«Στις 26 Δεκεμβρίου 1963 έγινε εκεχειρία, ακολούθησε η παρέμβαση των Άγγλων ως ειρηνευτών, οι οποίοι επέτυχαν και επέβαλαν την Πράσινη Γραμμή και την υπογραφή της από τον Γλαύκο Κληρίδη, μετά από οδηγίες του Μακαρίου. Τότε αποφασίστηκε ότι όλες οι δυνάμεις έπρεπε να τεθούν κάτω από ενιαίο συντονισμό. Η Τουρκία απειλούσε με εισβολή στην Κύπρο, έγινε η προσφυγή στον ΟΗΕ και βγήκαν τα ψηφίσματα για ειρηνευτική δύναμη των Ηνωμένων Εθνών. Ταυτόχρονα, απεφασίσθη, τόσο από κυπριακής όσο και από ελλαδικής πλευράς, ότι κάποιος έπρεπε να έρθει στην Κύπρο, για να βάλει μία τάξη και να δημιουργήσει ένα σώμα πραγματικά στρατιωτικό, με υποχρεωτική θητεία και εκπαίδευση, ώστε να διαλυθούν οι διάφορες ομάδες και να συγκροτηθεί ένας πραγματικός στρατός, πράγμα που έγινε με την Εθνική Φρουρά τον Ιούνιο του 1964.»

«Το Μάρτιο ή Απρίλιο 1964, είχα σταλεί στην Αθήνα

με οδηγίες του Μακαρίου. Με παρέλαβε αξιωματούχος της κυπριακής πρεσβείας στην Αθήνα, επισκέφθηκα τον στρατηγό Γεώργιο Γρίβα-Διγενή στο σπίτι του και του έδωσα επιστολή [που ο Μακάριος ανέθεσε στον Γιωρκάτζη να υπογράψει], με την οποία εκαλείτο από την κυπριακή ηγεσία να έρθει στην Κύπρο και να βάλει μια τάξη στην Εθνική Φρουρά. Έτσι κι έγινε. Παράλληλα, η υπό τον Γεώργιο Παπανδρέου κυβέρνηση της Ελλάδος, σε συνεννόηση με την κυπριακή, άρχισε την μυστική αποστολή των μονάδων της ελλαδικής Μεραρχίας στην Κύπρο, για την αντιμετώπιση της τουρκικής απειλής αποβάσεως.»

Γ6: «Τα 13 σημεία»

Ένας άλλος τουρκικός, εριστικός ισχυρισμός είναι, ότι «ο Μακάριος προκάλεσε τα γεγονότα του 1963, λόγω της απόφασης του να τροποποιήσει το σύνταγμα, εξ ου και τα 13 σημεία που έθεσε για τροποποίηση».

Ο Βρετανός ύπατος αρμοστής στην Κύπρο το 1963, σερ Άρθουρ Κλάρκ, ήταν άμεσα αναμεμειγμένος με τις τροποποιήσεις.

Ο Αρχιεπίσκοπος Μακάριος επιθυμούσε να τροποποιήσει το μη λειτουργικό Σύνταγμα και ο σερ Άρθουρ Κλάρκ διατάχθηκε από το Λονδίνο να επιβλέψει αυτές τις τροποποιήσεις, ούτως ώστε «να επηρεάσουν τα τουρκικά συμφέροντα όσο το δυνατό λιγότερο».

Σε διάφορες εκθέσεις και συζητήσεις στο Λονδίνο, ο σερ Άρθουρ Κλάρκ χαρακτήρισε την απόφαση του Αρχιεπισκόπου Μακαρίου να τροποποιήσει τα πλέον δυσλειτουργικά σημεία του Συντάγματος, ως απόλυτα λογική και δικαιολογημένη.

Στις 10 Μαρτίου 1971, ζητήθηκε από τον Κίραν Πρέντεργκαστ,[136] ο οποίος εργαζόταν τότε στο Γραφείο Εξωτερικών & Κοινοπολιτείας, να ετοιμάσει το όλο ιστορικό, αναφορικά με την 13 σημείων προς τροποποίηση πρόταση του Μακαρίου. Αυτό, ζητήθηκε από τον νέο Βρετανό ύπατο αρμοστή στην Λευκωσία Ρόμπερτ Χάμφρεϊ Έντμοντς, ο οποίος ενδιαφερόταν να μάθει τα πραγματικά γεγονότα, μετά που ο Αρχιεπίσκοπος Μακάριος του είχε αναφέρει ότι «στην διατύπωση τους τον καθοδήγησε ο σερ Άρθουρ Κλάρκ».

Ο Κίραν Πρέντεργκαστ έγραψε:

> «Στην πιο κάτω επιστολή της εξοχότητας σας της 22ας Φεβρουαρίου προς τον κ. Σεκόντε (υπουργείο Εξωτερικών), η εξοχότητα σας έδωσε την εκδοχή του Αρχιεπισκόπου αναφορικά με την ανάμειξη του σερ Άρθουρ Κλάρκ στον καταρτισμό των δεκατριών σημείων.
>
> Είπατε επίσης, ότι θα σας ενδιέφερε να γνωρίζετε, κατά πόσο τα αρχεία του Γραφείου Εξωτερικών & Κοινοπολιτείας επιβεβαιώνουν την εκδοχή του Μακαριοτάτου.
>
> Έχω μελετήσει τα αρχεία μας της περιόδου εκείνης. Η αλληλουχία γεγονότων είναι η ακόλουθη:
>
> α) Σε τηλεγράφημα της 17ης Οκτωβρίου 1963 προς τον ΙΔΙΟ, τον πρέσβη στην Άγκυρα, ο υπουργός Εξωτερικών είπε, ότι έγινε καθαρό πως η ελληνοκυπριακή ηγεσία ήταν δυσαρεστημένη με μερικά από τα βασικά άρθρα του κυπριακού Συντάγματος.

136. Αργότερα, ο Κίραν Πρέντεργκαστ έγινε «σερ» και, κατά την περίοδο του Σχεδίου Ανάν, επισκέφθηκε την Κύπρο ως αναπληρωτής Γενικός Γραμματέας των Ηνωμένων Εθνών.

Ο Αρχιεπίσκοπος είχε υπαινιχθεί, ότι οι Συνθήκες Εγγυήσεως και Συμμαχίας θα έπρεπε να αποκηρυχθούν, ως ασύμβατες με το ανεξάρτητο καθεστώς της Κύπρου.

Η κυβέρνηση της Αυτής Μεγαλειότητος ανησύχησε για την σοβαρή κατάσταση, την οποία θα είχε ως συνέπεια την αποτυχία της φιλικής επίλυσης των σημερινών δυσκολιών. Ο εξοχότατος πρέσβης στην Άγκυρα πήρε την οδηγία να πείσει την τουρκική κυβέρνηση να συμφωνήσει, ότι θα έπρεπε να συζητηθούν λογικές προτάσεις για τροποποίηση των πλέον μη λειτουργικών σημείων του Συντάγματος.

Ο σερ Άρθουρ Κλάρκ πήρε την οδηγία να προειδοποιήσει τον Αρχιεπίσκοπο, για τους κινδύνους μονομερούς ενέργειας. Θα τον προέτρεπε να προχωρήσει μέσω συζήτησης και διαπραγμάτευσης και, ως πρώτο μέτρο, να διαμορφώσει γραπτές προτάσεις, τέτοιες που θα δημιουργούσαν την προοπτική εποικοδομητικής συζήτησης με τους Τούρκους.

Επίσης, θα προσπαθούσε να διασφαλίσει, ότι οι τελικές προτάσεις ήσαν λογικές και δίκαιες για τα τουρκικά συμφέροντα.

β) Στις 31 Οκτωβρίου 1963, ο σερ Άρθουρ Κλάρκ ανέφερε, ότι ο Αρχιεπίσκοπος είχε δεχθεί τις παραστάσεις του εποικοδομητικά και είχε συμφωνήσει ‘να διαμορφώσει προτάσεις για παρουσίαση προς τον δρα Κιουτσούκ’.

γ) Σε ξεχωριστή έκθεση, ο σερ Άρθουρ Κλάρκ ανέφερε, ότι ο Αρχιεπίσκοπος είχε προθυμοποιηθεί ‘ο Κύπριος υπουργός Εξωτερικών να συζητήσει μαζί του [του σερ Άρθουρ Κλάρκ] προτάσεις, κατά το στάδιο του καταρτισμού εκείνων που θα υποβάλλονταν προς τους Τούρκους'.

Η πρόταση έγινε αποδεχτή από το Γραφείο Κοινοπολιτείας.

δ) Επίσης, ο σερ Άρθουρ Κλάρκ υπέβαλε προς το Γραφείο Κοινοπολιτείας τις δικές του ιδέες, ως προς το τι συνιστούσε 'λογικές προτάσεις για θεραπεία των δυσκολιών στην εφαρμογή του Συντάγματος'.

Αυτές είναι δέκα, από τις οποίες οι οκτώ γενικά προσομοιάζουν προς τις προτάσεις που έκαμε ο Αρχιεπίσκοπος στο πλαίσιο των δεκατριών σημείων.

ε) Ο σερ Άρθουρ Κλάρκ είχε την ευκαιρία να σχολιάσει γραπτώς τα δεκατρία σημεία, σε δύο στάδια κατά την διάρκεια του καταρτισμού τους.

Στις 14 Νοεμβρίου 1963, απάντησε σε επιστολή του Αρχιεπισκόπου ημερομηνίας 12 Νοεμβρίου 1963, στην οποία εσωκλείονταν τα δεκατρία σημεία στην αρχική τους μορφή. Ο σερ Άρθουρ Κλάρκ σχολίασε στην ουσία τους αυτά τα σημεία.

Στις 26 Νοεμβρίου, ο σερ Άρθουρ Κλάρκ απέστειλε προς τον κ. Σπύρο Κυπριανού (τον Κύπριο υπουργό Εξωτερικών) λεπτομερή σχόλια επί ενός πλήρους προσχεδίου των δεκατριών σημείων. Μερικές από τις προταθείσες τροποποιήσεις συμπεριλήφθηκαν στο τελειωτικό κείμενο των δεκατριών σημείων.

Συνεπώς, θα μπορούσε να υπάρξει ο ισχυρισμός ότι ο σερ Άρθουρ Κλάρκ παρά τις οδηγίες της κυβέρνησης της Αυτής Μεγαλειότητος, πράγματι ενεθάρρυνε τον πρόεδρο Αρχιεπίσκοπο Μακάριο να υποβάλει προτάσεις προς τον αντιπρόεδρο δρα Φαζίλ Κιουτσούκ, για την τροποποίηση του Συντάγματος του 1960 [...]».

Η μεγαλύτερη ανησυχία του Λονδίνου ήταν το καθεστώς των βρετανικών βάσεων στην Κύπρο. Κάθε προσπάθεια αλλαγής των Συμφωνιών Λονδίνου και Ζυρίχης μοιραία θα επηρέαζε αυτό το καθεστώς, πιθανότητα που το Λονδίνο ήθελε να αποφύγει και για να μην αποστερηθεί η Τουρκία του «δικαιώματος» επέμβασης (όπως είχε σχεδιαστεί) για επιβολή των διαιρετικών της σχεδίων.

Ο σερ Άρθουρ Κλάρκ και η βρετανική κυβέρνηση είχαν πλήρη γνώση των τουρκικών σχεδίων και σκοπών (όπως αποκαλύφθηκε από το έγγραφο που βρέθηκε στο γραφείο του Υπουργού Πλουμέρ[137]), πολύ πριν από τις τουρκικές επιθέσεις του Δεκεμβρίου 1963.

Ο σερ Άρθουρ Κλάρκ υπολόγισε επακριβώς, ότι οι Τουρκοκύπριοι θα χρησιμοποιούσαν τις προτάσεις Μακαρίου για τροποποίηση των μη λειτουργικών στοιχείων του Συντάγματος, ως πρόσχημα για να προχωρήσουν με τα προ πολλού οργανωμένα σχέδια για διχοτόμηση.[138]

Γ7: Αύγουστος 1964 – Η Τουρκία βομβαρδίζει την Τυλληρία

Στις 27 Αυγούστου 1964, ο κ. Α. Γ. Σωτηριάδης, της υπάτης αρμοστείας της Κύπρου στο Λονδίνο, οργάνωσε μια έκθεση φωτογραφιών αναφορικά με τους τουρκικούς αεροπορικούς βομβαρδισμούς της Τηλλυρίας (Κύπρου), σε μια προσπάθεια διαφώτισης των βρετανικών μέσων μαζικής ενημέρωσης, των πολιτικών και του κοινού για τα δεινά του κυπριακού λαού.

137. Βλ. επίσης Κεφάλαιο Β27.
138. Έγγραφο Γραφείου Εξωτερικών & Κοινοπολιτείας FCO 9/1353

Στην εναρκτήρια δήλωση του είπε:

«Το καθήκον που έχω να επιτελέσω σήμερα είναι οδυνηρό, αλλά απαραίτητο. Οδυνηρό, επειδή συνδέεται με τις πρόσφατες, βάρβαρες και χωρίς διάκριση τουρκικές αεροπορικές επιθέσεις κατά της Κύπρου. Απαραίτητο, επειδή το βρετανικό κοινό δεν είχε στο παρελθόν την ευκαιρία να δει με τα μάτια του τις τραγικές συνέπειες αυτού που η Τουρκία περιέγραψε ως 'περιορισμένη ενέργεια αστυνόμευσης'.

Για σχεδόν 48 ώρες, την 8η και 9η Αυγούστου, κύματα τουρκικών πολεμικών αεροσκαφών διενήργησαν συνεχείς επιθέσεις στην βορειοδυτική Κύπρο, σκοτώνοντας και τραυματίζοντας αθώα γυναικόπαιδα.

Χρησιμοποιήθηκαν ευρέως βόμβες ΝΑΠΑΛΜ, καταστρέφοντας σχολεία, εκκλησίες και νοσοκομεία.

Δεν έχουν προηγουμένως δημοσιοποιηθεί φωτογραφίες των ισοπεδωτικών αποτελεσμάτων αυτών των απάνθρωπων επιθέσεων και, επειδή ορθά αισθανόμαστε ότι η Κύπρος πολύ λίγα απολαμβάνει από τον βρετανικό Τύπο, σας προσκαλέσαμε στα εγκαίνια αυτής της έκθεσης. Σκοπός μας είναι να πληρωθεί το κενό. Δεν έχουμε την πρόθεση να προαγάγουμε μίσος ή εχθρότητα, παρά μόνο να δοθεί η ευκαιρία σε όσο περισσότερους Βρετανούς είναι δυνατό, να δουν οι ίδιοι την έκταση της τουρκικής θηριωδίας και τι πραγματικά υποφέρει ο Κυπριακός Λαός, για τον οποίο ούτε καν συμπάθεια έχει εκφραστεί».

Η ελληνοκυπριακή, φιλοκομμουνιστική εφημερίδα του Λονδίνου «ΤΟ ΒΗΜΑ», κάλυψε τις τουρκικές επιθέσεις ως ακολούθως:

«Η Κύπρος υφίσταται επίθεση. Κτηνώδεις αεροπορικοί

βομβαρδισμοί και πολυβολισμοί από τουρκικά πολεμικά αεροπλάνα. Νεκροί και χιλιάδες τραυματίες. Ολόκληρα χωριά εξαφανίστηκαν. Κόλαση πυρός, τρόμου και φόβου. Ένα αεροσκάφος του ΝΑΤΟ με Τούρκο πιλότο καταρρίφθηκε».[139]

«Αίμα από τις φλέβες εκατοντάδων αδελφών Κυπρίων έχει ήδη μεταφερθεί στα θύματα των βαρβάρων. Την περασμένη Τρίτη, ο κόσμος έκανε ουρές για να δώσει αίμα".[140]

«Η αιματηρή σκηνή της τραγωδίας της Κύπρου είναι ακόμα ανοιχτή».[141]

Γ7-1: 1967 – Η Λαθραία Επιστροφή του Εγκάθετου Τρομοκράτη

Δελτίο Τύπου του κυπριακού Γραφείου Δημοσίων Πληροφοριών της 31ης Οκτωβρίου 1967:

«Σήμερα το πρωί τρία άγνωστα πρόσωπα έφθασαν μυστικά με βάρκα στην περιοχή Αγίου Θεοδώρου, της χερσονήσου Καρπασίας. Μετά τον εντοπισμό τους, συνελήφθησαν με συνδυασμένη ενέργεια της Εθνικής Φρουράς και της Αστυνομίας. Αργότερα, οι συλληφθέντες αναγνωρίστηκαν ότι είναι: Ο Ραούφ Ντενκτάς, ο Οσμάν Ετζάν Κονούκ και ο Ερρόλ Ιμπραχίμ.

Κατά την ανάκριση τους, ο Ντενκτάς είπε ότι ήλθε στην

139. Εφημερίδα «ΤΟ ΒΗΜΑ», Λονδίνο 10 Αυγούστου 1964.

140. Εφημερίδα «ΤΟ ΒΗΜΑ», Λονδίνο 21 Αυγούστου 1964.

141. Εφημερίδα «ΤΟ ΒΗΜΑ», Λονδίνο 28 Αυγούστου 1964, με φωτογραφίες των απανθρακωμένων από τις τουρκικές βόμβες ναπάλμ, Ελληνοκυπρίων. Η εφημερίδα χαρακτήρισε την Τηλλυρία ως τη «Χιροσίμα της Κύπρου».

> Κύπρο με μυστική αποστολή, για να υλοποιήσει κάποιες διαταγές και οδηγίες της τουρκικής Κυβερνήσεως. Όπως δήλωσαν οι συλληφθέντες, η βάρκα μεταφέρθηκε από τουρκικό σκάφος μέχρι τα χωρικά ύδατα της Κύπρου. Τόσο ο Ντενκτάς όσο και τα άλλα δύο πρόσωπα που συνελήφθησαν, ήσαν οπλισμένοι. Μεταξύ άλλων πραγμάτων, κατασχέθηκε μια βαλίτσα που περιείχε σημαντικά έγγραφα».

Κατά τον τότε Βρετανό ύπατο αρμοστή στη Λευκωσία σερ Ν. Κοστάρ:

> «Στον Ντενκτάς, πρόεδρο της τουρκοκυπριακού Κοινοτικής Συνελεύσεως, είχε απαγορευθεί η επάνοδος στην Κύπρο μετά που επισκέφθηκε την Τουρκία το 1964. Όπως πληροφορηθήκαμε, επισκέφθηκε την βόρεια ακτή λαθραία κατά την διάρκεια των εχθροπραξιών τον Αύγουστο 1964 και, έκτοτε, ευρισκόταν στην Άγκυρα».[142]

Γ8: Βρετανικό Σχέδιο «Το Μέλλον της Κύπρου»

Όλες οι βρετανικές ενέργειες ήσαν συνεπείς προς το αναθεωρημένο τους (το 1964) Σχέδιο Διαίρεσης της Κύπρου, το οποίο είχε διαμορφωθεί λαμβάνοντας υπόψη όλα τα σχέδια που μελετήθηκαν προηγουμένως, κατά την περίοδο 1955-59. Αυτά τα σχέδια ήσαν συνυφασμένα με τα συμφέροντα, σχέδια, προτάσεις και απαιτήσεις των Τούρκων.

Επί των συγκεκριμένων σχεδίων είχε γίνει εντατική εργασία κατά την περίοδο 1975-76, οπότε και πρωτοεμφανίστηκε η ορολογία «δύο συνιστώντα κράτη», κατά τις συζητήσεις και μελέτες για λύση του κυπριακού ζητήματος μεταξύ του

142. Έγγραφο Γραφείου Εξωτερικών & Κοινοπολιτείας FCO 9/63.

βρετανικού υπουργείου Εξωτερικών (Foreign Office) και του υπουργείου Εξωτερικών των ΗΠΑ (State Department).

Τελικά, αυτές οι σκευωρίες βγήκαν πλήρως στην επιφάνεια με το «Σχέδιο Ανάν», το οποίο προέβλεπε «δύο συνιστώντα κράτη». Το Σχέδιο Ανάν απορρίφθηκε συντριπτικά από το 76% των Ελληνοκυπρίων, κατά το Δημοψήφισμα της 24ης Απριλίου 2004.[143]

Εκείνο το, σαφούς διαδικασίας, σχέδιο του 1964 υλοποιήθηκε βήμα προς βήμα, ανοίγοντας τον δρόμο για την τουρκική εισβολή: Με την απόσυρση της ελλαδικής Μεραρχίας από την Κύπρο, με την ανατροπή της δημοκρατικής κυβέρνησης της Ελλάδας και την εγκατάσταση της Χούντας, η οποία εξυπηρέτησε το σχέδιο με την υποκίνηση του πραξικοπήματος κατά του προέδρου Μακαρίου στις 15 Ιουλίου 1974 και αποφάσισε «να μην παρέμβει έστω κι εάν εισβάλει η Τουρκία»,[144] εξ ου και το «πράσινο φως» που δόθηκε προς τον Τούρκο πρωθυπουργό Μπουλέντ Ετζεβίτ να εισβάλει στην Κύπρο στις 20 Ιουλίου 1974.[145]

143. Έγγραφο του Φόρεϊν Όφις FO 371/177827 – 1964 Σχέδιο «Το Μέλλον της Κύπρου».

144. Μια απόφαση, την οποίαν έλαβαν οι Βρετανοί τον Δεκέμβριο 1963 και μετέφεραν διαχρονικά, σε υλοποίηση του αναθεωρηθέντος «Σχεδίου για Διαίρεση» του 1964.

145. Το «πράσινο φως» δόθηκε την 17η Ιουλίου 1974, από τον Βρετανό πρωθυπουργό Χάρολντ Ουΐλσον και τον υπουργό Εξωτερικών Τζέιμς Γκάλλαχαν.

Γ9: Βρετανική Στρατιωτική Συνεργασία με Τουρκοκυπρίους

Γ9-1: Τα Γεγονότα

Όπως καταδείχθηκε σ' αυτό το βιβλίο, η συνεργασία των Βρετανών με το τουρκικό στοιχείο εναντίον των Ελληνοκυπρίων ξεκίνησε πριν από το 1955 και εντάθηκε μετά την έναρξη του αγώνα της ΕΟΚΑ 1955-59 για Ένωση της Κύπρου με την Ελλάδα.

Η περίοδος από ενωρίς το 1964 μέχρι, τουλάχιστο, την αποχώρηση της ελλαδικής Μεραρχίας το 1967, αμαυρώνεται από περιστατικά βρετανικής ανάμειξης υπέρ των Τούρκων. Βρετανοί αξιωματικοί πληροφοριών ήσαν αναμεμειγμένοι σε ανατρεπτικές ενέργειες στο νησί: Κατασκεύαζαν βόμβες, βοηθούσαν τους Τούρκους να ανατινάζουν τουρκικές περιουσίες (για ενοχοποίηση των Ελληνοκυπρίων και προώθηση των τουρκικών στόχων), κατασκόπευαν κλπ.

Ο κύριος στόχος τους ήταν «η αποσταθεροποίηση της κυβέρνησης της Κυπριακής Δημοκρατίας, η δημιουργία χάους και σύγχυσης και η υποστήριξη των Τούρκων στην προώθηση και υλοποίηση των μακροπρόθεσμων σχεδίων τους».

Τον Φεβρουάριο 1964, ο πρόεδρος της Κυπριακής Δημοκρατίας Αρχιεπίσκοπος Μακάριος παρέδωσε συγκεκριμένο έγγραφο αναφορικά με εκείνες τις ενέργειες, προς τον Βρετανό ύπατο αρμοστή στην Λευκωσία. Ένα απόσπασμα γράφει:

> «Επιθυμούμε να επισύρουμε την προσοχή σε κάποια πρόσφατα περιστατικά, τα οποία έχουν αυξήσει την δημόσια ανησυχία και ένταση και έχουν προκαλέσει τεράστια ανησυχία στην κυβέρνηση της

Δημοκρατίας.

Η ειρηνευτική δύναμη θα αποτελείτο από τις δυνάμεις του Ηνωμένου Βασιλείου που ήδη στάθμευαν στην Κύπρο, με στόχο να βοηθήσουν την κυβέρνηση της Δημοκρατίας στις προσπάθειες της να διασφαλίσει την διατήρηση την Κατάπαυση Πυρός και την αποκατάσταση της ειρήνης.

Προφανώς, ο αρχικός αριθμός που συνιστούσε την δύναμη θεωρήθηκε πολύ μικρός για τα καθήκοντα που όφειλε να επιτελέσει. Όμως, ο αριθμός της Δύναμης έχει τελευταία υπερδιπλασιαστεί, με ενισχύσεις εκτός Κύπρου, χωρίς να έχει προηγηθεί η σύμφωνος γνώμη της κυβέρνηση της Δημοκρατίας.

Επιπλέον, η σφαίρα των δραστηριοτήτων της Δύναμης διευρύνεται, σε έκταση πέραν της απαιτούμενης για την επιτέλεση του σκοπού της και, με τέτοιο τρόπο, που να παρεμβαίνει στις λειτουργίες της κυβερνήσεως.

Τα ακόλουθα αποτελούν μερικές ενδείξεις της διεύρυνσης των δραστηριοτήτων της Δύναμης, την ανάληψη από αυτήν κυβερνητικών εξουσιών και καθηκόντων και της ανάμειξης της στην ομαλή λειτουργία του κράτους:

i. Στις 20 Ιανουαρίου 1964, Βρετανός αξιωματικός ονομαζόμενος αντισυνταγματάρχης Θέρσμπυ πήγε με ελικόπτερο στον Αμίαντο και πληροφόρησε τον κ. Μάρτσερ Χέννιγκ, διευθυντή των Κυπριακών Ορυχείων Αμιάντου, ότι 'το επόμενο πρωί θα ερχόταν για να πάρει όλα τα εκρηκτικά που υπήρχαν στις αποθήκες του ορυχείου'.

   Πληροφόρησε επίσης τον διευθυντή, ότι για την ενέργεια του ήταν εξουσιοδοτημένος από την 'Κοινή Επιτροπή'.

Ερωτηθείς 'εάν υπήρχε σχετική συμφωνία με τον ανώτερο λειτουργό ορυχείων', είπε ότι 'ο ανώτερος λειτουργός Ορυχείων έχει ενημερωθεί' και έφυγε.

Την επόμενη ημέρα, 20 Βρετανοί στρατιώτες πήγαν στον Αμίαντο και πήραν από την αποθήκη της εταιρείας ποσότητα εκρηκτικών.

Είναι γεγονός, ότι καμιά ειδοποίηση δόθηκε προς τον ανώτερο λειτουργό Ορυχείων και καμιά σχετική απόφαση από οποιανδήποτε 'Κοινή Επιτροπή' είχε ληφθεί.

ii. Ο κ. Έβανς, γενικός διευθυντής της Κυπριακής Εταιρείας Θείου και Χαλκού (γνωστής ως Ορυχεία Λίμνη) παρέδωσε τα δικά του εκρηκτικά [...]».[146]

Στις 10 Απριλίου 1964, ο Πρόεδρος Μακάριος έγραψε επίσης προς τον στρατηγό Τζιάννι[147] παραπονούμενος και αναφέροντας περιπτώσεις, κατά τις οποίες βρετανικά στρατεύματα, τα οποία υπηρετούσαν στο απόσπασμα των Ηνωμένων Εθνών, δεν παρεμπόδισαν τους Τούρκους από του να πυροβολούν και τραυματίζουν Ελληνοκυπρίους.

Γ9-2: Βρετανικό στρατιωτικό προσωπικό εναντίον των Ελληνοκυπρίων

«Οι Βρετανοί έχουν ξεσκεπαστεί πλήρως - Εξοπλίζουν τους Τούρκους τρομοκράτες – Ένας αεροπόρος έχει

146. Αναπληρωτής ύπατος αρμοστής στην Λευκωσία, προς τον λειτουργό κοινοπολιτειακών σχέσεων στο Λονδίνο, 26 Φεβρουαρίου 1964 – Έγγραφο υπουργείου Άμυνας DEFE 11/443.

147. Τότε επικεφαλής της Unficyp, Ειρηνευτικής Δύναμης των Ηνωμένων Εθνών στην Κύπρο.

συλληφθεί, μεταφέροντας όλμους και αλληλογραφία προς τους στασιαστές - Οι δηλώσεις του προκάλεσαν σοκ - Οι Βρετανοί δεν πρέπει πλέον να αποτελούν μέρος της διεθνούς δύναμης των Ηνωμένων Εθνών. Βρετανικά αεροπλάνα προσγειώθηκαν στο Ακρωτήρι, μεταφέροντας 150 Τούρκους ντυμένους σαν Βρετανούς αξιωματικούς. Μεταφέρθηκαν στις στρατιωτικές εγκαταστάσεις της βάσης Ακρωτηρίου, αλλά δεν έγινε γνωστό το περιεχόμενο της μυστικής συνάντησης που είχαν με τους Βρετανούς».[148]

Ο Βρετανός αεροπόρος της RAF[149] που συνελήφθη από την κυπριακή Αστυνομία ονομαζόταν Κηθ Μάρλεϊ. Κατηγορήθηκε για κατασκοπεία εναντίον της Κυπριακής Δημοκρατίας και καταδικάστηκε σε 15 χρόνια φυλάκιση. Η βρετανική κυβέρνηση κατόρθωσε να εξασφαλίσει την μεταφορά του στο Λονδίνο, δήθεν για να εκτίσει την ποινή του στην πατρίδα του, αλλά με βάση νέα στοιχεία ο Μάρλεϊ αφέθηκε ελεύθερος λίγο αργότερα».[150]

«Υπόθεση Μάρλεϊ: Όπως αναφέρθηκε με λεπτομέρεια σε προηγούμενο τηλεγράφημα, η RAF έχει ανακρίνει δύο δεκανείς της RAF, τους Μπάτσελορ και Μπας, των οποίων τα ονόματα είχαν δοθεί από τον Μάρλεϊ.

Οι προκαταρτικές εκθέσεις καταδεικνύουν, ότι τα τρία αυτά πρόσωπα, όχι μόνο ασχολούνταν με μεγάλης έκτασης διακίνηση οπλισμού, αλλά και είχαν εμπλακεί βαθιά σε παράνομες δραστηριότητες, συμπεριλαμβανομένων τόσο της κατασκοπείας κατά των Ελληνοκυπρίων, όσο και της ενεργούς βοήθειας στην προετοιμασία για την μεταφορά ανδρών και

148. Εφημερίδα «ΦΙΛΕΛΕΥΘΕΡΟΣ», Λευκωσία 28 Μαΐου 1964.
149. Βρετανική Βασιλική Αεροπορία.
150. Ραδιόφωνο BBC 4, Ιανουάριος 2006.

οπλισμού από την Τουρκία. Είναι πολύ πιθανό, ότι οι περαιτέρω έρευνες θα αποκαλύψουν την ανάμειξη περισσοτέρων Βρετανών στρατιωτών.

Η ελληνοκυπριακή Αστυνομία έχει ήδη ζητήσει να ανακρίνει τον Μπάτσελορ, του οποίου το όνομα της δόθηκε από τον Μάρλεϊ. Μέχρι στιγμής δεν ρώτησαν για τον Μπας, του οποίου το όνομα πιστεύουμε ότι δεν το κατέχουν για την ώρα και του οποίου οι δραστηριότητες είναι οι πλέον ζημιογόνες».[151]

Οι βρετανικές αρχές έθεσαν με ταχύτητα τον Μπας υπό την προστασία τους:

«Ο κύριος λόγος που επιθυμούμε την απομάκρυνση του Μπας, είναι η μεγάλης σοβαρότητας πληροφορίες που κατέχει ως προς τα επεμβατικά σχέδια της Τουρκίας, τα οποία και θα μπορούσε να αποκαλύψει ανακρινόμενος από τους Ελληνοκυπρίους [...] Είναι σχεδόν αδύνατο να τον απομακρύνουμε, χωρίς να δημιουργηθούν υποψίες [...] Θα μπορούσε, βεβαίως, να δοθεί μια εξήγηση για την μετάθεση του (λ.χ. απρόσμενη τοποθέτηση από το Λονδίνο, ιατρικοί λόγοι, πιθανή απειλή της ζωής του)».[152]

Ο Μπας ήταν αναμεμειγμένος στο σχεδιασμό μιας πλωτής σχεδίας για τους Τούρκους (υπό κατασκευή τότε στην Κύπρο), για διευκόλυνση της υποβρύχιας εκφόρτωσης προμηθειών από υποβρύχια. Είχε λεπτομέρειες δεύτερης ροής οπλισμού, από όχημα των Ηνωμένων Εθνών από τον Λιμνίτη στην Λευκωσία και είχε στην κατοχή του ονόματα

151. Φάκελοι Βρετανικής Άμυνας – Βρετανική Υπάτη Αρμοστεία στην Λευκωσία, προς Γραφείο Κοινοπολιτειακών Σχέσεων στο Λονδίνο, 31 Μαΐου 1964.
152. Φάκελοι Βρετανικής Άμυνας – Βρετανική Υπάτη Αρμοστεία στην Λευκωσία, προς Γραφείο Κοινοπολιτειακών Σχέσεων στο Λονδίνο, 3 Ιουνίου 1964.

επιπλέον τουρκοκυπριακών συνδέσμων.

Ως βατραχάνθρωπος, ο Μπας είχε συμφωνήσει να βοηθήσει τους Τούρκους να συναντήσουν τουρκικά υποβρύχια, τα οποία θα έφθαναν εντός 7 ημερών, για να μεταφέρουν εθελοντές Τούρκους της Τουρκίας, με ρυθμό 200-300 ανδρών ημερησίως. Ισχυρίστηκε ότι γνώριζε πολλές λεπτομέρειες των τουρκικών σχεδίων, συμπεριλαμβανομένης της έκτασης και της μεθόδου των επιχειρήσεων άφιξης και ότι οι Τουρκοκύπριοι θα διαιρούσαν το νησί. Γνώριζε, ότι οι επιχειρήσεις επρόκειτο να αρχίσουν 20-21 Ιουνίου 1964. Επίσης γνώριζε, ότι το προσωπικό των Ηνωμένων Εθνών (τόσο των άλλων εθνικοτήτων όσο και οι Βρετανοί) ήσαν αναμεμειγμένοι βοηθώντας την ΤΜΤ και είχε συνοδεύσει προσωπικώς όχημα των Ηνωμένων Εθνών που μετέφερε οπλισμό. Εξ ου και η ανυπομονησία της βρετανικής κυβέρνησης να τον απομακρύνει πάση θυσία.

Ο δεκανέας Χέρον, ο λοχίας Τζόουνς και οι ανώτεροι αεροπόροι Ταφτ και Οφφάρτ ήσαν μερικοί από τους Βρετανούς στρατιωτικούς που υποβοηθούσαν τους Τούρκους μεταφέροντας οπλισμό, προμηθεύοντας υψηλής ισχύος ασυρμάτους, κατασκοπεύοντας κλπ. Μερικοί είχαν εντοπιστεί από τις κυπριακές αρχές, άλλοι όχι. Η βρετανική κυβέρνηση ανυπομονούσε να τους απομακρύνει από την Κύπρο το συντομότερο δυνατό.[153]

Γ9-3: Η «εξαφάνιση» του Ταγματάρχη Ε.Φ.Λ. Μέισυ και του οδηγού του Λ. Πλατ

Ο ταγματάρχης Μέισυ ήταν ένας από εκείνους τους Βρετανούς αξιωματικούς που είχαν αποσπαστεί στην Δύναμη των

153. Έγγραφα υπουργείου Άμυνας DEFE 11/451 και DEFE 11/457.

Ηνωμένων Εθνών στην Κύπρο ως Αξιωματικός Επικοινωνίας, αλλά αμειβόταν από την βρετανική κυβέρνηση. Ο Μέισυ, ένας αλαζών αξιωματικός πληροφοριών, ήταν επίσης αξιωματικός επικοινωνίας με τον αντιπρόεδρο δρα Φαζίλ Κιουτσούκ. Ο ταγματάρχης Μέισυ και ο οδηγός του θεάθηκαν για τελευταία φορά σε ένα όχημα Land Rover στις 7 Ιουνίου 1964.

Ο ταγματάρχης Μέισυ μιλούσε άπταιστα ελληνικά και τουρκικά και εργάστηκε για τους Τούρκους. Προμήθευε τους Τουρκοκυπρίους με οπλισμό και πυρομαχικά, τους εκπαίδευε και, γενικά, προΐστατο της προετοιμασίας για μια τελική τουρκική εισβολή.

Οι Βρετανοί γνώριζαν πολύ καλά τότε, ότι η Τουρκία σκόπευε να εισβάλει στην Κύπρο στις 26 Ιουνίου 1964, δηλαδή την ημέρα που θα έληγε η εντολή προς τις δυνάμεις των Ηνωμένων Εθνών (UNFICYP). Την ίδια ώρα, ο Αρχιεπίσκοπος Μακάριος σκόπευε να ζητήσει τον αποκλεισμό του βρετανικού αποσπάσματος από την UNFICYP, λόγω των ενοχοποιητικών στοιχείων που είχαν συσσωρευτεί κατά του βρετανικού στρατιωτικού προσωπικού, το οποίο συνεργαζόταν με τους Τούρκους εναντίον της Δημοκρατίας.

Στις 4 Ιουνίου 1964, ενόψει του όγκου των πληροφοριών για τις τουρκικές προετοιμασίες εισβολής στην Κύπρο, η κυπριακή κυβέρνηση προχώρησε στη συγκρότηση της Εθνικής Φρουράς.

Η τουρκική και η βρετανική κυβέρνηση προχώρησαν σε άμεσες παραστάσεις προς τον πρόεδρο Μακάριο, ενιστάμενες στη δημιουργία της Εθνικής Φρουράς.

Βάσει του τουρκικού εγγράφου της 14ης Σεπτεμβρίου 1963,[154] καθώς και του βρετανικού σχεδίου για το «Μέλλον

154. Βλ. Επίσης Κεφάλαιο Β27.

της Κύπρου» του Φεβρουαρίου 1964,[155] οι Βρετανοί ήσαν έτοιμοι απλώς να παρακολουθήσουν και να μην παρέμβουν για να σταματήσουν την τουρκική εισβολή [όπως πράγματι έγινε το 1974], έχοντας ενεργά δουλέψει για την δημιουργία των αναγκαίων συνθηκών, που θα διευκόλυναν αυτή την πολιτική.

Γ9-4: «Μετακινείστε όλους εκτός Κύπρου για λόγους εθνικής πολιτικής»

Μετά από μια επείγουσα τηλεσύσκεψη, την Τετάρτη 3 Ιουνίου 1964 (ώρα 16:45), μεταξύ του υπουργείου Άμυνας στο Λονδίνο, του διοικητή των βρετανικών δυνάμεων στην Κύπρο και του ύπατου αρμοστή στην Λευκωσία, αφού επανεκτιμήθηκε η κατάσταση στην Κύπρο, οι Βρετανοί αποφάσισαν ότι ο δεκανέας Μπας (και άλλοι, κατά την διάκριση του διοικητή των βρετανικών δυνάμεων στην Κύπρο και του ύπατου αρμοστή) θα πρέπει να σταλούν πίσω στο Λονδίνο αμέσως.[156]

Τον Ιανουάριο 2006, το Ράδιο 4 του BBC στο Λονδίνο μετάδωσε μια έρευνα αναφορικά με τον βρετανικό ρόλο στη κυπριακή διένεξη του 1964 και αποκάλυψε, ότι πράγματι υπήρχε τότε μια αλυσίδα κατασκοπείας εναντίον των Ελληνοκυπρίων, αναφέροντας την σύλληψη του αεροπόρου Κηθ Μάρλεϊ και της εξαφάνιση του ταγματάρχη Μέισυ.

Γ9-5: Ο Μάρτιν Πάκκαρτ και ο Μύθος της «Εθνοκάθαρσης»

Η χειρότερη κατηγορία κατά των Ελληνοκυπρίων, εκείνη της

155. Βλέπε επίσης Κεφάλαιο Γ8.
156. Έγγραφο υπουργείου Άμυνας DEFE 11/451.

«σφαγής 27 Τουρκοκυπρίων στο Γενικό Νοσοκομείο Λευκωσίας τον Δεκέμβριο 1963», προήλθε από τον αντιναύαρχο του βρετανικού ναυτικού Μάρτιν Πάκκαρτ.[157]

Η στυγερή αυτή κατηγορία έγινε σε άρθρο της «THE GUARDIAN» από τον αρχισυντάκτη Πήτερ Πρέστον, στενό φίλο του Πάκκαρτ από το 1963-64 που και οι δύο βρισκόντουσαν στην Κύπρο.

Ο Μάρτιν Πάκκαρτ επανέλαβε αυτή την κατηγορία στις 10 Φεβρουαρίου 1994, στο χρονικό «Νεκροί ή Ζωντανοί» που πρόβαλε το βρετανικό τηλεοπτικό Κανάλι 4 TV, που κυρίως αφορούσε την τύχη 1619 Ελληνοκυπρίων που αγνοούνται από τον Ιούλιο - Αύγουστο του 1974. Εκεί, ο Μάρτιν Πάκκαρτ είπε:

> «Το μεγαλύτερο μεμονωμένο στοιχείο αυτών των αγνοούμενων ανθρώπων, ήταν οι Τουρκοκύπριοι ασθενείς του Γενικού Νοσοκομείου Λευκωσίας. Δεν ακούστηκε τίποτε για οποιονδήποτε από αυτούς, θεωρήθηκε ότι κρατούνταν κάπου. Το αποτέλεσμα της έρευνας μου είναι, ότι είχαν όλοι σκοτωθεί μέσα

157. Μάρτιν Πάκκαρτ: Μετετέθη στην Κύπρο τον Δεκέμβριο 1963, από θέση πληροφοριών του ΝΑΤΟ στην Μάλτα, για να συνεργαστεί με τον Βρετανό στρατηγό Πήτερ Γιάγκ και, αργότερα, ως «Αξιωματικός Επικοινωνίας» στην νεοσύστατη Δύναμη των Ηνωμένων Εθνών. Νυμφευμένος τότε με Ελληνίδα, μιλούσε αρκετά καλά ελληνικά. Εργάστηκε δίπλα στον στρατηγό Γιάγκ, υπό τις διαταγές του υφυπουργού Κοινοπολιτείας σερ Σύριλ Πίκκαρτ, ο οποίος μετετέθη και εργάστηκε ως αναπληρωτής ύπατος αρμοστής στην Λευκωσία, αμέσως μετά από τις τουρκικές επιθέσεις του Δεκεμβρίου 1963 (αντικαθιστώντας τον ύπατο αρμοστή σερ Άρθουρ Κλάρκ, που λέχθηκε ότι ασθενούσε). Ο Σύριλ Πίκκαρτ επέστρεψε στην θέση του στο Λονδίνο πριν από τον Μάρτιν Πάκκαρτ, ο οποίος εγκατέλειψε την Κύπρο τον Ιούνιο 1964, μερικές ημέρες μετά από την εξαφάνιση του συναδέλφου του Τέντ Μάσεϋ και του οδηγού του (βλ. Κεφάλαιο Γ9-3). Κατά την διάρκεια της υπηρεσίας του στην Κύπρο (επίσης ως «Αξιωματικός Επικοινωνίας» της Unficyp) ο Μάρτιν Πάκκαρτ συνέχισε να αμείβεται από την κυβέρνηση της Αυτής Μεγαλειότητος, όπως και στην βάση πληροφοριών του ΝΑΤΟ στην Μάλτα. Τον Ιανουάριο 1965, ο Μάρτιν Πάκκαρτ τιμήθηκε από την Βασίλισσα με ΟΒΕ (ανακήρυξη σε Αξιωματικό Ιππότη της Βρετανικής Αυτοκρατορίας).

στο Γενικό Νοσοκομείο. Απομακρύνθηκαν κατά την διάρκεια της νύχτας, τα πτώματα μεταφέρθηκαν σε απομακρυσμένα αγροκτήματα στην περιοχή Σκυλλούρας και εκεί διαμελίστηκαν, αλέστηκαν μέσα από γεωργικές μηχανές και θάφτηκαν [«τους έσπειραν» όπως είπε] στην οργωμένη γη».

Όπως προέκυψε πέντε χρόνια αργότερα, ο συγκεκριμένος Βρετανός αξιωματικός Μάρτιν Πάκκαρτ είπε δημοσίως ψέματα, αισθανόμενος πως είναι ελεύθερος να επικαλείται «την έρευνα του», την οποίαν όμως ουδέποτε είχε διενεργήσει.

Λίγο μετά το χρονικό από το Κανάλι 4, η Φανούλα Αργυρού[158] αμφισβήτησε την αυθεντικότητα αυτών των κατηγοριών και απαίτησε από το Γραφείο Εξωτερικών & Κοινοπολιτείας «πρόσβαση στα σχετικά έγγραφα», στα οποία ο Πάκκαρτ είχε αναφερθεί κατά την δήλωση του, συγκεκριμένα «σε κάποια επίσημα έγγραφα» και «σε μια έκθεση» που είχε τότε ετοιμάσει. Αυτά τα «σχετικά έγγραφα» δεν υπήρχαν για να τα δει κανείς.

Η αλληλογραφία της Αργυρού επεκτάθηκε στο υπουργείο Άμυνας και, μετά από πέντε χρόνια εντατικής επιμονής «να δει τα στοιχεία», ο υπουργός Εξωτερικών απάντησε ότι «εκείνα τα έγγραφα είχαν χαθεί».

Παρόλ' αυτά, στις 3 Μαΐου 1999 εμφανίστηκε άλλο άρθρο στην «THE GUARDIAN» (που επίσης είχε γραφτεί από τον καλό φίλο του Πάκκαρτ και πρώην, πλέον, αρχισυντάκτη Πήτερ Πρέστον) για να ΑΠΟΣΥΡΘΟΥΝ εκείνες οι άδικες κατηγορίες κατά των Ελληνοκυπρίων. Το κύριο γεγονός που βγήκε στην επιφάνεια μετά από το δεύτερο αυτό άρθρο είναι, ότι ο

158. Ελληνίδα Κυπρία δημοσιογράφος και συγγραφέας, γνωστή για την έγκυρη ερευνητική της εργασία.

Βρετανός αντιναύαρχος Μάρτιν Πάκκαρτ κανένα απολύτως στοιχείο είχε στην πραγματικότητα, που να τεκμηριώνει τις κατηγορίες του κατά των Ελληνοκυπρίων.

Η απόδειξη όμως, για το πόσο οι Τούρκοι χρησιμοποίησαν τις ανυπόστατες κατηγορίες του Πάκκαρτ ως κύριο πρόσχημα για να υποστηρίξουν την εισβολή του 1974, επιβεβαιώνεται από τον ίδιο τον Πήτερ Πρέστον στο ίδιο ακριβώς άρθρο:

> «Προ μερικών εβδομάδων, ο Τούρκος πρέσβης στα Ηνωμένα Έθνη σε επιστολή του προς τον Κόφφι Ανάν (Γενικό Γραμματέα των Ηνωμένων Εθνών) αναφέρθηκε στην ιστορία των 27 ασθενών, ως αποδεικτικό στοιχείο της εθνοκάθαρσης από τους Ελληνοκυπρίους, γεγονός που κατέστησε την εισβολή της Άγκυρας και τον διαμελισμό της Κύπρου αναπόφευκτα»...

Άκρως απόρρητα έγγραφα με τίτλο «Επιχειρήσεις στην Κύπρο, Δεκέμβριος 1963 - Φεβρουάριος 1964» καταχωρημένα ως «Μόνο για Γνώση του Η/Β», τα οποία το βρετανικό Εθνικό Αρχείο αποδέσμευσε αρκετά μετά από 30 χρόνια, αναφέρονται, μέρα προς μέρα, στα γεγονότα εκείνης της περιόδου. Τα έγγραφα δεν αναφέρονται καθόλου σε τέτοιες φρικαλεότητες στο Γενικό Νοσοκομείο Λευκωσίας. Απλώς αναφέρεται, ότι στις 26 Δεκεμβρίου 1963 «στις 11:20 Τουρκάλες νοσοκόμες συνοδεύτηκαν από το Γενικό Νοσοκομείο προς την Παλιά Πόλη από στρατιωτική περίπολο (προφανώς μετά από την προσωπική διαταγή του Αρχιεπισκόπου Μακαρίου)».[159]

159. Έγγραφο υπουργείου Αεροπορίας AIR 20/11426.

Κεφάλαιο Δ: Η Εισβολή της Τουρκίας στην Κύπρο, Ιούλιος & Αύγουστος 1974

Δ1: «Συμπατριώτες Προσοχή»[160]

«Συμπατριώτες προσοχή: Στην ειδική έκδοση μας της περασμένης Τρίτης, δημοσιεύσαμε ανταποκρίσεις αναφορικά με τις κτηνώδεις επιθέσεις των εισβολέων Τούρκων εναντίον του ειρηνικού λαού της Κερύνειας. Βανδαλισμοί και εγκληματικές επιθέσεις που προκαλούν ντροπή στον πολιτισμένο κόσμο του 20ου αιώνα.

Ο σαδιστικός βιασμός γυναικών κάθε ηλικίας, οι κτηνώδεις ακρωτηριασμοί ανθρώπων, των οποίων το μοναδικό 'έγκλημα' είναι η ελληνική τους καταβολή, ο διά της βίας εξαναγκασμός χιλιάδων ειρηνικών χωρικών να εγκαταλείψουν κι να εκκενώσουν πλήρως τα χωριά τους και τις πόλεις για να σωθούν από τους βάρβαρους βομβαρδισμούς και τους βανδαλισμούς των εισβολέων, έχουν προβληθεί από τον βρετανικό και ξένο Τύπο με τα μελανότερα χρώματα. Αυτές οι ενέργειες έχουν καταδικαστεί από κάθε έντιμο και δημοκρατικό άνθρωπο.

Η συντακτική επιτροπή της εφημερίδας «ΤΟ ΒΗΜΑ» εκφράζει ειλικρινή αισθήματα προς τις χιλιάδες των αναγνωστών και υποστηρικτών μας [...] και ενώνει την φωνή της με όλους εκείνους τους ειλικρινείς ανθρώπους που αγαπούν την Κύπρο και τον ιστορικό λαό της, μισούν τον φασισμό, τον ιμπεριαλισμό και την

160. Εφημερίδα «ΤΟ ΒΗΜΑ», Λονδίνο, Πέμπτη 8 Αυγούστου 1974.

εθνική καταπίεση και εργάζονται για την απόσυρση όλων των ξένων στρατευμάτων από την Κύπρο, την αποκατάσταση της Κυπριακής Δημοκρατίας [...] και την αποκατάσταση της ανεξαρτησίας, της εδαφικής και κυριαρχικής ακεραιότητας της Κύπρου, για την διάσωση της πατρίδας μας».

Δ2: Εφημερίδα THE SUN «ΒΑΡΒΑΡΟΙ – Ντροπή τους»[161]

«Ο αρραβωνιαστικός μου και έξι άλλοι άνδρες πυροβολήθηκαν και σκοτώθηκαν. Οι Τούρκοι στρατιώτες γελούσαν μαζί μου και μετά με βίασαν.» – ΕΛΛΗΝΟΚΥΠΡΙΑ ΚΟΠΕΛΑ 20 ΕΤΩΝ

«Οι Τούρκοι στρατιώτες απέκοψαν τα χέρια και τα πόδια του πατέρα μου. Μετά, τον πυροβόλησαν μπροστά στα μάτια μου.» – ΕΛΛΗΝΟΚΥΠΡΙΑ ΓΥΝΑΙΚΑ 32 ΕΤΩΝ

«Πυροβόλησαν και σκότωσαν τους άνδρες. Η σύζυγος φίλου μου είπε 'Γιατί να ζήσω χωρίς τον άνδρα μου;' Ένας στρατιώτης την πυροβόλησε στο κεφάλι.» – ΕΛΛΗΝΟΚΥΠΡΙΟΣ ΓΕΩΡΓΟΣ 51 ΕΤΩΝ

ΤΡΟΜΑΚΤΙΚΗ ιστορία θηριωδιών προέκυψε σήμερα, από τους Τούρκους εισβολείς στην Κύπρο. Την διηγήθηκαν θρηνώντας Ελληνοκύπριοι χωρικοί, οι οποίοι διασώθηκαν από στρατιώτες των Ηνωμένων Εθνών.

ΜΙΛΗΣΑΝ για βάρβαρους βιασμούς υπό την απειλή όπλου [...]

161. Τίτλος πρώτης σελίδας, εφημερίδα «THE SUN», Λονδίνο, 5 Αυγούστου 1974. Βασισμένο σε ανταπόκριση από την Κύπρο του δημοσιογράφου της SUN Ίαν Γουόκερ.

και για απειλές άμεσης εκτέλεσης εάν υπήρχε αντίσταση.

ΜΙΛΗΣΑΝ για την θέα των αγαπημένων τους να βασανίζονται και να πυροβολούνται.

Οι χωρικοί είναι από το Τριμίθι, το Κάρμι και τον Άγιο Γεώργιο, τρεις γεωργικές κοινότητες δυτικά της πόλης της Κερύνειας, που ήσαν ακριβώς στον δρόμο που ακολούθησε ο τουρκικός στρατός.

Είχαν παγιδευτεί με την έναρξη των εχθροπραξιών πριν από δύο εβδομάδες και μόνο τώρα μπόρεσαν τα Ηνωμένα Έθνη να τους μεταφέρουν στην Λευκωσία. Και σήμερα, σ' ένα ορφανοτροφείο της Λευκωσίας, μου διηγήθηκαν τις εμπειρίες τους, απλά και χωρίς δισταγμό.

Μια 20χρονη κοπέλα, που φορούσε ένα όμορφο ασπροκίτρινο φόρεμα και καθόταν κάτω από μια ζωγραφιά του Ιησού Χριστού που φύλαγε το κοπάδι του, μου περιέγραψε τον τρόπο που την βίασαν.

Επισκεπτόταν τον αρραβωνιαστικό της, ο οποίος εργαζόταν σε ξενοδοχείο της Κερύνειας, όταν έγινε η επίθεση των Τούρκων. Τις πρώτες 24 ώρες κρυβόταν με άλλους χωρικούς σ' ένα στάβλο, μέχρι που τους ανακάλυψαν Τούρκοι στρατιώτες. Είδε με τα μάτια της να εκτελούνται εν ψυχρώ ο αρραβωνιαστικός της και έξι άλλοι άνδρες, λίγα λεπτά μετά που τους είχαν υποσχεθεί ότι δεν θα τους έβλαπταν. Είπε:

> *«Μετά τους πυροβολισμούς, ένας Τούρκος στρατιώτης με άρπαξε και με τράβηξε σ' ένα χαντάκι. Αντιστάθηκα και προσπάθησα να διαφύγω, αλλά με έριξε στο έδαφος. Ξέσκισε τα ρούχα μου μέχρι την μέση μου. Τότε άρχισε να γδύνεται και ο ίδιος.*
>
> *Ένας άλλος Τούρκος στρατιώτης που μας κοίταζε, κρατούσε στα χέρια του ένα μωρό 9 μηνών και, στην*

προσπάθεια μου να σωθώ, φώναξα ότι το μωρό ήταν δικό μου. Γέλασαν μαζί μου και πέταξαν το μωρό στο έδαφος. Τότε βιάστηκα και σε λίγο λιποθύμησα.

Όταν βρήκα τις αισθήσεις μου, είδα 15 άλλους στρατιώτες να στέκονται γύρω μου και να κοιτάζουν. Ο πρώτος μου αφαιρούσε το ρολόι και την βέρα μου. Οι υπόλοιποι ετοιμάζονταν να με βιάσουν, όταν ένας απ' όλους έφερε αντίρρηση και τους είπε να μην είναι ζώα.

Δεν θα τον ξεχάσω ποτέ αυτόν που με γλίτωσε. Ήταν πολύ διαφορετικός από τους άλλους, έμοιαζε περισσότερο με Άγγλο, με ξανθά μαλλιά και γαλανά μάτια. Μου μίλησε αγγλικά. Με βοήθησε να σηκωθώ και μου είπε 'όλα τώρα είναι εντάξει'.

Οι άλλοι προσπάθησαν να τον σταματήσουν, αλλά τράβηξε το όπλο του, περάσαμε ανάμεσα τους και με παρέδωσε ξανά στις άλλες γυναίκες.

Όταν μετά από μερικές ώρες συνήλθα, πήγα προς τους θάμνους που είχαν καεί από τον βομβαρδισμό και πασάλειψα το πρόσωπο και τα χέρια μου με κάρβουνα, για να είμαι αποκρουστική και να μην μου ξανακάμουν τα ίδια.»

Η κοπέλα αισθανόταν πολύ ντροπιασμένη για να αποκαλύψει το όνομα της και πρόσθεσε:

«Δεν μπορώ να περιγράψω με λόγια την φρίκη που νοιώθω γι' αυτό που μου συνέβη. Πιστεύω πως θα προτιμούσα να με είχαν σκοτώσει.»

Η κυρία Έλενα Ματεΐδου, 28 ετών, ξύπνησε από Τούρκους στρατιώτες στο Τριμίθι. Είπε:

«Ο σύζυγος και ο πατέρας μου διατάχθηκαν να

βγάλουν όλα τα ρούχα τους και μας πήραν κάτω, σ' ένα ξεροπόταμο. Τότε οι στρατιώτες ξεχώρισαν τις γυναίκες και τα παιδιά και μας συνόδεψαν πίσω από κάποια ελαιόδεντρα. Άκουσα μια ομοβροντία πυροβολισμών και κατάλαβα ότι είχαν σκοτωθεί.

Αργότερα μας πήραν πίσω στο χωριό με τα χέρια δεμένα πίσω. Δυο στρατιώτες με πήραν σ' ένα δωμάτιο εγκαταλελειμμένου σπιτιού και με βίασαν. Ο ένας κρατούσε ένα όπλο στραμμένο στο κεφάλι μου ενώ με βίαζε και μου είπε 'εάν αντιστεκόμουν θα πυροβολούσε'. Μετά, ένα στρατιώτης μου έβγαλε την βέρα και την φόρεσε ο ίδιος.

Είδα μια άλλη γυναίκα, να την τραβούν σ' ένα δωμάτιο μπάνιου και να την βιάζουν.

Αργότερα, επέστρεψα στον ελαιώνα και βρήκα τα πτώματα του συζύγου και του πατέρα μου, μαζί με πέντε άλλους άνδρες. Ο πατέρας μου είχε μαχαιρωθεί και ο σύζυγος μου είχε πυροβοληθεί στην κοιλιά.

Αργότερα, στρατιώτες των Ηνωμένων Εθνών έφεραν φαγητό για τους χωρικούς. Οι Τούρκοι το πήραν και το έφαγαν οι ίδιοι.»

Μια άλλη γυναίκα, η οποία υπήρξε υποψήφιο θύμα βιασμού, ήταν η 32χρονη δεσποινίδα Φρόσα Μεϊτάνη. Είπε:

«Όταν είδα το τι γινόταν, έτρεξα όσο πιο γρήγορα μπορούσα. Είδα τους στρατιώτες να με σημαδεύουν, αλλά ήμουν πολύ φοβισμένη για να νοιαστώ. Κρύφτηκα στους ελαιώνες και προσπάθησα να επιστρέψω εκεί που με είχαν χωρίσει από τον πατέρα μου. Παρακολουθούσα μέσα από τους θάμνους την ώρα που του απέκοψαν τα χέρια και τα πόδια κάτω από τα γόνατα με ένα δίκοπο μαχαίρι.

Στην αρχή φώναζε από τον πόνο και τους χτυπούσε με τις γροθιές του, αλλά μετά σιώπησε και δεν άρθρωνε λέξη. Τότε τον πυροβόλησαν στο στομάχι, ενώ εγώ παρακολουθούσα.»"

Ο γεωργός Χρίστος Σάββα Δράκος, 51 ετών, είδε να εκτελούνται η σύζυγος και οι δύο γιοι του. Είπε:

«Πότιζα το περβόλι μου όταν άρχισαν οι εκρήξεις από τις βόμβες. Όλο το χωριό προσπαθήσαμε να διαφύγουμε μέσα από τις φυτείες και τους ποταμούς, αλλά οι Τούρκοι μας έπιασαν και παραδοθήκαμε. Μας ερεύνησαν και όλοι είμαστε άοπλοι.

Τότε άρχισαν οι πυροβολισμοί. Στην αρχή ήταν βολή κατά βολή και άκουσα τον 16χρονο γιο μου Γιώργο να λέει με ήρεμη φωνή 'Παπά μου, με πυροβόλησαν'. Τον τράβηξα κάτω και πέσαμε πίσω από ένα βράχο. Πέθανε εκεί, μέσα στα χέρια μου.

Οι πυροβολισμοί τράβηξαν την προσοχή ενός αξιωματικού, που έτρεξε να δει τι συνέβαινε. Θύμωσε με τους άντρες του και τους διέταξε να σταματήσουν.

Η σύζυγος και ο άλλος γιος μου Νίκος, που ήταν μόνο 13 ετών, ήσαν νεκροί.

Η σύζυγος ενός φίλου μου ήταν πολύ άσχημα τραυματισμένη και είπε προς τον αξιωματικό 'Γιατί να ζήσω χωρίς τον άνδρα μου; Σκοτώστε με'..

Ο αξιωματικός έφυγε ανασηκώνοντας τους ώμους και ένας στρατιώτης την πυροβόλησε στο κεφάλι.»"

Εάν οι τουρκικές αρχές αρνηθούν αυτές τις κατηγορίες, εγώ θα θυμούμαι το τραβηγμένο πρόσωπο εκείνου του ηλικιωμένου που καθόταν με φρίκη στη γωνία, με το σώμα του να τρέμει από αναφιλητά. Αυτός ο ηλικιωμένος άνδρας δεν ήταν ηθοποιός ή κάποιος που τον είχαν διατάξει να πει ψέματα για λόγους προπαγάνδας. Ήταν ένας αξιολύπητος φτωχός άνθρωπος, που είχε χάσει όλα όσα είχε ποτέ αποκτήσει ή αγαπήσει στον κόσμο.

Ο διευθυντής ξενοδοχείου Βασίλειος Ευθυμίου ήταν ο μόνος που επέζησε, από μια ομάδα ανδρών που συνέλαβαν οι Τούρκοι. Είπε:

> *«Διαχώρισαν τους άνδρες από τις γυναίκες και σκότωσαν 12 άνδρες. Οι σκοτωμένοι ήσαν από ένα αγόρι 12 ετών μέχρι ένα 90χρονο γέροντα.»*

Ο γαμπρός του πυροβολήθηκε και σκοτώθηκε, ενώ κρατούσε στα χέρια του την 4χρονη κορούλα του Ευθυμίου, την Στέλλα. Σήμερα, η Στέλλα μου έδειξε που την χτύπησε μια σφαίρα στον μηρό.

Ο Ευθυμίου σώθηκε τρέχοντας, αφού πρώτα άρπαξε την άλλη κόρη του, την 2χρονη Χάριαν. Είπε:

> *«Έτρεξα, μέχρι που τα πόδια μου δεν με σήκωναν πλέον κι έπεσα. Αργότερα, κατάφερα να επιστρέψω στο χωριό, όπου όλες οι γυναίκες έτρεμαν από φόβο και σοκ. Παρέδωσα την κόρη μου στην σύζυγο μου και είπα ότι πρέπει να διασώσω τον εαυτό μου.*
>
> *Κρύφτηκα για επτά μερόνυχτα σ' ένα βαθύ πηγάδι στο αγρόκτημα της αδελφής μου, καθισμένος σε μια μικρή μπάρα με τα πόδια μου στο νερό. Όταν απόκαμα, βγήκα έξω.»*

Ο Ευθυμίου και η 37χρονη σύζυγος του Ελένη διεύθυναν το ξενοδοχείο Mermaid, στην παραλία Έξι Μίλι της Κερύνειας, ένα δημοφιλές ξενοδοχείο με Βρετανούς τουρίστες.

Ο πρόεδρος της Κύπρου Γλαύκος Κληρίδης πήγε σήμερα στην Αθήνα και κατηγόρησε τα τουρκικά στρατεύματα για μαζικούς φόνους και βιασμούς. Ισχυρίστηκε επίσης, ότι περίπου 20.000 Έλληνες εκδιώχθηκαν δια της βίας από τα σπίτια τους στην περιοχή Κερύνειας.

ΟΙ Τούρκοι εξέδωσαν ανακοινωθέν, αρνούμενοι. Ένας εκπρόσωπος είπε:

> *«Οι τουρκικές στρατιωτικές αρχές αρνούνται τις κατηγορίες για εκτελέσεις και άλλες θηριωδίες από τα τουρκικά στρατεύματα, σε οποιανδήποτε περιοχή που ευρίσκεται υπό τουρκική κατοχή.»*

Δ3: Οι βιασμοί Ελληνοκυπρίων νεαρών κοριτσιών, μητέρων και γιαγιάδων

Επειδή τα νοσοκομεία της Δημοκρατίας δεν ήταν σε θέση να ανταποκριθούν στον μεγάλο αριθμό των θυμάτων των κατ' επανάληψη βιασμών από τους Τούρκους, ο προεδρεύων της Δημοκρατίας Γλαύκος Κληρίδης ζήτησε, μέσω του εκπροσώπου του διεθνούς Ερυθρού Σταυρού, την βοήθεια των ιατρικών λειτουργών των βρετανικών βάσεων.

Αφού πρώτα συμβουλεύτηκαν το Λονδίνο και θεσπίστηκε η δέουσα νομοθεσία, ούτως ώστε να προστατευθούν οι ιατρικοί λειτουργοί που θα εμπλέκοντο στην περίθαλψη και τις εκτρώσεις, στις 22 Οκτωβρίου 1974 άρχισε η παροχή ιατρικής βοήθειας στο νοσοκομείο Princess Mary στο Ακρωτήρι.

Στις 14 Οκτωβρίου 1974, οι βρετανικές βάσεις στην Κύπρο απέστειλαν προς το Γραφείο Εξωτερικών & Κοινοπολιτείας στο Λονδίνο, το ακόλουθο επείγον τηλεγράφημα:

> «Έχουμε προσεγγιστεί από τον επί κεφαλής της αποστολής του Ερυθρού Σταυρού Ζουγκέρ, ο οποίος ενήργησε με την κοινή έγκριση των Ντενκτάς και Κληρίδη, με το αίτημα της παροχής βοήθειας στην

περίθαλψη Ελληνοκυπρίων γυναικών που βιάσθηκαν από τους Τούρκους. Οι δύο ηγέτες έχουν συμφωνήσει ότι γυναίκες-θύματα και των δύο πλευρών θα πρέπει να επιστρέψουν με τις οικογένειες τους στην δική τους κοινότητα για εξέταση, περίθαλψη και απόλυση. Μέχρι στιγμής, υπάρχουν μόνο δύο περιπτώσεις Τουρκοκυπρίων, για τις οποίες ο Ντενκτάς είναι πεπεισμένος ότι μπορούν να αντιμετωπιστούν διακριτικά στον Βορρά».[162]

Οι Ελληνοκύπριες γυναίκες που βιάστηκαν από τους Τούρκους ήσαν χιλιάδες και ο αριθμός των αναγκαίων εκτρώσεων ανήλθε σχεδόν στις χίλιες.

Δ4: «Τουρκικές θηριωδίες: Τι αποκαλύπτει απόρρητη έκθεση»[163]

Η εφημερίδα «THE SUNDAY TIMES» του Λονδίνου, έχοντας εξασφαλίσει αντίγραφο απόρρητης έκθεσης του Συμβουλίου της Ευρώπης που εύρισκε την Τουρκία ένοχη για την παραβίαση επτά άρθρων της Ευρωπαϊκής Σύμβασης Ανθρωπίνων Δικαιωμάτων, δημοσίευσε πρωτοσέλιδη μια βαριά και ογκώδη κατηγορία κατά της κυβέρνησης της για φόνους, βιασμούς και λεηλασίες από τα τουρκικά στρατεύματα στην Κύπρο, κατά την διάρκεια και μετά από την τουρκική εισβολή του1974.

Σε αποκλειστικό άρθρο με τίτλο «Τουρκικές θηριωδίες: Τι αποκαλύπτει απόρρητη έκθεση» και παρά την μανιώδη αντίδραση της τουρκικής κυβέρνησης, η εφημερίδα δημοσίευσε αποσπάσματα της έκθεσης.

162. Έγγραφο Υπουργείου Αεροπορίας AIR 20/12651.
163. Εφημερίδα «THE SUNDAY TIMES», Λονδίνο 23 Ιανουαρίου 1977.

Υπότιτλος: «Τα τρομερά μυστικά της τουρκικής εισβολής στην Κύπρο»

Η άθλια κατάσταση στην Κύπρο, με το 40% της νήσου υπό την συνεχιζόμενη κατοχή των τουρκικών στρατευμάτων που εισέβαλαν το καλοκαίρι του 1974, είναι καλά γνωστή. Όμως, ποτέ μέχρι τώρα λέχθηκε όλη η ιστορία του τι έγινε κατά την διάρκεια και μετά από την εισβολή. Αυτό το άρθρο βασίζεται στην απόρρητη έκθεση της Ευρωπαϊκής Επιτροπής Ανθρωπίνων Δικαιωμάτων. Για προφανείς λόγους, από το άρθρο απαλείφθηκαν τα ονόματα των μαρτύρων που κατέθεσαν στην Επιτροπή.

ΤΟ ΑΡΘΡΟ

1. Φόνοι

Σχετικό Άρθρο της Σύμβασης Ανθρωπίνων Δικαιωμάτων: «Το δικαίωμα επί της ζωής όλων θα προστατεύεται από τον νόμο».

Κατηγορία εκ μέρους των Ελληνοκυπρίων: Ο τουρκικός στρατός επιδόθηκε σε συστηματικές εκτελέσεις πολιτών, που καμία σύνδεση είχαν με τις πολεμικές δραστηριότητες.

Η τουρκική υπεράσπιση: Καμία, εκτός από την αμφισβήτηση της δικαιοδοσίας.

Μαρτυρία που κατατέθηκε στην Επιτροπή:

Η μάρτυρας κυρία Κ. είπε ότι «στις 22 Ιουλίου 1974, την δεύτερη μέρα της τουρκικής εισβολής, η ίδια και μια ομάδα χωρικών από το χωριό Ελιά συνελήφθησαν όταν, φεύγοντας λόγω του βομβαρδισμού, προσπαθούσαν να φθάσουν στα βουνά. Οι 12 άνδρες που συνελήφθησαν ήσαν πολίτες. Διαχωρίστηκαν από τις γυναίκες και πυροβολήθηκαν και σκοτώθηκαν μπροστά στα μάτια των γυναικών, με διαταγή Τούρκου αξιωματικού. Μερικοί από τους άνδρες κρατούσαν στα χέρια τους παιδιά, τρία από τα οποία τραυματίστηκαν.»

Γραπτές δηλώσεις αναφέρονται σε δύο ακόμα ομαδικές εκτελέσεις, αυτόπτες μάρτυρες μίλησαν για τον θάνατο πέντε ανδρών, τριάντα Ελληνοκύπριοι στρατιώτες που αιχμαλωτίστηκαν εκτελέστηκαν από εκείνους που τους συνέλαβαν.

Ο μάρτυρας Σ. κατέθεσε για δύο άλλες περιπτώσει ομαδικών εκτελέσεων στο χωριό Παλαίκυθρο. Σε κάθε περίπτωση, 30-40 αιχμάλωτοι στρατιώτες που είχαν παραδοθεί στους προελαύνοντες Τούρκους, πυροβολήθηκαν και σκοτώθηκαν. Στην δεύτερη περίπτωση, ο μάρτυρας είπε ότι «οι στρατιώτες μεταφέρονταν στις καμίνους του χωριού, όπου τους εκτελούσαν και τους έκαιγαν, για να μην μείνουν στοιχεία του τι συνέβη».

Ο μάρτυρας Χ. ένας γιατρός, ανέφερε ότι «δεκαεπτά μέλη δύο γειτονικών οικογενειών, συμπεριλαμβανομένων δέκα γυναικών και πέντε παιδιών ηλικίας μεταξύ 2 και 9 ετών, εκτελέστηκαν εν ψυχρώ στο χωριό Παλαίκυθρο».

Στις σημειώσεις του γιατρού περιγράφονται και άλλα στοιχεία των εκτελέσεων. Περιλαμβάνουν:

- Εκτέλεση από Τούρκους στρατιώτες οκτώ αιχμαλώτων πολιτών στην περιοχή του χωριού Πραστειό, μία ημέρα μετά από την κατάπαυση του πυρός, στις 16 Αυγούστου 1974.
- Εκτέλεση από Τούρκους στρατιώτες πέντε άοπλων Ελληνοκυπρίων στρατιωτών, που κατάφυγαν σε

σπίτι στο χωριό Βόνη.

- Πυροβολισμό πέντε γυναικών, από τις οποίες η μία επέζησε προσποιούμενη ότι ήταν νεκρή.

Περαιτέρω μαρτυρία, η οποία εξασφαλίστηκε σε προσφυγικούς καταυλισμούς υπό την μορφή γραπτής κατάθεσης, περιέγραφε εκτελέσεις πολιτών σε σπίτια, δρόμους ή χωράφια, καθώς και εκτελέσεις ανθρώπων που είχαν συλληφθεί ή κρατούντο. Οκτώ καταθέσεις περιέγραφαν εκτέλεση αιχμαλώτων στρατιωτών και πέντε καταθέσεις αναφέρονταν σε μαζικό τάφο που βρέθηκε στο χωριό Δερύνεια.

Η ετυμηγορία της Επιτροπής: Με δεκατέσσερις ψήφους έναντι μίας, η Επιτροπή κατέληξε ότι υπήρξαν «ισχυρές ενδείξεις παραβίασης του Άρθρου 2 και έγιναν εκτελέσεις σε μεγάλη κλίμακα».

2. Βιασμοί

Σχετικό Άρθρο της Σύμβασης Ανθρωπίνων Δικαιωμάτων: «Ουδείς θα υπόκειται σε βασανιστήρια ή σε απάνθρωπη ή εξευτελιστική μεταχείριση ή τιμωρία.»

Κατηγορία εκ μέρους των Ελληνοκυπρίων: Τα τουρκικά στρατεύματα ευθύνονταν για μαζικούς και κατ' επανάληψη βιασμούς γυναικών κάθε ηλικίας, από 12 μέχρι 71 ετών, μερικές φορές σε τέτοιο βαθμό, ώστε τα θύματα να υποφέρουν από αιμορραγίες ή να γίνονται ψυχικά ράκη. Σε κάποιες περιοχές, ασκήθηκε υποχρεωτική πορνεία, με την συγκέντρωση όλων των γυναικών και κοριτσιών ενός χωριού σε ξεχωριστά δωμάτια, όπου τις βίαζαν κατ' επανάληψη.

Σε κάποιες περιπτώσεις, βιάστηκαν κατ' επανάληψη μέλη της ίδιας οικογένειας, μερικές μπροστά στα μάτια των παιδιών τους. Σε άλλες περιπτώσεις, γυναίκες βιάστηκαν κτηνωδώς δημοσίως.

Σε πολλές περιπτώσεις, οι βιασμοί συνοδεύονταν από κτηνώδη συμπεριφορά, όπως βίαιο ξυλοδαρμό και σοβαρό τραυματισμό των θυμάτων, κτυπήματα του κεφαλιού στο έδαφος και σφίξιμο του λαιμού μέχρι του σημείου ασφυξίας.

Σε μερικές περιπτώσεις, τις απόπειρες βιασμού ακολουθούσε μαχαίρωμα ή εκτέλεση των θυμάτων, συμπεριλαμβανομένων εγκύων και διανοητικά καθυστερημένων γυναικών.

Μαρτυρία που κατατέθηκε στην Επιτροπή:

Η μαρτυρία των γιατρών Κ. και Χ., οι οποίοι εξέτασαν τα θύματα, μαρτυρία αυτοπτών και αυτήκοων μαρτύρων και γραπτές καταθέσεις από 41 ισχυριζόμενα θύματα.

Ο γιατρός Χ. είπε ότι «επιβεβαίωσε βιασμό σε 70 περιπτώσεις», περιλαμβανομένων:

- Μιας διανοητικά καθυστερημένης κοπέλας 24 ετών, η οποία βιάστηκε στο σπίτι της από 20 στρατιώτες. Όταν άρχισε να ουρλιάζει, την πέταξαν από το παράθυρο του δευτέρου ορόφου. Υπέστη κάταγμα της σπονδυλικής στήλης και παρέλυσε.
- Μία ημέρα μετά από την άφιξη τους στο χωριό Βόνη, οι Τούρκοι πήραν κορίτσια σε γειτονικό σπίτι και τις βίασαν.
- Γυναίκα από το χωριό Βόνη βιάστηκε σε τρεις περιπτώσεις, από τέσσερα πρόσωπα την κάθε φορά. Έμεινε έγκυος.
- Κορίτσι από το χωριό Παλαίκυθρο, την οποία

κρατούσαν με άλλους σε σπίτι, μεταφέρθηκε έξω υπό την απειλή όπλου και βιάστηκε.

- Στο χωριό Ταύρου, Τούρκοι στρατιώτες προσπάθησαν να βιάσουν μια 17χρονη μαθήτρια. Αντιστάθηκε και εκτελέστηκε.

- Γυναίκα από το χωριό Γύψου ανέφερε στον γιατρό Χ., ότι οι Τούρκοι κρατούσαν σαν πόρνες 25 κορίτσια στο χωριό Μαραθόβουνο.

Άλλος μάρτυρας είπε, ότι «η σύζυγος του βιάστηκε στην παρουσία των παιδιών τους».

Ο μάρτυρας Σ. ανέφερε την περίπτωση 25 κοριτσιών, οι οποίες παραπονέθηκαν σε Τούρκους αξιωματικούς για τον βιασμό που είχαν υποστεί και βιάστηκαν ξανά από τους αξιωματικούς.

Ένας άνδρας ανάφερε ότι «η σύζυγος του, αντιστεκόμενη στον βιασμό, μαχαιρώθηκε στον λαιμό». Η 6 ετών εγγονή του είχε μαχαιρωθεί και σκοτωθεί από Τούρκους στρατιώτες που προσπαθούσαν να την βιάσουν.

Μάρτυρας του Ερυθρού Σταυρού είπε, ότι «τον Αύγουστο του 1974 και ενώ τα τηλέφωνα στο νησί ακόμα λειτουργούσαν, η Κοινότητα Ερυθρού Σταυρού έλαβε τηλεφωνήματα που ανέφεραν βιασμούς».

Επίσης, ο Ερυθρός Σταυρός περιέθαλψε 38 γυναίκες που απελευθερώθηκαν από τα στρατόπεδα κράτησης των χωριών Βόνη και Γύψου. Είχαν βιαστεί όλες, μερικές στην παρουσία των συζύγων και παιδιών τους. Άλλες είχαν βιαστεί επανειλημμένα ή κλείστηκαν σε σπίτια, που επισκέπτονταν συχνά Τούρκοι στρατιώτες.

Αυτές οι γυναίκες μεταφέρθηκαν στο νοσοκομείο Ακρωτηρίου, στην περιοχή της αγγλικής βάσης, όπου τις περιέθαλψαν. Τρεις βρέθηκαν να εγκυμονούν. Έγινε επίσης αναφορά σε αριθμό εκτρώσεων που διενεργήθηκαν στην βάση.

Η ετυμηγορία της Επιτροπής: Με δώδεκα ψήφους έναντι μίας, η Επιτροπή κατέληξε ότι «τα περιστατικά βιασμού, όπως περιγράφηκαν στις υπό αναφορά περιπτώσεις, συνιστούν 'απάνθρωπη μεταχείριση' σε παραβίαση του Άρθρου 3, για τα οποία η Τουρκία είναι υπεύθυνη βάσει της συνθήκης».

3. Βασανιστήρια

Σχετικό Άρθρο της Σύμβασης Ανθρωπίνων Δικαιωμάτων: Το ίδιο, που καλύπτει και τα πιο πάνω περί «βιασμού».

Κατηγορία εκ μέρους των Ελληνοκυπρίων: Κατά την διάρκεια της κράτησης τους από τον τουρκικό στρατό, εκατοντάδες άνθρωποι, περιλαμβανομένων παιδιών, γυναικών και συνταξιούχων, υπήρξαν θύματα συστηματικών βασανιστηρίων και βαρβαρότητας και εξευτελιστικής μεταχείρισης. Σύμφωνα με τις κατηγορίες, μερικές φορές τους ξυλοκοπούσαν μέχρι του σημείου μόνιμης αναπηρίας. Πολλοί υπέστησαν μαστίγωση, σπάσιμο των δοντιών, κτυπήματα της κεφαλής στους τοίχους, κτυπήματα με ηλεκτροφόρα ρόπαλα, σβήσιμο τσιγάρων στο δέρμα, πήδημα και βίαιο πάτημα του στήθους και των χεριών, περίχυση με βρώμικα υγρά, τρύπημα με ξιφολόγχη κλπ.

Ελέχθη, ότι πολλοί έτυχαν τέτοιας κακοποίησης, που κατάντησαν διανοητικά και φυσικά ράκη. Αναφέρθηκε, ότι οι θηριωδίες μεγιστοποιήθηκαν μετά από την κατάπαυση του πυρός. Πράγματι, οι πλείστες των ενεργειών που περιγράφηκαν, διαπράχθηκαν σε περίοδο που οι τουρκικές ένοπλες δυνάμεις δεν εμπλέκοντο σε οποιανδήποτε πολεμική επιχείρηση.

Μαρτυρία που κατατέθηκε στην Επιτροπή:

Κύριος μάρτυρας ήταν ένα δάσκαλος, ένας από τους 2.000 Ελληνοκυπρίους που μεταφέρθηκαν στην Τουρκία. Δήλωσε, ότι ο ίδιος και οι συγκρατούμενοι του κτυπήθηκαν επανειλημμένα μετά από την σύλληψη τους, κατά την μεταφορά τους στα Άδανα (Τουρκία) και κατά την φυλάκιση τους στα Άδανα και την Αμάσεια.

Στο πλοίο προς την Τουρκία: «Εκείνη, ήταν ακόμα μια ώρα φοβερού ξυλοδαρμού και πάλι. Είμαστε διαρκώς δεμένοι. Έχασα την αίσθηση της αφής. Δεν μπορούσα να αισθανθώ οτιδήποτε για περίπου δύο ή τρεις μήνες. Κάθε φορά που ζητούσαμε νερό ή μιλούσαμε, μας χτυπούσαν».

Φθάνοντας στα Άδανα: «τότε, ένα προς ένα, μας οδήγησαν στις φυλακές, μέσω ενός μεγάλου διαδρόμου. Διασχίζοντας εκείνο τον διάδρομο, ήταν ακόμα μια φοβερή εμπειρία. Υπήρχαν κάπου 100 στρατιώτες και από τις δύο πλευρές, οι οποίοι με ξύλα, ρόπαλα και με τις γροθιές τους, χτυπούσαν τον καθένα μας, μέχρι που να φθάσει στο τέλος του διαδρόμου. Εγώ χτυπήθηκα τουλάχιστο 50 φορές, μέχρι που να φθάσω στο άλλο άκρο».

Στα Άδανα, όποιος ζητούσε να δει γιατρό τον χτυπούσαν. «Το ξύλο ήταν στην ημερήσια διάταξη καθημερινά. Υπήρχαν ένας ή δύο πολύ καλοί, πολύ ευγενικοί άνθρωποι, οι οποίο όμως φοβόντουσαν, όπως μας έλεγαν, να δείξουν την καλοσύνη τους».

Ο μάρτυρας Π. μίλησε:

- Για συγκρατούμενο του, που τον κλώτσησαν στο στόμα. Έχασε αριθμό δοντιών «και η κάτω σιαγόνα του πετάχτηκε έξω κομματιασμένη».
- Για Τούρκο αξιωματικό, μαθητή του καράτε, που έκανε καθημερινά εξάσκηση χτυπώντας κρατουμένους.
- Για συγκρατούμενους του, που τους κρέμασαν για ώρες από τα πόδια, πάνω από την τρύπα αποχωρητηρίου.
- Για άλλο Τούρκο ανθυπολοχαγό, που συνήθιζε να τρυπά όλους τους κρατουμένους με βελόνα όταν τους έβγαζαν στην αυλή.

Ο γιατρός Χ. κατέθεσε ότι, κατά την επιστροφή τους στην Κύπρο, οι κρατούμενοι ήσαν σε κατάσταση εξάντλησης. Σε εννέα περιπτώσεις εξακρίβωσε σημάδια τραυμάτων.

Ο γιατρός έδωσε μια γενική περιγραφή των συνθηκών στα Άδανα και σε στρατόπεδα κράτησης στην Κύπρο, όπως του τα περιέγραψαν πρώην αιχμάλωτοι:

- Το φαγητό αποτελείτο από ένα όγδοο ενός καρβελιού ψωμί την ημέρα και, κάποτε, ελιές.
- Υπήρχαν δύο κουβάδες με νερό και δύο κύπελλα που ουδέποτε καθαρίζονταν, από τα οποία έπρεπε να πιούν περίπου 1.000 άνθρωποι.
- Τα αποχωρητήρια ήσαν βρωμερά και περιττώματα εκχύνονταν από τις λεκάνες.
- Τα δάπεδα ήσαν καλυμμένα με περιττώματα και ούρα.

- Στα Άδανα, κρατούσαν σε ένα κελί 76 φυλακισμένους, παρέχοντας τρεις πετσέτες και ένα σαπούνι για κάθε οκτώ άτομα τον μήνα, για να καθαρίζονται οι ίδιοι και ο ρουχισμός τους.

- Ένας κρατούμενος υποχρεώθηκε να αποκόψει τα δάχτυλα του ποδιού του με ξυράφι, ως αποτέλεσμα της κακοποίησης. Είχε συλληφθεί στην Άχνα με έναν ακόμα άνδρα και είχαν χτυπηθεί με σκληρά αντικείμενα. Όταν ζήτησε ένα ποτήρι νερό, του έδωσαν ένα ποτήρι γεμάτο ούρα. Τότε, του πάτησαν τα δάχτυλα μέχρι που μελάνιασαν, τα οποία πρήστηκαν και, τελικά, προσβλήθηκαν από γάγγραινα. Ο άλλος άνδρας λέχθηκε ότι είχε μεταφερθεί σε νοσοκομείο της Λευκωσίας, όπου συγκατατέθηκε να του αποκοπούν τα πόδια. Δεν επέζησε της εγχείρησης.

Κατά τον μάρτυρα Σ, «εκατοντάδες Ελληνοκύπριοι ξυλοκοπήθηκαν και δωδεκάδες εκτελέστηκαν. Σε μερικές περιπτώσεις τους έκοψαν τα αυτιά, όπως στην περίπτωση των χωριών Παλαίκυθρο και Τραχώνι».

Η ετυμηγορία της Επιτροπής: Με δώδεκα ψήφους έναντι μίας, η Επιτροπή κατέληξε ότι, σε αριθμό περιπτώσεων, οι αιχμάλωτοι είχαν φυσικώς κακοποιηθεί από Τούρκους στρατιώτες. «Αυτές οι ενέργειες κακοποίησης προκάλεσαν πολλούς τραυματισμούς και, τουλάχιστο σε μία περίπτωση, τον θάνατο του θύματος. Λόγω της αγριότητας τους, συνιστούν ‘απάνθρωπη μεταχείριση’ όπως την εννοεί το Άρθρο 3, για την οποία, βάσει της συνθήκης, ευθύνεται η Τουρκία».

4. Λεηλασίες

Σχετικό Άρθρο της Σύμβασης Ανθρωπίνων Δικαιωμάτων:

«Κάθε φυσικό ή νομικό πρόσωπο έχει το δικαίωμα της ειρηνικής απόλαυσης της ιδιοκτησίας του».

Κατηγορία εκ μέρους των Ελληνοκυπρίων: Σε όλες τις τουρκοκρατούμενες περιοχές, ο τουρκικός στρατός προέβη σε συστηματική λεηλασία των ελληνοκυπριακών σπιτιών και επιχειρηματικών υποστατικών.

Μαρτυρία που κατατέθηκε στην Επιτροπή:

Ο Μάρτυρας Κ. περιέγραψε την λεηλασία της πόλης της Κερύνειας: «Κατά την πρώτη μέρα, η λεηλασία των καταστημάτων έγινε από τον στρατό και αφορούσε βαριά αντικείμενα, όπως ψυγεία, πλυντήρια, συσκευές τηλεοράσεως κλπ. Για εβδομάδες μετά την εισβολή, έβλεπα να φορτώνονται τα κλεμμένα αντικείμενα σε πλοία του τουρκικού ναυτικού».

Άλλος μάρτυρας Κ., δικηγόρος, περιέγραψε την λεηλασία της Αμμοχώστου: «Άρχισε μια οργανωμένη, συστηματική, τρομακτική, απίστευτη λεηλασία που προκαλούσε σοκ. Ακούγαμε το σπάσιμο των πόρτων, μερικές ήσαν πόρτες μεταλλικές, την συντριβή των γυαλιών και, από στιγμή σε στιγμή, τους περιμέναμε να μπουν στο σπίτι. Αυτό διήρκεσε περίπου τέσσερις ώρες».

Οι γραπτές δηλώσεις από αυτόπτες μάρτυρες της λεηλασίας είχαν επιβεβαιωθεί σε διάφορες εκθέσεις από τον Γενικό Γραμματέα των Ηνωμένων Εθνών.

Η ετυμηγορία της Επιτροπής: Με δώδεκα ψήφους έναντι μίας, η Επιτροπή δέχθηκε ότι «είχε εκτελεσθεί μεγάλης έκτασης λεηλασία και κλοπή από τουρκικά στρατεύματα και Τουρκοκυπρίους» και επιβεβαίωσε ότι οι Ελληνοκύπριοι είχαν αποστερηθεί σε πολύ μεγάλο βαθμό τα περιουσιακά τους στοιχεία.

Δ5: «Η τελευταία εκκλησία που υπάρχει στην κατεχόμενη Κύπρο»[164]

Μια και μόνη εκκλησία αγωνίζεται να διασωθεί σε μια γη, όπου εκατοντάδες υπέστησαν ζημιές ή καταστράφηκαν. Όμως αυτή, δεν είναι συνηθισμένη γη. Είναι τα χώματα, στα οποία ο Απόστολος Παύλος έκαμε το πρώτο αποστολικό ταξίδι, για να διακηρύξει την σωτηρία της Ρωμαϊκής Αυτοκρατορίας μέσω του Ιησού Χριστού.

Τώρα, 2.000 χρόνια μετά, το μικρό μεσογειακό νησί της Κύπρου είναι διαιρεμένο στα δύο, με το βόρειο ένα τρίτο να κατέχεται από την Τουρκία.

Σύμφωνα με την Κυπριακή Δημοκρατία, κατά την διάρκεια των τριών δεκαετιών υπό τουρκικό έλεγχο, στις κατεχόμενες περιοχές έχουν λεηλατηθεί, βανδαλιστεί ή καταστραφεί περισσότερες από 530 εκκλησίες και μοναστήρια.

> «Δεν μπορώ να ισχυριστώ ότι η καταστροφή εκκλησιών ενθαρρύνεται ανοιχτά από την Τουρκία. Το μόνο που έχω να πω είναι, ότι γίνεται στην περιοχή που βρίσκεται υπό τον άμεσο έλεγχο του τουρκικού στρατού και αφήνω τα συμπεράσματα σ' εσάς».[165]

Από την εισβολή του 1974, η Τουρκία έχει τον έλεγχο του βορείου τμήματος της Κύπρου, το οποίο ονομάζει «Τουρκική Δημοκρατία της Βόρειας Κύπρου». Αξίζει να σημειωθεί, ότι κανένα άλλο κράτος στον κόσμο αναγνωρίζει αυτή την οντότητα, πλην της Τουρκίας.

Το 2003 «επετράπη» ξανά στους Ελληνοκύπριους να

---

164. Βασισμένο σε ανταπόκριση της Μισιέλ Α. Βού, «THE CHRISTIAN POST» 28 April 2008.

165. Ανδρέας Κακουρής, πρέσβης της Κύπρου στα Ηνωμένα Έθνη, προς την CHRISTIAN POST.

περάσουν το οδόφραγμα μεταξύ της [ελεύθερης] Κυπριακής Δημοκρατίας και της περιοχής υπό τουρκικό έλεγχο. Περίπου τότε, ήταν που μπόρεσαν μελετητές και φωτογράφοι να επισκεφθούν την κατεχόμενη Κύπρο, για να τεκμηριώσουν την καταστροφή των ιστορικών εκκλησιών, έργων τέχνης και μνημείων.

Η εκκλησία του Αγίου Μάμαντος, στην βορειοδυτική πόλη της Μόρφου, είναι η μόνη αξιοσημείωτη εκκλησία που ημιλειτουργεί στην τουρκοκρατούμενη Κύπρο.[166] Το τουρκικό κατοχικό καθεστώς μερικές φορές επιτρέπει στους εναπομείναντες κατοίκους της Μόρφου, που από το 1974 ζουν στην προσφυγιά, να λειτουργηθούν στην εκκλησία τους.

Σύμφωνα με στατιστικές της Κυπριακής Δημοκρατίας, οι άλλες εκκλησίες δεν έτυχαν αυτής της μεταχείρισης:

- Περίπου 133 εκκλησίες, παρεκκλήσια και μοναστήρια έχουν μετατραπεί σε στρατιωτικές αποθήκες, στάβλους και νυκτερινά κέντρα διασκέδασης.
- Επιπλέον 78 εκκλησίες έχουν μετατραπεί σε τζαμιά.
- Η εκκλησία της Αγίας Αναστασίας, στην Λάπηθο, μετατράπηκε σε ξενοδοχείο-καζίνο, ενώ το αρμενικό μοναστήρι Sourp Magar, που εγκαθιδρύθηκε κατά την μεσαιωνική περίοδο, μετατράπηκε σε καφετέρια.
- Ένας νεολιθικός οικισμός στο Ακρωτήριο του Αποστόλου Ανδρέα-Κάστρου, στην κατεχόμενη περιοχή του Ριζοκαρπάσου, ένα χώρος που ανακηρύχθηκε από την Κυπριακή Δημοκρατίας ως αρχαίο μνημείο, ισοπεδώθηκε με μπουλντόζες από τον τουρκικό στρατό, για να «φυτέψουν» δύο ιστούς της σημαίας τους στην κορυφή του ιστορικού λόφου.

166. Πηγή της πληροφορίας: Η «HELLENIC TIMES» της Νέας Υόρκης και η Πρεσβεία της Κυπριακής Δημοκρατίας στα Ηνωμένα Έθνη.

«Αυτό δεν είναι θέμα μεταξύ Μουσουλμάνων και Χριστιανών. Δεν νομίζω ότι, το Κυπριακό ζήτημα, ήταν ποτέ θρησκευτικό ζήτημα μεταξύ Ελληνοκυπρίων και Τουρκοκυπρίων. Εάν η τουρκική κυβέρνηση δεν άναψε το 'πράσινο φως' για την καταστροφή των εκκλησιών και μνημείων, δεν άναψε ούτε 'το κόκκινο'. Έτσι έχουν τα πράγματα, είτε συμβαίνουν άμεσα, είτε κλείνοντας τα μάτια τους ή όπως αλλιώς θέλετε να το ονομάσετε. Εν πάση περιπτώσει, είναι υπεύθυνοι για όλα, όσα συμβαίνουν εκεί».[167]

Επιπλέον:

- Κλάπηκαν πέραν των 15.000 κινητών ιερών εικόνων, οι οποίες έγιναν αντικείμενο πλειστηριασμού σε όλο τον κόσμο.

- Κειμήλια, που περιλαμβάνουν λεπτές εικόνες, μωσαϊκά και τοιχογραφίες της Βυζαντινής περιόδου, κατέληξαν σε οίκους πλειστηριασμού σε όλο τον κόσμο, περιλαμβανομένου του περιβόητου Sotheby's στην Νέα Υόρκη.

- Τον Ιανουάριο 2007, επεστράφησαν στην Εκκλησία της Κύπρου έξι εικόνες, μετά από την λαθραία εξαγωγή τους εκτός Κύπρου. Θα γίνονταν αντικείμενο πλειστηριασμού από τους Sotheby's.

- Το 1988, ανακτήθηκαν τέσσερα έργα τέχνης ανεκτίμητης αξίας, που τοποθετούνται μεταξύ των ετών 525 και 530 μετά Χριστό, όταν Τούρκος έμπορος έργων τέχνης τα πρόσφερε προς πώληση σε Αμερικανό έμπορο αρχαιοτήτων, έναντι ενός εκατομμυρίου δολαρίων. Ο Αμερικανός έμπορος προσέγγισε το Μουσείο Paul Getty στο Μαλιμπού, για να

167. Ανδρέας Κακουρής, πρέσβης της Κύπρου στα Ηνωμένα Έθνη, προς την CHRISTIAN POST.

μεταπουλήσει τα μωσαϊκά για είκοσι εκατομμύρια δολάρια. Το Μουσείο πληροφόρησε την Εκκλησία της Κύπρου για τα έργα τέχνης.

Τέλος, τα δικαστήρια των Ηνωμένων Πολιτειών αποφάσισαν, ότι ο νόμιμος ιδιοκτήτης των έργων ήταν η Εκκλησία της Κύπρου, με αποτέλεσμα τώρα να ευρίσκονται στο Βυζαντινό Μουσείο της Λευκωσίας.

Σύμφωνα με την Κυπριακή Δημοκρατία, εκτιμάται ότι πέραν των 60.000 αρχαίων έργων τέχνης έχουν παράνομα μεταφερθεί σε άλλες χώρες. Δυστυχώς, τα πλείστα από αυτά δεν έχουν ακόμα ανακτηθεί.

Η Κύπρος διαθέτει μερικές από τις πλέον φημισμένες συλλογές βυζαντινής τέχνης στον κόσμο, που προσφέρουν στους μελετητές την ανεκτίμητη δυνατότητα να μελετήσουν την εξέλιξη της βυζαντινής τοιχογραφίας, από τον 8°-9° αιώνα μέχρι και τον 18° αιώνα μετά Χριστό.

Οι Ηνωμένες Πολιτείες αναγνώρισαν τον κίνδυνο που διέτρεχε η πολιτιστική κληρονομιά της Κύπρου και, το 1999 και 2003, το υπουργείο Οικονομικών των Ηνωμένων Πολιτειών εξέδωσε επείγοντες περιορισμούς εισαγωγής βυζαντινών εκκλησιαστικών και τελετουργικών εθνολογικών αντικειμένων από την Κύπρο.

Το 2002, οι Ηνωμένες Πολιτείες και η Κυπριακή Δημοκρατία υπέγραψαν Μνημόνιο Συναντίληψης, αναφορικά με τους περιορισμούς εισαγωγής προκλασσικών και κλασσικών αρχαιολογικών αντικειμένων από την Κύπρο. Το Μνημόνιο τροποποιήθηκε και ανανεώθηκε το 2006 και το 2007, για να περιλάβει επιπλέον έργα τέχνης και μνημεία.

> «Οι Ηνωμένες Πολιτείες αγνόησαν το Κυπριακό ζήτημα για δεκαετίες [...] Παρόλο ότι υπάρχουν θέματα που φαίνονται να είναι πιο σοβαρά από το Κυπριακό

ζήτημα, επειδή στην καθημερινή επικαιρότητα της Κύπρου δεν έχουμε θανάτους και συμβάντα και ευτυχώς, αυτό δεν καθιστά την συνεχιζόμενη κατοχή του βόρειου τμήματος της Κύπρου από την Τουρκία περισσότερο αποδεχτή».[168]

168. Ανδρέας Κακουρής, πρέσβης της Κύπρου στα Ηνωμένα Έθνη, προς την CHRISTIAN POST.

Επίλογος

Στις 20 Ιουλίου 1974, περίπου σαράντα χιλιάδες Τούρκοι στρατιώτες, με την υποστήριξη της τουρκικής αεροπορίας και του τουρκικού ναυτικού, επέδραμαν και εισέβαλαν παράνομα στο έδαφος της Κυπριακής Δημοκρατίας, κατά παράβαση του Καταστατικού Χάρτη του Οργανισμού Ηνωμένων Εθνών.

Η τουρκική εισβολή έγινε σε δύο φάσεις και η επιδρομή ολοκληρώθηκε στα μέσα Αυγούστου 1974, με την κατάληψη του 37% του εδάφους της Κυπριακής Δημοκρατίας, την προσφυγοποίηση πέραν των 200.000 ανθρώπων από τα σπίτια και τις περιουσίες τους, τον θάνατο πέραν των 4.000 μάχιμων και άμαχων και την δημιουργία 1.619 αγνοούμενων προσώπων.

Στο υπό κατοχή έδαφος βρισκόταν το 65% της καλλιεργήσιμης έκτασης, το 70% του ορυκτού πλούτου, το 70% της βιομηχανίας και το 80% των τουριστικών εγκαταστάσεων του Νησιού.

> «Η κυβέρνηση της Αυτής Μεγαλειότητος δεν μπορεί να δεχθεί, ότι οι τουρκικές ένοπλες δυνάμεις ενεργούσαν διαφορετικά, παρά μόνο ως αντιπρόσωποι της τουρκικής κυβερνήσεως. Ούτε και μπορεί η κυβέρνηση της Αυτής Μεγαλειότητος να δεχθεί, ότι η τουρκική κυβέρνηση (η οποία ισχυρίζεται ότι η επέμβαση των τουρκικών δυνάμεων ήταν δικαιολογημένη λόγω της Συνθήκης Εγγυήσεως του 1960) ενεργούσε ως αντιπρόσωπος της τουρκοκυπριακής κοινότητος. Η τουρκοκυπριακή κοινότητα καμιά εξουσία είχε, τόσο από τον κυπριακό όσο και από τον διεθνή Νόμο, να εξουσιοδοτήσει τέτοια ενέργεια ».[169]

---

169. Έγγραφο Γραφείου Εξωτερικών & Κοινοπολιτείας FCO 9/2162, Αύγουστος 1975.

Έκτοτε μέχρι και σήμερα (35 χρόνια) η Αγγλία συνεχίζει να υποστηρίζει την Τουρκία, η οποία προπαγανδίζει διεθνώς και ψευδώς:

I. Ότι «δεν πρόκειται για επιδρομή και παράνομη εισβολή, αλλά για ειρηνική επέμβαση, με σκοπό την επαναφορά της προ του πραξικοπήματος του Ιουλίου 1974 συνταγματικής τάξης»!

II. Ότι «το δικαίωμα επεμβάσεως ήταν κατοχυρωμένο από την Συνθήκη Εγγυήσεως της Κυπριακής Δημοκρατίας, που δημιουργήθηκε με σκοπό την διαφύλαξη της ανεξαρτησίας, της κυριαρχίας και της εδαφικής ακεραιότητας της Κυπριακής Δημοκρατίας»!

III. Ότι «για τις εξελίξεις από το 1955 μέχρι το 1974 ευθύνονται οι Έλληνες της Κύπρου, οι οποίοι είχαν εφαρμόσει πολιτική εθνοκάθαρσης κατά των Τουρκοκυπρίων»!

Το ψεύδος I αντικρούεται από τα όσα τεκμηριώνονται στο Κεφάλαιο Δ.

Το ψεύδος II αντικρούεται από την ίδια την Συνθήκη Εγγυήσεως, η οποία:

> «Δεν δίνει το δικαίωμα ένοπλης παρέμβασης στις εγγυήτριες χώρες, παρά μόνο εάν 1ον η εγγυήτρια χώρα χρειάζεται να αμυνθεί σε περίπτωση εισβολής από μια τρίτη χώρα, 2ον τα Ηνωμένα Έθνη ζητήσουν ένοπλη παρέμβαση από μια εγγυήτρια χώρα και 3ον η Κυπριακή Δημοκρατία ζητήσει ένοπλη παρέμβαση και το Συμβούλιο Ασφαλείας των Ηνωμένων Εθνών εγκρίνει το αίτημα.»
>
> Η Κυπριακή Δημοκρατία ουδέποτε ζήτησε από την Τουρκία να επέμβει στρατιωτικά και το Συμβούλιο Ασφαλείας του Οργανισμού Ηνωμένων Εθνών ουδέποτε ενέκρινε τέτοιο αίτημα.

Το ψεύδος III αντικρούεται από όλα, όσα τεκμηριώνει αυτό το Βιβλίο.

To all those who sacrificed their life,
for the sake of the rest of us…

Part Two

Bloody truth

CONTENTS

Chapter C: 1963 – July 1974

Prologue

If we take into account Cyprus's recent history the bloodshed on the island began long before the Turkish invasion of 1974. It can be argued that this bloodshed began when the British denied the Cypriot people their right to self-determination. This denial provoked the EOKA armed liberation struggle prompting the British to enforce their bloody policy of DIVIDE & RULE.

This policy was pre-planned, to be imposed in Cyprus before 1955 and its implementation started during the liberation struggle of 1955-59: The British separated the Cypriots into Greek-Cypriots (G/C) and Turkish-Cypriots (T/C). As a consequence of this *1st Separation* between Cypriots the blood of the EOKA heroes was forged with the bloodshed.

The British, having persuaded the Americans too, retained the fire of separation alive through the whole of the period up to 1974. The bloodshed was to take place in stages; the Turkish insurgence in 1963, the armed conflict between G/C and T/C in 1964 and 1967, the protection of the unlawful EOKA B' for the misconceived UNION of Cyprus with Greece (*2nd Separation* between the civilian Greeks of Cyprus), closing the cycle of this period with the provocative treason of Cyprus by the Athens Junta. The latter acted as a pretext to the barbaric and illegal Turkish Invasion of Cyprus in 1974. The *3rd Separation* was twofold: the T/C's move and self-imposed isolation in the North of the island with full territorial separation, and the G/C are isolated by the force of arms to the South, further separating them into refugees and non-refugees.

Furthermore, the British then masterminded (with some

known collaborators from Greece and Cyprus along with the Americans and Turks as allies) the *4th Separation* of the Greeks of Cyprus with the attempted Annan Plan (in 2002-2004). This plan was "postponed" by the Referendum of the 24th April 2004, when 76% of the Greeks of Cyprus rejected this notorious plan.

The major consequence of the implementation of the Annan Plan would have been the final separation of the Greeks of Cyprus "in Refugees who would return to their occupied Cypriot land and those Refugees who would not return", with the danger of civil conflict and abandonment so vivid...

At the time of this book going to print, the policy followed regarding the Cyprus problem is predicted to again prove catastrophic for the Greeks of Cyprus, with a repetition of an "Annan type solution".

This process is encouraged by the world-wide Turkish Propaganda Machine, aiming to prove that "for all the island's problems those to be blamed are the Greeks, who threatened the T/C with genocide, hence Turkey's 'peace operation' in Cyprus", as the Turks call the barbaric Invasion of 1974. This invasion resulted in the illegal occupation of 37% of the territory of the Republic of Cyprus, which today forms part of the EU's territory.

The epicenter of Turkish propaganda is the period between 1955-1967, during which Britain put into action the method of DIVIDE & RULE, demonstrating a clearly pro-Turkish and implacable anti-Greek attitude.

This book refers specifically to these years of bloodshed, in order to document the truth...

Movement for FREEDOM & JUSTICE IN CYPRUS

Foreword

1945 – British Policy of Denial

The British very quickly forgot the promises they were so generously giving the Cypriots.

In 1940 they were calling upon them to join the British Army, to fight "for Greece and Freedom" against Hitler and Mussolini, but after defeating Nazism and Fascism, the British did not bother to afford to Cyprus its freedom and its union with Greece.

From the very first day in 1878 when the British set foot in Cyprus as her new master, replacing the Ottomans, Cypriots never ceased demanding from them Union with Greece.

For many years, Cypriots had the belief that "the polite, liberal and civilized English nation" as they regarded the English, would give Cyprus to Greece, just like they had offered the Ionian Islands.

However, even the statements of gratitude towards Greek heroism and the warmest promises of the Prime Minister of England Winston Churchill in Nicosia during the war (1943), when he said-

> "When the war ends, the name of Cyprus will be referred to with respect, not only among the people of England and their co-warriors of the United Nations, but in all future generations",[1]

were not just empty promises and words, but were transformed into a persistent rejection by London.

---

1. Panayiotis Mahlouzarides "Cyprus 1940-1960 Calendar of Developments", 1985

A rejection, which, even before the end of the Second World War was demonstrated through the mouth of guns of the British colonial police in Cyprus. Murderous bullets against unarmed people drowned in blood the peaceful national celebration of 25th March 1945, at the decorated with the white/blue Greek flags Lefkonico Social Associations.[2]

2004 – Turkish Policy of Total Denial

Due to the negligible absence of a factual and prompt response by the Greek Cypriot side, the Turkish propaganda machine, in its effort to cover up Turkey's crimes and intrigues and in order to achieve its long term expansionist ambitions over Cyprus, managed to manipulate successfully (to some extent) the truth and the real facts over the Cyprus issue.

Following the 24th of April 2004 rejection of the Annan Plan by the majority of the Greek Cypriots (76%) the Turks and Turkish-Cypriots alike, encouraged by the governing British Labour Party pro-Turkish policy embarked on an international campaign of total denial.

Evidently, the Turks pay full obedience to the racist Article 301 of the Turkish Constitution, which forbids any Turkish citizen to refer to Turkish atrocities, the Turkish invasion of Cyprus, the Turkish crimes, the Armenian and Greek genocides and anything that puts any blame on the Turkish government.

Even worse, they have now embarked on a full scale international campaign of full denial an effort to impose the provisions of this Article on all Greek Cypriots, as well as anyone who dares to speak of Turkish atrocities and a Turkish invasion in Cyprus.

2. Fifis Ioannou "THI IS HOW THE CYPRUS ISSUE BEGUN", 2005.

What they claim happened to the T/C in December 1963 and early 1964, was in fact their own doing, their own preparation to impose partition in Cyprus. Their allegations of Greek Cypriots uprooting Turkish Cypriots from their villages and of "ethnic cleansing" was part of their own plan which started in 1957...

The intention of this book is to expose the true plight of the Greek Cypriots through undisputed documents...

Chapter A: Until 1955

A1: 1950 – Exploitation of the Minority

As a counter measure to the escalating progress of the peaceful and unarmed movement of the Cypriot people (82% Greek) for Union with Greece, the British rushed to mobilize and utilize, the well preserved from 1878 by themselves for this purpose, indigenous Ottoman and later Turkish minority.

On 8 June 1949, the "Halkin Sesi" newspaper of the Turkish minority reported that the British Acting Governor R.E. Turnbull issued a circular, instructing the replacement of the term "Muslims of Cyprus" (the term used by the British Administration till then), with the term "Turkish Cypriots".

On 15 January 1950, during the Unionist Referendum organized by the Church of Cyprus 97% of the Greek Cypriots voted in favour of union of Cyprus with Greece. Furthermore, the British objective turned towards "how best to use the Turks", in favour of continuing colonial rule and against the anti-colonial movement of the Cypriots:

On 19 January 1950, the British Ambassador in Athens noted in a report to the Foreign Office:

> "The Turkish element is not easy to handle, but useful in the difficult situation we are in".[3]

In an interview on 23 January 1950, the Turkish Foreign

3. Robert Holland (Professor of Imperial and Commonwealth History, Institute of Commonwealth Studies, University of London) "Britain and the Revolt in Cyprus 1954-1959" - 1998, also Foreign Office document FO371/87719, RG 1081/104.

Minister Netzmetin Santak stated:

> "There is not such an issue, called Cyprus Issue. The British Government is not going to abandon the island of Cyprus to any other country".[4]

On 20 June 1950, the then new Foreign Minister of Turkey Ali Fouat Kuprulu also stated:

> "For Turkey there does not exist any Cyprus issue".[5]

British efforts to mobilize the Turkish minority and through them Turkey against the Greeks, as a counter attack to the peaceful struggle of Cyprus for Self-Determination-Union, reached its peak in 1954. In this year the Athens Government was persuaded by Archbishop Makarios of Cyprus to inscribe the Cyprus issue at the United Nations.

> "Even when the British began to press the Turks for Cyprus, the result was not the immediate reaction they were hoping for: 'Strangely reluctant' and 'strangely ambiguous replies' were the usual reactions, which demonstrated the British uneasiness on the subject, according to the official reports in the Archive of the Foreign Office, 31st March and 6th July 1954".[6]

> "It is worth noting that it was originally the British who tried to generate Turkish interest over Cyprus and not the other way round".[7]

4. Fahir Armaoglou "The Cyprus Problem 1954-1959: The Turkish Government and the attitudes of Public Opinion" - Ankara 1963.
5. Fahir Armaoglou "The Cyprus Problem 1954-1959: The Turkish Government and the attitudes of Public Opinion" - Ankara 1963.
6. Robert Holland "Britain and the Revolt in Cyprus 1954-1959" - 1998
7. Robert Holland "Britain and the Revolt in Cyprus 1954-1959" - 1998

A2: 1954 – Turkish Incitement

The incitement of the Turks by the British is also confirmed by the Turkish-Cypriot writer Arif Hasan Tahsin[8], who makes reference to the then leader of the Turkish Cypriots, Dr. Fazil Kuchuk:

> "Turkey had said 'we do not have a Cyprus problem' and Kuchuk, together with his friends, had to try for many years for Turkey to accept the Turkish-Cypriots.
>
> As the leader of the Turkish-Cypriots, he was trying to find ways of stopping the Union of Cyprus with Greece. And of course, he chose Turkey as a protector. Turkey, however, did not easily accept this role. It was not easy to undertake the headache called Cyprus.
>
> Faik Kaymak (chairman of the Turkish-Cypriot Associations Federation) always used to say:
>
>> "We went at the time together with Perperoglou to Adnan Menderes (The Prime Minister of Turkey). Menderes said to us 'go to England and say you want the continuation of the status quo in Cyprus'.
>>
>> The English Foreign Secretary replied: 'It is shameful, at this age, to ask for the continuation of colonial rule'.
>>
>> When we asked him 'what to do' he said: 'You ask for Cyprus to be returned to its former owner (Turkey). But do not ask us. Demand this from the Americans.'

8. "The uprising of Denktash to the top" - 2001, Publication "Archio".

When we asked him 'how that would be possible', he said that we had to go to America. We told him that we had no money and no visas. He replied that they would secure both money and visas for us. When we asked him to whom we were to say all these in America, he said he would arrange that too.

So we went to America. The journalists were waiting for us at the airport. They asked questions. And we said that Cyprus must be returned to its former owner.

Then we met the English Ambassador, who said to us: 'Go to the Turkish Ambassador and ask him tomorrow to make a speech at the United Nations and to say that Cyprus must be returned to its former owner.'

We went to the Ambassador and conveyed to him what it was asked from us. At the time the Ambassador was Selim Sarber. 'I cannot do such a thing', he said, 'I do not have such an order from the Turkish Government'.

We went back to the English Ambassador and we explained the situation. 'Let me talk to him for once' he said.

After meeting with the English Ambassador, Selim Sarber called us back to give him details. He prepared himself and the next day he spoke at the United Nations and said:

'If England withdraws from Cyprus, then the island must be returned to its former owner [...]'."

In a discussion regarding England's attempts prompt Turkey to involve herself in the Cyprus issue, Pourchan Nalpandoglou states the following:

> "The [English] Governor had called Dr. Kuchuk and asked him whether Turkey wanted Cyprus. The Doctor said he did not know. Then the Governor told him to go to Ankara and ask them. Upon his return Kuchuk told the Governor that Turkey did not want Cyprus.
>
> Then the Governor said: 'You go back and tell them to want it'. The doctor went back to Ankara, but the answer he came back with was still the same: 'Turkey does not want Cyprus'."

After that, the English Ambassador in Ankara took charge and Turkey changed its mind. Thus the problem was solved".[9]

The leftist Turkish-Cypriots Imbrahim Hasan Aziz (agriculturist) and Nuretin Mehmet Seferoglou (trade unionist), following the murder of their comrade Dervish Ali Kavazoglou, in one of their editions in 1965 which they signed "on behalf of the

---

9. The events Arif Hasan Tahsin refers to, are confirmed by the reference signed by Faik Kaimak, Mithat Permperoglou and Ahmet Zaim, who formed the delegation sent by the English to America in 1954 and who also went to Ankara for discussions with Prime Minister Menderes and President Jeman Bayar. Their report was published in the "Memoirs" of F. Kaimak and as "Annex" in Tahsin's book.

The same events, are also confirmed by telegram NO.338, 22 June 1955, sent by British Ambassador in Ankara to the Foreign Office in London under title "Representations to the Greek Government over Cyprus", and which read: "[...] The Turkish Prime Minister at the end of April asked 'whether it would be helpful if the Turkish Government made representations to Athens regarding the latest developments in Cyprus'. We said 'we believe it would be helpful if the Turkish Government expressed a general interest to the Greek Government, with special reference to the security of the Turkish minority in Cyprus'. So far they did not make any representations [...]". Foreign Office document FO 286/1279.

Patriotic Association of Turkish Cypriots" and under the tile "Victims of Fascist Terrorism", said:

> "The imperialistic dogma of "divide and rule" is the basis of the colonial policy of the English everywhere, at all times.
>
> When, after the end of the war, the anti-colonial struggle of the Cypriot people began to organize systematically and to demonstrate all the more vigor and to influence the progressive elements of the Turkish working people, the British colonialists embraced the Turkish Cypriot chauvinist leadership, with the intention of strengthening its position within the Turkish Cypriot people, to promote it as the counter strength to the Greek Cypriot side and to use it as their opponent to the struggle for Self-Determination.
>
> Systematically and methodically they cultivated within our community the divisive element, encouraged the chauvinistic passions, the fanatical hatred and the racial oppositions and so they managed, at the appropriate moment, to inflict deep ruptures within the Cypriot people, Greeks and Turks.
>
> During the decades of 1950-1960 the chauvinistic Turkish-Cypriot leadership, in collaboration with the reactionary Menderes Government, faithfully servant of the British colonialists, tries to enslave our community and to break the unity of the Cypriot people.
>
> In 1958, with its terrorists groups and with the ingenuity and assistance from the colonialists, organizes vandalisms and attacks against the Greeks and paves the way for today's tragedy of the Cypriot people [...]".

Chapter B: 1955-1962

B1: 1955 – London and September Events

Nevertheless, the intense British efforts to prompt the Turkish minority of Cyprus and Turkey itself against the liberation struggle of Cyprus, commenced fruitfully before the beginning of the anti-colonial armed struggle of EOKA (on 1st April 1955).

The mobilization of the Turks was not the result of any attacks by EOKA, as it was claimed later. Chronologically the "Turkish excitement" preceded EOKA.

However, London in her attempts to prompt the interest of Ankara over Cyprus was not merely satisfied with the utilization of the Turks of Cyprus or her direct contacts with the Turkish Government. London also used "pressure groups" (opinion leaders) inside Turkey, which stirred up and managed to incite to the maximum, the hot-blooded interest of Turkish Public Opinion.

Two of the protagonists, responsible for inciting Turkish Public Opinion's and anti-Greek sentiments, were the association "Cyprus is Turkish", which was established in August 1954 (i.e. eight months prior to the inauguration of the EOKA struggle), having as president the lawyer and journalist of "Hurriet" newspaper Hikmet Bill, as well as the Turkish Press in general, with "Hurriet" in the forefront.

B2: 1955 – Dr Fazil Kutchuk and AKEL

The undisputed cooperation between the Turkish Cypriot leader Fazil Kutchuk and Hikmet Bill of the association "Cyprus is Turkish", played a very important role in this orgy of anti-Greek sentiment in Turkey.

In June 1955, Kutchuk renamed his association to "Turkish National Union of Cyprus", in line with Hikmet Bills's association.

On 13 August 1955, Kutchuk sent a letter to Hikmet Bill in Constantinople, alleging that "the Greek-Cypriots were preparing a rally for the 28 August, aiming to unleash a genocidal attack upon the Turkish-Cypriots".[10]

Kutchuk's letter immediately became headline news in the Turkish propaganda Press. Despite being totally unfounded, the fabricated news "for imminent slaughter" was officially adopted by the Turkish Prime Minister Menderes, and used in explosive statements in Constantinople on 24 August 1955.

The rally of 28 August 1955, which according to Kutchuk was to constitute the start of "a genocide against the Turkish-Cypriots", was in fact announced by AKEL, in response to the Tripartite Conference (between Britain-Greece-Turkey), which was to take place during that time in London.

> "Even the English Services in Cyprus, which were fighting EOKA, did not present any evidence whatsoever

10. Neoklis Sarris "The Other Side" and Ahmet An "How the Cyprus Issue became a Turkish National Issue".

towards such a plan, or even the idea for such an intention. Even more so, such an attack against the Turkish-Cypriots did not tally at all with the policy of EOKA of that period. Because the rumours for such an attack started spreading on 13 August, that is five weeks after EOKA distributed a declaration, stating its good intentions towards the Turkish-Cypriot community.

EOKA leader Digenis Grivas, in his declaration made it clear that the Turkish-Cypriot community had nothing to fear and that the protection of the Turkish-Cypriot community was an order for the EOKA fighters, as well as a matter of military honour.

Indeed, during the summer and autumn 1955, EOKA kept its promise and did not attack the Turkish-Cypriot community. Therefore, the claims for an EOKA genocide attack against the Turkish-Cypriots were totally unfounded [...].

There were no anti-Turkish references in AKEL's invitation for the 28 August rally. On the contrary, AKEL supported the cooperation between Turkish-Cypriots and Greek-Cypriots [...]. The rumours that an attack against the Turkish-Cypriots was to take place on 28 August were totally groundless [...]. On Sunday 28 August [1955] the Greek Communists demonstrated in Cyprus and the day concluded without the slightest injury to any Turkish-Cypriot. The only act of violence that took place that day by EOKA was the murder of a Greek-Cypriot policeman working for the [British] 'Special Forces'".[11]

11. From the study of Turkish writer Ahmet An, titled "How the Cyprus issue was turned into a 'natonal case' of Turkey – September events and Cyprus" – 5 September 2001.

Following the overthrow of the Menderes government by the military coup of 27 May 1960 in Turkey, the democratic Turkish-Cypriots Ihsan Ali, Aihan Hikmet, Ahmet Mouzafer Giourkan and others, who opposed Kutchuk and Denktash, demanded that together with Menderes, Kutchuk should also be made accountable for the September 1955 atrocities in Constantinople, due to his letter of August 1955.

Additional references on the same subject will follow. Nevertheless, the fact remains that August 1955 was the first time that Turkish propaganda created the myth of "Greek intentions to unleash genocide and send to oblivion the Turkish-Cypriot minority of Cyprus".

The same propaganda and myth made a come back the following decade, after the armed Turkish-Cypriot insurgence in 1963-64 against the Republic of Cyprus.

It became a central myth during the whole of Raouf Denktash's career in the decades that followed, "the slaughter of the Turkish-Cypriots by the Greeks of bloodthirsty Makarios".

B3: 1955 – Nazim Hikmet and Aziz Nessin

Moreover, Fazil Kutchuk intention to fabricate in August 1955 the events, the so called "planning of genocide against the Turkish-Cypriots by the Communist Party AKEL and AKEL's rally of 28th August 1955 being the inauguration of that slaughter", is quite interesting from another point of view as well:

In April 1955, following the commencement of the anti-colonial-liberation struggle of EOKA, Kutchuk's fabrication was preceded by the public appeal of the Turkish Communist poet Nazim Hikmet towards the Turks of Cyprus, asking them "to join the struggle against the British colonialism":[12]

> "The voices of the progressive people of the world in favour of the right for Self-determination for Cyprus and its Union with Greece were yesterday joined by the voice -the only one to this moment from the Turkish side- of the great Turkish poet Nazim Hikmet. Hikmet addressed a message to the Turks of Cyprus, in which he notes that 'Cyprus was always Greek and this is undisputable. The majority of its people are Greeks and their struggle for Union of the island with Greece is justified".

Addressing especially the Turkish minority of Cyprus, the Turkish poet underlines that "they must cooperate with the Greek-Cypriots to rid themselves of English imperialism":

> "Only when the island is rid of the English imperialists, its Turkish inhabitants will live in real freedom. This can only be achieved with the unity of the Cypriot people, with the cooperation between Turkish and Greek Cypriots in the struggle against the foreign ruler [...] Those that try to turn the Turks against the Greeks, only serve the interests of the foreign conqueror".

Nazim Hikmet had sent this message from Moscow where he had taken refuge. It was used for the arrest of "guilty leftists", following the anti-Greek atrocities, which the Menderes Government had organized and unleashed, utilizing specially transported Turkish mobs against the Greeks of Constantinople.

The Turkish Government claimed that a communist conspiracy was to be blamed for the orgy of destruction. The Turkish Police rushed to arrest all known leftist Turks they could

12. Newspaper of the Left "AVGI", Athens 17 April 1955.

find at the time, with the false accusation of "organizing the atrocities of the 6th and 7th September 1955". One of those arrested was the leftist Aziz Nesin, who in later years achieved world-wide fame as a great Turkish comedy writer.

> "As evidence for the implication of Commintern [Communist International] to the Pogrom, the Turkish authorities used mainly two letters of the 'Communist' poet Nazim Hikmet, who had escaped to the Soviet Union, through which he had addressed the Turkish workers in Cyprus, urging them to act in common with the Greek workers against the imperialist oppressors on the island".[13]

Turkish writer Aziz Nesin wrote about the September 1955 events:

> "The night of 6/7 September Constantinople was burnt and destroyed and the damages exceeded bimillion, and it was then that the Government [Menderes] was lost and tried to find some one to shift the blame to. At the end and because nobody undertook the protection of the Communists, they blamed sixty leftists who had no idea of the events and locked them up one by one in military prison cells in Harbiye. At the time, I was one of those so called accused, who was locked up in a single cell with the accusation that we burnt and

13. Dilek Guven (Professor of History, Sambagi University in Constantinople) "Nationalism, social developments and minorities - The incidents against the non Muslims of Turkey 6/7 September 1955", according to the official Turkish Archives and the official Archives of the American Consul in Constantinople.

> ransacked Constantinople".[14]

Menderes Government's eagerness "to trace the communist conspiracy" was, of course, related with what was expected from their great ally the United States of America, in the time of the Cold War between USA-USSR:

> "Our Greek citizens had been victims of attacks solely for specific objectives of the Cominform and Commintern. With the pretext of national uprising, they aimed at sabotaging the Greek-Turkish friendship, the Balkan Treaty and the NATO Alliance".[15]

B4: 1955 – British Funding

> "British pressure upon the Turkish Government to adopt an aggressive policy over the Cyprus issue had already produced results, and indeed there is the suspicion that the Turkish Press, in particular 'Vatan' and 'Hurriet' (the circulation of which has suddenly hit the roof) were financed by the British. Hikmet Bill and Ahmet Emin Yialman [journalists and leading members of the association 'Cyprus is Turkish'] started traveling to London and Cyprus, whilst Bill also helped in the staging of a rally in London attended by 5,000 Turks

14. Aziz Nesin's evidence can be found, together with the evidence of other Leftist Turkish writers, in the book of University Professor from Constantinople and specialist in Turkish Affairs Neoclis Sarris "The Other Side" (Volume 2, book A-1).

15. Report by the Turkish Police who arrested the sixty Leftists for the atrocities in September 1955, as it is included in the book "Nationalism, social development and minorities – The incidents against the non Muslims of Turkey 6/7 September 1955", by the Turkish historian Dilek Guven.

who lived there [...]".[16]

"Lastly, the British Government's involvement in the planning of the 'September atrocities' can be reported as an amazing result of research. The all the more frequent demands by the Greek Orthodox majority in Cyprus for Union with mother Greece (Enosis) prompted the British colonial power to call a Conference in London on 27 August through 7 September 1955, in which have been invited to participate the Governments of Turkey and Greece. The prime objective of the London Government was to make it obvious to the Greeks that the Turkish demand over Cyprus was also there. To that effect, a British diplomat indeed expressed the wish that 'incidents against the Greek minority in Turkey might prove quite useful'. Thus, in August 1954, the British Embassy in Athens predicted deterioration in the Greek-Turkish relations due to a single incident in Salonica, at the house where Ataturk was born [where surprisingly a year later, on 5 September 1955, indeed an orchestrated explosion occurred, giving 'the green light' for the September Pogrom]. In every case, in the Archives one finds a number of references that document the collaboration of the British in the planning of those incidents [...]".[17]

On the same subject the British Historian Robert Holland adds:

16. From the supremely documented book of the Greek-American Byzantologist Spyros Vrionis "The Mechanism of Destruction – The Turkish Pogrom of 6th-7th September 1955 and the Extermination of the Greek community of Constantinople".

17. From the book "Nationalism, social development and minorities – The incidents against the non Muslims of Turkey 6/7 September 1955", by the Turkish historian Dilek Guven.

> "Another element here is the increasing involvement of MI5 (British Intelligence) in the Cyprus issue".[18]

Reuters Press Agency transmitted the following comment:

> "It is a fact, that when the Ankara Government was not interested in Cyprus and the then Foreign Minister Kuprulu stated that 'for Turkey there does not exist any Cyprus problem', the British Intelligence Service in Constantinople, as a counter attack to the reactions of the Greek activities, incited the Turkish-Cypriot students and, through them, the Students Union, using the Turkish-Cypriot Professor of the Medical School of the University of Constantinople Dervish Manisali, to demonstrate over Cyprus in promoting Turkish demands".[19]

B5: 1955 – Menderes and Zorlou

The British success to achieve the involvement of Turkey over the Cyprus issue was underpinned by the decision of the Turkish Prime Minister to replace the Foreign Minister Fouat Kuprulu in July 1955. Kuprulu was replaced by Minister Fatin Rustu Zorlu whom Ankara regarded as a bold and hardline diplomat, with an extraordinary sense of anticipation and quick in decision making.

Zorlu's first act was to put together a special Committee, for the study and specification of Turkish Strategy and tactics over the Cyprus issue. It should be noted, that during that time relations between the Military and the Politicians in

18. Robert Holland "Britain and the Revolt in Cyprus 1954-1959" - 1998
19. Information from Greek KYP (Government Information Service), dated 19 July 1960.

Turkey had not as yet reached the point when the latter were completely taken under the control of the General Staff. That was established after the military coup of 27th May 1960 and the establishment of the National Security Council of Turkey.

However, the Committee members were:

- The Deputy Commander of the General Staff of the Turkish Armed Forces, General Rustu Erndelhun,
- The General Secretary of the Foreign Ministry Mucharem Nuri Birgi,
- The Ambassador in Athens Sedar Ikcel,
- The general manager of the Foreign Ministry Orhan Erulp and
- Diplomat Mahmout Dekertem.

Chaired by Zorlu, the Committee undertook two major tasks:

1. To document and make believe that Turkey had rights over Cyprus, at least as much as Greece had, and make this known world-wide.
2. To dispatch as much assistance to the Turkish-Cypriots as needed so to strengthen their power of resistance to pressures.

Zorlu's first triumph signalling a new Turkish policy regarding Cyprus was the extraordinary and highly productive cooperation between Turkey and the British Foreign Secretary Harold Macmillan (of the Sir Anthony Eden's Government) in organizing the Tripartite Conference in London 27 August-7 September 1955. This Conference was a triumph because Britain dragged and trapped the Greek Government to recognize Turkey as a legally interested party in the Cyprus issue.

Zorlu was the brain behind the planning and execution of the September 1955 anti-Greek Pogrom against the Greeks of Constantinople. This was to produce strong and convincing evidence to the rest of the world of 'how dangerously passionate the Turkish nation is over Cyprus'.

This was the first superficial objective. The second and most important was related to deeper Kemalist nationalism for uniform Turkification, against minorities in their country.

The details:

It is an established historical fact that, with the 1923 Treaty of Lausanne, Turkey had surrendered all rights over Cyprus, thus Cyprus became officially a British colony.

Therefore, for the British government (Foreign and Colonial offices) to proceed in 1955 with their vindictive partition plans against the Greek Cypriots, they had to bring back Turkey into the equation. In order to do that, the then Foreign Secretary of Britain Harold Macmillan and Prime Minister Anthony Eden secretly collaborated with the Turkish Prime Minister Ali Adnan Menderes and instigated the attacks of the 6 and 7 of September 1955 against the Greeks in Constantinople.

The Turkish and British governments financed mobs of bloodthirsty Turkish gangsters and looters, as well as the "Cyprus is Turkish Association", who attacked the Greek community in Constantinople. In a matter of 9 hours 45 Greek communities were attacked by those mobs.

These attacks coincided purposely with the Tripartite Conference in London (27 August – 7 September 1955) where Turkey and Greece were to participate.

Originally that conference was to have nothing to do with Cyprus. However, in order to achieve the prerequisite, the

Foreign Office pro-Turkish official Sir Ivone Kirkpatrick manipulated the procedures, with the sole intention of bringing Turkey back to the negotiating table, hence Turkey returned as an interested party.[20]

On the 9 September 1955, the then British Prime Minister had noted in an internal memo:

> "Let the medicine work [...]".[21]

A year after, on 28 June 1956, the "Reporter" magazine wrote about the Tripartite Conference:

> [...] Sir Anthony Eden did not bring Turkey in intentionally, in an issue that was strictly between Greece and Gt. Britain [...] neither the Turks nor anyone else had ever alleged that the Turkish minority would suffer in a Greek-governed Cyprus [...].

"The New York Times" on 29 June 1956, referring to the riots of 9 September 1955 in Constantinople wrote:

> "[...] Those riots, for which Gt. Britain must bear part of the blame, have damaged the Balkan Alliance".

<u>Barbarians</u>

This is how the British Chancery in Constantinople reported to London the extent of the atrocities:

> "[...] The Turks in Constantinople and Smyrna were already excited about the uncompromising statements made by the Turkish Foreign Minister vis-à-vis Cyprus

20. Sir Ivone Augustine Kirkpatrick: Member of the British Secret Service. He planned the Tripartite Conference in August 1955 and his last mission was "the return of Turkey as an interested party in the future of Cyprus and finalising the partition plans for Cyprus". He retired in 1957.

21. Foreign Office Document FO 800/674.

> during the London Conference and, after weeks of anti-Hellenic reports in the Turkish Press [...] they were looking for a way to express with a strangely barbaric and unnecessary way their hatred towards the Greeks [...] The attacks on shops, the destruction of goods and property and to a much more limited extent the looting, then began. This was done with a method and determination which would have done credit to any thorough-going barbarian [...]".[22]

It is worth mentioning that in a British Foreign Office document dated 14 September 1954, it was suggested that:

> "[...] some atrocities in Ankara would help us [...]".[23]

According to Professor Neoclis Sarris,[24] later Turkey took advantage of the outcome of the riots and claimed huge sums of money in aid from World Funds. That significant economic aid was not distributed to the Greeks whose properties were destroyed but was absorbed by the Turkish Government itself.[25]

These references demonstrate the extent of ruthlessness and barbarism the Turks are capable of using in order to further their long term ambitions and create the pre-conditions for the achievement of their goals. They also demonstrated the extent of British and Turkish collaboration over the years, against the Greeks in Cyprus.

22. Foreign Office Document FO 286/1291.
23. Savvas Iacovides, newspaper "SIMERINI", Nicosia 7 September 2008.
24. Athens University.
25. Fanoula Argyrou "Conspiracy or Blunder" - Nicosia 2000.

B6: 1955 – Turkish Cypriots and British association

In Cyprus 1955, the British Governor Sir Robert Armitage, in order to control the armed struggle of EOKA, to suppress by force the combatant anti-British demonstrations of the youth and to inflict ruptures to the relations between Greek-Cypriots and the Turkish minority, he formed the "Mobile Reserve" composed solely by Turkish-Cypriots.

At the same time, with Fazil Kutchuk's incitement (encouraged by the British Governor), the Turkish-Cypriot secret organisation VOLKAN (volcano) was created. VOLKAN was a Turkish-Cypriot secret organization, most of its members were simultaneously members of the British "Mobile Reserve" Police Force.

VOLKAN's major objective was to turn the Turkish-Cypriot people against the Greek-Cypriots. In its proclamations[26] VOLKAN was issuing restriction orders to "our brother Turks to not enter the Greek-Cypriot neighborhoods and not to attend cinemas and other amusement areas of the Greeks". Those who did were threatened with the following, "all those who do not obey will be accused as traitors of the Motherland and we will not have it in our conscience if anything happens to them during our attacks against these areas".

According to details published by the Turkish-Cypriot Press in 1997, those who served as members of VOLKAN stated that, by the end of 1956 the organisation managed to have in its possession 18-29 revolvers, some "Sten" automatic weapons and bombs.

Parts of VOLKAN's duties were the mobilization of the Turkish-Cypriot youth to rallies, which progressed into blind

26. Newspaper "BOZKURT", 5.9.1955.

attacks of fierce mobs against the Greeks. It so happened that among the EOKA victims was a Turkish-Cypriot policeman serving under the British.

Besides VOLKAN, a couple of minor organizations existed as well.

VOLKAN's objective was to blame the Greek Cypriots and promote the myth that "the Turkish Cypriots could not possibly live with them". This was an essential prerequisite, for the Turkish Cypriots to get in line with the Turkish and British objectives already under discussion and preparation in London for partition.[27]

Thus very few members of VOLKAN (as with TMT later) were ever tried let alone punished by the British Crown. This is in stark contrast to the numerous supporters of EOKA who were either hanged, tortured or imprisoned in their hundreds.

The British aligned with the Turkish Cypriots against EOKA, trained an exclusive Turkish mobile reserve to combat EOKA and employed many more Turks in the Police and auxiliary forces. Members of these squads were involved with VOLKAN and later with TMT.

> "[...] In 1956, British Secretary for the Colonies Alan Lennox-Boyd, told the House of Commons that 'a Greek Cypriot demand for union with Greece, would be met by a British-sponsored plebiscite for Turks only'. If the Turkish Cypriots (18%) voted to join Turkey, the island would be partitioned. Thus, by demanding the whole of Cyprus, the Turks could be assured of getting at least half of it. Whereupon, the Turkish

27. The British colonial policy of "Divide & Rule": Well known fact that the British colonialists, before abandoning a colony, had as a rule to divide the people and leave them in conflict.

> Cypriot leader Dr Fazil Kutchuk demanded that the island be divided along the 35th parallel. The British interest, in helping to stimulate this demand is too obvious to need underlining [...].[28]

B7: 1957 – Denktash and TMT (Turk Mukavemet Teskilati)

The most trusted, dynamic leader of the Turkish-Cypriot minority, lawyer Raouf Denktash was used by the British to remedy the till then "barely sufficient" contribution of the Turkish-Cypriots towards the English attempts to deal with EOKA's liberation struggle.

Therofore, since 1949, Denktash was at the service of the British Colonial Government of Cyprus and since then Crown prosecutor and Deputy Attorney General.

In 1957 he resigned his position and took over as chairman of the Federation of Turkish-Cypriot Organisations. On 15 November 1957, together with the Turkish Attaché of the Turkish Consul in Nicosia Mustafa Kemal Tanrisevdi and the doctor Bourchan Nalpandoglou, he founded the first version of "Turk Mukavement Teskilati" ["Turkish Resistance Organisation"] with the initials TMT. Tavrisendi wanted TMT to be "an unarmed, a Turkish-Cypriot organization engaged in passive resistance", more autonomous and far away as possible from British influence, unlike VOLKAN which up to that time was operating under British influence.

The networking and imposition of the 1st TMT upon the minority and the upgrading of Raouf Denktash's in a leadership role, were the basis for the upgrading a year later of the initial

28. Christopher Hitchens "Cyprus" - 1984.

TMT to its second phase. The armed 2nd TMT, was taken over by the General Staff of the Turkish Armed Forces by decision of the Menderes Government. Moreover, it was under the direct responsibility of the Turkish Foreign Minister Fatin Rustu Zorlu.

Ahmet An in his study *"The Role of TMT over the Cyprus problem"* wrote:

> "By the end of 1957 Raouf Denktash resigns his position as Vice-Attorney General of the Colonial Government, with the view of 'reinforcing the Turkish leadership and undertaking more transparent and constructive duties'[29] and takes over the Chairmanship of the Federation of Turkish-Cypriot Foundations replacing Faiz Kaimak, who had stated that 'the English are pushing us to clash with the Greeks'".[30]

Denktash described the establishment of TMT as follows:

> "I created TMT together with a couple of other friends, with the intent to organise people who were doing nothing. When TMT took over VOLKAN's role and issued its first proclamation, Dr. Kutchuk asked 'who are these fools'? We did not inform him about the creation of TMT as he looked satisfied with the existence of VOLKAN. He never managed to accept the fact that he had been ignored. The next two years he continued to be very annoyed with that situation. Everybody thought that I was the leader of TMT, but they were mistaken. I was its political advisor. As soon as I created TMT I surrendered it to others. This of course, was a good cover since the American and English Intelligence believed I was the one who

29. "Denktash in Pictures", February 1973.
30. "How did Turkish-Cypriots find themselves in this situation?", 1986.

took the decisions. Nevertheless I was not its leader. The leaders were ex military officers of the Turkish Army".[31]

Following London's incitement for Turkey to get interested over Cyprus, Ankara arranged from the very early stages to set and plan its own strategy, not as an executive instrument of the British any longer, but as an equal co-player who had its own strategic ambitions. By gaining military strength in Cyprus the Turks were to have specific polices and diplomacy regarding the island.

B8: 1956 – Nihat Erim's Reports

In 1956, Prime Minister Menderes appointed as special advisor for the Cyprus issue Professor Nihat Erim. This he did, despite the fact that Erim belonged to the opposition, he was a high ranking member of the Republican Social Party of Ismet Inonu.

In November and December 1956, Professor Erim, overwhelmed with a nationalistic-non-party sense of mission, submitted to the Prime Minister and Foreign Minister his two reports on Cyprus. The contents of these reports have moulded every since the permanently ambitious policy of Ankara over Cyprus. It is the policy that all Turkish Governments have implement in Cyprus in an inflexible manner to this day, under the permanent eye of the Armed Forces' leadership.

On examining the details of the two Nihat Erim reports (dated 24 November and 22 December 1956 respectively) regarding the Cyprus issue up to that time, it laid down the main directives for a long term Turkish policy, aiming to gain

31. Interview, newspaper "THE TIMES", 20 January 1978.

the strategic control of the island. Among the aims was also the change of the national character of Cyprus. They were determined to overthrow the Greek majority which they considered as “circumstantial”.

The adoption in the long-term of the “Nihat Erim policy” by the Turkish state, the Government and the Armed Forces, signalled short-term adjustments to the diplomatic handling by Ankara of Cyrpus. It also imposed the need for decisive action for the necessary military build-up in Cyprus.

As conditions did not permit an overt dispatch of Turkish Armed Forces to the island, Turkey decided to create it secretly in Cyprus, under the command of the General Staff, enlisting from within the Turkish minority men and women that could carry arms.

This “improvised” Turkish army in Cyprus was named TMT.

B9: 1958 – TMT Army

The decision of Menderes, Zorlu and the General Staff in 1958, to convert TMT into a military organisation of unorthodox warfare, was entrusted for implementation at the then Special War Office (SWO) of the Turkish Military Staff. Acting under the shield of the Council for Enlisting and Control (Seferberlik Tedkik Kurulu - STK), also referred to as Committee for Supervision and Enlisting.

The SWO’s officers, who some years earlier had also served with the Turkish component during the Korean War, had already been trained by US officers in the planning and tactics of unorthodox warfare. This training was in line in the event of conflict with the Soviet Union in areas which the Soviet

Union could seize ie armed resistance.

Therefore, these officers had the authority and the qualifications needed so as to transform TMT into a secret Turkish army in Cyprus.

TMT incited anti-Greek riots and tried to force Turkish Cypriot workers to establish separate trade unions. Murder, arson and intimidation were the means that TMT used in order to prove that "Greek and Turkish Cypriots could not live together".

Turkish Cypriots were victims too: Trade unionists, journalists and ordinary citizens, who resisted TMT's call.[32]

B10: 1958 – KIP Plan (Kibris Istirdat Plani)

Leading the SWO was Major-General Danis Karamberlen, with Colonel Eyiup Mater as Chief of Staff and Lieutenant-Colonel Riza Buruskan and Major Ismail Tansu as Staff Officers.

Tansu known as "the brain" undertook to prepare the staff plan for the structure, armament, training, mission and action of TMT, which has ever since been named "Kibris Istirdal Plani" ["Plan for the Repossessing of Cyprus"] under the initials KIP.

In 1958 Buruskan undertook the command of TMT in Cyprus, where he was sent under false identity, as "auditor of the Turkish Labor Bank". Initially he was in command of 21 officers (2 majors, 5 captains and 14 second lieutenants] all trained in unorthodox warfare, who arrived in Cyprus as teachers, bank employees, Turkish Consul and Press Office staff.

32. Republic of Cyprus, Public Information Office "They make a desert and they call it peace".

B11: 1958 – TMT Headquarters

TMT headquarters were housed in Ankara, in a two-storied building in Tuna Street in the area of Yeni Sehir, and it was referred to as the "Headquarters for the Planning of Repossessing Cyprus". It was manned by staff officers (operations, training, supplies and personnel) and had wireless communication with the TMT command in Cyprus.

Furthermore, special military camps were created in Turkey, as secret training centres of Turkish-Cypriots, men and women fighters [moutzahint] of TMT, who upon completing their training were returned to Cyprus. The TMT training camps in Turkey were under the sole responsibility of the SWO.

In 1996, the retired Major Ismail Tansu (the brain of TMT since 1958) made public a list with all the names of the officers sent under cover to Cyprus and all those that manned the "Headquarters for the planning and repossessing Cyprus" in Ankara, together with the names of ten more captains who headed the TMT training centres.

Furthermore, he described in detail (as the person directly in charge) the various secret operations of arm shipments, made at fixed time intervals from special Turkish warehouses to Cyprus. For reasons of secrecy, the arms were purposely selected to be of non Turkish manufacture. Most of the arm shipments were made secretly by boats.

Major Tansu's references to the relationship between the Turkish Army and the Turkish Government are quite revealing. He said that "he had direct, open and continuous personal contact with Foreign Minister Zorlu, who in turn was giving personal orders to other ministers, whenever another Minister's authority was required for the needs of the TMT Headquarters in Ankara".

Furthermore, Tansu wrote that "Zorlu authorized him as to

the final aim of TMT, which was the whole of Cyprus", and that was the reason for the staff plan to be named "Plan for repossessing Cyprus".

More importantantly in relation to unchanged Turkish Policy regarding Cyprus is also what Tansu reports regarding the destiny of TMT and the "Plan for Repossessing Cyprus" following the military coup of 27th May 1960, which toppled the Menderes Government and sent both Menderes and Zorlu to the gallows.

Although the 1960 junta withdrew the head of SWO Major-General Karamberlen, it adopted wholeheartedly and reinforced TMT, with the direct involvement of Colonel Alpaslan Turkes himself. [33]

B12: 1960 – 10.000 TMT Guns

The prime objective in the years 1958 and 1959 was to successfully arm, train and organise a force of 5.000 TMT fighters in Cyprus. In 1960, the arm shipments sent clandestinely from Turkey to Cyprus could arm a force of 10.000.

At this point, of tremendous importance bears the evidence revealed 47 years later in the book of Manos Eliades *"The Secret diary of KYP for Cyprus"* in 2007. (KYP: The "Central Intelligence Office" of Greece)

This book includes copies of written official reports, sent by the branch of the Greek KYP in Cyprus to the Greek Prime Minister Constantinos Karamanlis and the Foreign Minister Evangelos Averof in Athens, which confirm with a lot of detail many facts about TMT, as narrated by Turkish protagonists

33. Presidential Minister of the junta Government of Turkey, later leader of the far right fascist party "Nationalist Action Party" and the "Grey Wolves".

and Turkish sources.

On the subject of the secret Turkish arm shipments, it says:

> "[...] 9. From the information already in hand it is evidenced that, further to the revolvers held by the Turkish-Cypriot policemen and Reservists within the British Administration, at the time the Zurich and London Agreements were concluded, the Turkish-Cypriot Fighters Organisation TMT possessed only 950 pistols and revolvers. These arms TMT acquired in 1957 and 1958 from Turkey and a part of them were sold to the Turkish organisations by the British themselves in Cyprus. In conclusion, at the time of the Agreements for Cyprus, TMT did not possess more than 1.000 pistols and revolvers.
>
> 10. Within the first six months between January 1959 and July 1959, 6.000 arms were clandestinely imported into Cyprus by the Turkish-Cypriots, namely heavy machine-guns, light machine-guns, rifles, pistols and revolvers, as well as 2" and 3" mortars, thus by June 1959 the number of arms held by the Turkish community increased to 7.000, together with a considerable quantity of ammunition.
>
> 11. As from July 1959 and until 2 September 1960, the clandestine arm and ammunition shipments by the Turkish-Cypriots continued, hence it is believed that today the Turkish-Cypriots possess 10.000 arms [...]."[34]

34. From the "Information Report" of Greek KYP to the Greek Foreign Minister Evangelos Averof copied to the Greek Prime Minister Constantinos Karamanlis, dated 21-10-1960, i.e. after the establishment of the Republic of Cyprus.

Russian revolvers – Tokarev

Within the eighty salvaged reports prepared by the Greek KYP in Cyprus during the period 13 June 1959 and 28 November 1960, as revealed in Manos Eliades book, there are references to TOKAREV pistols of Russian manufacture in 1933, which the Turkish TMT clandestinely imported into Cyprus.

> "The four automatic pistols, which together with one light machine-gun Bren [of English manufacture] were discovered in the hands of Turkish-Cypriots by the [British] Police on 17-3-60, according to the opinion of the Special Branch expert Pearson, are TOKAREV of Russian manufacture 1933.[35] The barrels of these guns have been changed in Turkey so that they can use bullets of the Turkish Army". [36]
>
> The report by the Greek KYP provide details and dates for the discoveries of TOKAREV pistols in the hands of Turkish-Cypriots as from 29 September 1958 "when a murder attempt by Turks against their own co-patriots took place", together with the findings of Pearson, under reference 76/60 titled "Examination of material exhibits – firearms".
>
> "According to reports from Cyprus, a large quantity of arms of Russian manufacture was discovered in the possession of Turkish Cypriots in Lara, west of

35. The history of the "career" of the Russian TOKAREV to Turkey and thereafter to TMT seems to have started during the 1930s, during the years of good relations between Kemal Ataturk and the USSR, as a continuation of the assistance in money and arms given by Joseph Lenin to the Kemalists between 1920 and1922, against the Greek Asia Minor Forces. It has been confirmed that, among the TMT guns the Cypriot National Guard found on the 22 July 1974 when they took control of the Turkish-Cypriot stronghold in Lefka, there were Russian revolvers Tokarev.
36. KYP Report, 12 April 1960.

> Paphos [...] The arms had been brought to Cyprus by a Turkish caique and grave concern had been caused to the Turkish Government, who had been trying to hush up the matter. A second Turkish caique carrying arms had been expected at the end of March or early April [...] It is quite certain that Turkish Cypriots were being trained in the use of arms".[37]
>
> "From other reports, the supply of Turkish Cypriots with arms of Russian manufacture from Turkish sources is continuing. Greece can not and does not wish to attribute responsibility for this to the Turkish Government, but expects Ankara to investigate the matter and put an end to the activities of those, who are undermining Cypriot unity and the peace of the island".[38]

This evidence regarding the dispatch of Russian revolvers, from the stock piles of the Turkish Army to TMT, also tallies with the evidence given by Hikmet Bill.[39]

With respect to one of his 1955 meetings with Menderes, Hikmet Bill wrote the following:

> "What is happening in Cyprus, asked Adnan Menderes. I explained to him the situation in Cyprus. I told him that we needed arms urgently. I cannot give you arms because if one day our arms of Kirikale [Turkish factory in the manufacture of arms] are found in the hands of the other side, we will find ourselves in a very difficult position at the United Nations, said Menderes".[40]

37. Greek newspaper "ELEFTHERIA", Athens 6 April 1960
38. Greek newspaper "TO VIMA" Athens 7 April 1960
39. Leader of the Turkish organisation "Cyprus is Turkish" lawyer and editor of "Huriet", centre personality in the September 6-7.9.1955 Pogrom in Constantinople, with links with London and close associate of the Turkish Prime Minister Adnan Menderes.
40. Hikmet Bill "The Cyprus issue and its significance" Constantinople 1976.

The “brain” of TMT in Turkey, Major Ismail Tansu notes:

> “Under orders of the Defense Minister Ahmet Menderes (brother of the Prime Minister), Turkish Military personnel selected and sent arms to the SWO, which, after special packaging, stocked them in TMT warehouses in Mersin [Mersina], from where they were transported to Anemouri and from there loaded to boats with secret missions to Cyprus”.

B13: 1959 – Athens knew

The confirmed information provided in the book of Manos Eliades is useful in many ways, in determining Turkish aims in Cyprus FOLLOWING the establishment of the Republic of Cyprus, at the government administration of which Turkish Cypriots had obtained a privileged participation, according to the London-Zurich Agreements and the 1960 Constitution.

Furthermore, this information is also useful, in evaluating the policy of the Greek Government during that time, which was officially well informed at the time of the war-like strength Turkey was secretly building up in Cyprus.

What is unknown, is the extent of information the president of the Republic of Cyprus Archbishop Makarios and the Greek-Cypriot leadership had during the same period (1959-1960), either direct from the branch of the Greek KYP in Cyprus, or from the Karamanlis government.

Nevertheless, what one can confirm however is that the Greek Government avoided an equal arming of the Greeks in Cyprus. More on this subject is in another reference in another chapter.

B14: TMT Army Structure

The military structure of the TMT organisation in Cyprus, having its overall headquarters in Ankara, was divided into six areas which were called "Santzak" (banners), with "Bairaktar" (signal station) in Nicosia as headquarters. The "Santzaks" were placed in Nicosia, Famagusta, Limassol, Larnaca, Paphos and Lefka.

Every "Santzak" administrated its own structure, which was sub-divided into "Kovans" (beehives), the "Kovans" were sub-divided into "Peteks" (honeycombs) and the "Peteks" in turn into "Oguls" (swarm of bees). Each "Ogul" composed of five "cells".

This was the structure of this unorthodox warfare under special circumstances, namely "battalion– company–section–groups" with the last composed of five members.

Rules on secrecy did not permit any lower rank member to know more than his group and the group leader. The commander of each "Santzak" was called "Serntar" (military leader), and the commander of "Bairaktar" had the code-title of "Bozkurt" (Grey Wolf).

The "Bozkurt" commander of TMT in Cyprus was accountable only to the headquarters in Ankara and had under his authority all the Turkish minority leaders, first in rank was Denktash as the head of the political branch of TMT.

B15: TMT Military Training

All the Turkish-Cypriots enlisted by TMT were sent under different pretences to Turkey, for training in the secret military camps of the "H.Q. for Planning the Repossession of Cyprus".

According to relevant Turkish publications,[41] their training included:

Secret operations' tactics, maintenance and concealment of arms, shooting practice, ambushes, attacks, approach to target and safe retreat.

TMT training centres were also created in Cyprus in four "scout-camps". At each "Kovan" level training was done without live ammunition, consisting of using weapons, information gathering, defense and attack tactics and defense planning of villages.

B16: TMT Weapons Transportation by Sea

Shipment of arms, ammunition and explosives from Turkey were mainly achieved with secret missions by boat, from Anemouri to the northern coast of Cyprus.

The first trial mission (16 August 1958) arrived at the sea-shore of the Turkish village of Kokkina. This was followed by bulk shipments, with boats arriving twice a week, planned in such a way as to avoid the British coastal patrol boats. Up to September 1960, a total of around 10.000 weapons had been transported in.

The TMT members were also trained in concealing the weapons, following their receipt and distribution, as well as after each training or operational use.

41. Spyros Athanassiades "Files T.M.T." 1998, and Ismail Tansu "IN REALITY NO ONE WAS ASLEEP, a secret underground organization, with State support... TMT" 2007.

B17: 1959 – Boat "DENIZ"

As from January 1959, parallel to the rest of the boats already carrying arm shipments for six months, another ship initialized secret shipments. This was a 25-ton fishing boat, which was to be known historically under the name of "Deniz" and which, in the operational TMT planning, carried the code name of "Elmas".[42]

On 18th October 1959 the "Deniz", with Resat Yiavus as captain, Oyuz Kontoglou as engineer and the permanent chief sergeant of the Turkish Army Ali Levent as wireless operator, was intercepted by a British patrol ship while carrying 6.000 bombs, 500 rifles and one million bullets. Coincidently, this was eight months after the signing of the London-Zurich Agreements and whilst Cyprus was still under British administration.

Under orders of the TMT "brain" Major Ismail Tansu (through wireless communication from Ankara), the "Deniz" crew sank the ship, so "to avoid an international scandal that would put the Turkish government into a difficult situation", said Major Tansu.[43]

The British patrol ship (mine-sweeper HMS Burmaston) however, managed to salvage from the sinking ship's hold two boxes of ammunition and to arrest the 3-man crew of the "fishing boat".

---

42. "Elmas" was named after the TMT member, Turkish-Cypriot Asaf Elmas from Kokkina village, who participated in the very first secret sea operation of arms transportation and drowned during his 7th personal mission with his co-villager Hikmet Ridvan, during a severe sea storm (9 November 1958). Ismail Tansu "IN REALITY NO ONE WAS ASLEEP, a secret underground organization, with State support... TMT" 2007.

43. Spyros Athanassiades "Files T.M.T." 1998, and Ismail Tansu "IN REALITY NO ONE WAS ASLEEP, a secret underground organization, with State support... TMT" 2007.

With the intervention of the Turkish Foreign Minister Fatin Rustu Zorlu and his approach to his British counterpart, it was arranged that the three arrested men were to accept the charges against them, as announced by the British Attorney General. After much deliberation by the British Courts in Cyprus they were sentenced to a 9-month imprisonment. They were sent on the same day to Turkey "to carry out their punishment".

Calming Major Tansu over the "capture" of Deniz", Minister Zorlu assured him that the "discovery of the arms shipment might encourage the English to be more compromising towards the Turks".

Evidence of arms to the Turkish Cypriots, as derived from British official documents:

> "Possession of arms: At 20:30 hours last night (17.3.1960) a police mobile patrol stopped a motor van being driven by a Turkish Cypriot towards Polis, on the main Ktima-Polis Road, near Akourdalia. The van was searched and found to contain 1 Bren gun with 4 empty magazines, 1 Sten gun with 3 empty magazines and 4 automatic pistols with 8 empty magazines. The driver was arrested and will appear before Paphos District Court later today [...]"[44]

> "The case was concluded on 5th May. The Turkish Cypriot accused being sentenced to two years imprisonment for possession of arms last March. Expect an appeal. Denktash conducted a vehement defence. He suggested that the accused had found the arms and was taking

44. Governor Sir Hugh Foot to Secretary of State for the Colonies, 18 March 1960 - Foreign Office Document FO 371/152931.

them to Dr. Kutchuk in accordance with the amnesty and appeal for surrender of arms. Expert evidence was given that the weapons found were of Russian origin (they were still in plastic wrapping). Only once before has a similar weapon been found in Cyprus (in February last year when a Turkish Cypriot was arrested with a pistol).

There has been public concern about the fact that the verdict was by majority – the English and Greek Cypriot judges convicting but the Turkish Cypriot judge dissenting. Public comment is that this offers a poor look-out for an impartial judiciary in the future."[45]

"Yesterday [7 February 1960], a Turkish Cypriot police sergeant in Larnaca appealed for special protection for himself and his family and was taken into protective custody. He said that he had good reason to believe that his immediate assassination had been planned by TMT. He explained that he had been concerned in distribution and safeguarding TMT stocks of arms and ammunition in the Larnaca district and that he had been deeply involved in this since August 1957. He believed that his assassination had been planned because the organisers of TMT suspected that he was no longer entirely reliable.

He has documents in his possession, which give details of TMT arms held in the Larnaca district. His papers refer to 400 precision weapons in the Larnaca district alone, including over 200-303 rifles, 7 Bren guns and large numbers of sten guns and pistols. Some of these stocks of arms are said to be hidden in or near Tekke (the ancient mosque near the Larnaca salt lake) and

45. Governor Sir Hugh Foot to Secretary of State for the Colonies, 7 May 1960 - Foreign Office Document FO 371/152931.

the rest are distributed throughout the villages of the district (the exact caches are not known).

We are taking from him fullest information and when we have completed his interrogation we shall arrange to get him and his family out of Cyprus with all speed. I will inform you of these arrangements as soon as possible.

I decided that this was not the time to carry out searches for these arms and I shall take no action to seize the arms for the time being [...] I consulted Mr. Julian Amery and we summoned Dr. Kutchuk to come to Government House [...] emphasised to him the seriousness of the situation, telling him that we were anxious to avoid another public scandal similar to that which followed the sinking of the 'Deniz' [ship]."[46]

"Marmara" ship

On the 30th of March 1960, Sir Hugh Foot informed the Secretary of State for the Colonies that information had reached them, that another Turkish ship, the "Marmara", was approaching Larnaca with arm loads on board for the Turkish Cypriots. But, in view of warning given to Turkish consul-General Turel, they would not expect any arms to be landed. If questioned by press, he would state that their actions were "routine anti smuggling precautions".

The information, given to Sir Hugh Foot by local Turkish Cypriots, indicated that "Marmara" [passenger ship on regular visits to Cyprus] might take arms on board at Haifa from another ship. Sir Hugh Foot informed London that they would make

46. Governor Sir Hugh Foot to Secretary of State for the Colonies, 8 February 1960 – Foreign Office Document FO 371/152931

sure the ship on arrival DID NOT carry arms […].[47]

Chief of Intelligence accuses Rauf Denktash of arms smuggling

Contrary to the formal anti-Greek policy of the British government, the Chief of Intelligence in Cyprus J. V. Prendergast on the 26 June 1959 wrote the following in a classified as Top Secret PHANTOM Report to Governor Sir Hugh Foot.

"[…] there has been no fundamental change in Mr. Denktash's policy since his trip to Turkey. There is no evidence that he received there any directive to alter his long term stratagem of preparing the Turkish Cypriot community to face a situation of extreme pressure once the Cyprus Republic has come into being […] Instead of making speeches and writing and inspiring press articles of outright belligerence he is now paying lip-service to the doctrine of peaceful coexistence and urging his community to remain united and friendly, and patient in the face of provocation without yielding an inch of ground. Between the lines of his speeches and press writings however, it can be seen that Mr. Denktash has adopted the method of accusing his enemy of the very acts of which his own community is responsible, to wit, arms smuggling, weapon training, economic throat-cutting, manoeuvring behind a smoke screen of top-level benevolence and co-operation […] and tacitly ordering the community to accept the Zurich and London Agreements as a means of reaching the original goal […]."[48]

47. Foreign Office Document FO 371/152931.
48. Colonial Office Document CO 296/1000.

B18: TMT Action

The Turkish secret organisations, starting from VOLKAN right through and including TMT, under the command of Turkish Army officers, never undertook armed action against EOKA. Having additionally acquired the necessary war power, their main military objective was extended to events following the establishment of the Republic of Cyprus.

Judging from their actions, the tactics they deployed, the proclamations they issued and all that they inflicted from 1955 to 1959 it is abundantly clear that:

Their foremost and permanent objectives were to spread fear, gain advantage over the Turkish-Cypriots, build defence barriers for the Turkish minority and provoke fanaticism against the Greek-Cypriots in general. Another of their objectives was to offer opposition to the Greek-Cypriots against their ongoing liberation/anti-colonial struggle.

The pretext they used was the execution by EOKA of some Turkish-Cypriot Reservist Policemen with the English administration, during the period that EOKA executed Greek-Cypriot policemen and other collaborators of the British.

The execution of Turkish Reservists, offered the opportunity to the Turkish-Cypriot leadership and its organisations to incite passionate Turkish-Cypriot demonstrations and to unleash raging Turkish mobs (with clubs, levers, knives and arson accessories) against innocent Greek-Cypriots and their properties, in the areas neighboring the Turkish areas.

The major and exclusive characteristics of Turkish-Cypriot activities were arson attacks, destruction of houses, shops, churches and association premises, along with killings of unarmed civilians.

Ahmet An notes, that "the on the spot leaders of TMT advised the people to have in their homes knives, pointed tools, axes, big stones, hot water and petrol".

"Natziak" (axe) was also the name of the newspaper issued by Raouf Denktash, an organ of the TMT. The advertising of this paper carried the incitement "each Turk must buy and keep in his house a natziak".

The owner of the newspaper was Kutlu Atali. Decades later, he broke away from Denktash and began criticizing the Turkish colonization of the occupied areas of Cyprus, following the 1974 invasion. In 1996, he was murdered outside his own home in the occupied area of Nicosia.

Arif Hasan Tahsin wrote:

> "Originally the armed attacks of EOKA were solely against the English. [...] Also it is a fact that the same way EOKA turned its arms against the Greek-Cypriot policemen, it turned them against the Turkish-Cypriot policemen too. It is also a fact, that the Turks, by helping the English Security Services, they fought against the Greek-Cypriots who wanted EOKA and Union [with Greece]" .[49]

B19: 1956 – First Partition

The British, following the very first Turkish mob attacks against the Greek-Cypriots which they had encouraged, imposed the first partition line within the walls of Nicosia.

On 30 May 1956, a group of British soldiers led by Major

49. From the book of Arif Hasan Tahsin, who served as Reservist the British and also was a member of TMT.

Taggart, divided the city into two with iron bars and barbed wire, from Paphos Gate to St. Kassianos.[50]

On 1st June 1956, Ioannis Clerides[51] criticized in writing the false allegations made to the world by Dr. Kutchuk, leader of the Turkish minority, namely that "the Turkish minority was in danger of being exterminated by the Greeks". Ioannis Clerides in his letter refuted the Kutchuk allegations and accused the representative of the British administration that "in an absurd way tries to justify in public the Turkish actions or to undermine the importance of the recent crimes committed by the Turkish mob, encouraging them in that way to continue their destructive activities against the lives and properties of innocent Greeks".

Ioannis Clerides referred to the unjustifiable and criminal actions of looting, arson and murders of innocent people, who were on their way to work, and continued:

> "I address this crucial question to Dr. Kutchuk and to the representative of the [colonial] government: Has a Greek group ever attacked the Turkish neighborhoods and bombed shops or the premises even of one Turk or any place of worship? It is disheartening to see the representative of the government and Dr. Kutchuk, instead of trying to stop the actions of irresponsible members of the Turkish community, to try to justify their actions by aiming to shift the responsibility on the shoulders of EOKA, justifying in that way the irresponsible elements of the Turkish minority

50. This dividing line was called at the time "Mason-Dixon Line", taking its name after the dividing line between North and South in the United States of America during the civil war.

51. Lawyer, politician and, up to the time of Makarios's exile, member of the Executive Council of the English governor. Father of Glafkos Clerides, later to become President of the Republic of Cyprus.

for the destruction of life and property of innocent people".[52]

It is also worth mentioning the reference by Imbrahim Hasan Aziz and Nurettin Mehmet Seferoglou, for the period up to 1958:

"When, with the encouragement of the British colonialists, the vandalisms, bombing and destruction of Greek property began, instead of arresting the guilty ones and their executive organs, the Turkish-Cypriot leaders and the fanatical and misled young people who followed their orders in total blindness, they arrested those who condemned those actions, the Turkish democrats, the politicians and the leaders of the working people. In a common effort, Turkish-Cypriot leadership and British colonialists organise their elimination...".[53]

The fact that they avoided direct confrontation with EOKA, is witnessed by one of the co-founders of TMT, Mustafa Kemal Tanrisevndi of the Turkish Consul:

"If we had clashed with EOKA that meant that we would have suffered loss of human lives, as EOKA was successful in its campaign even with the English".

Furthermore, commander of TMT (Lieutenant-Colonel Buruskan) also refers to "the need they had in August 1958 of the cease-fire announced by EOKA, so that TMT would have the time to be organized militarily".

52. Newspaper "Times of Cyprus", 1 June 1956.
53. Publication of Hasan Aziz and Nurettin Mehmet Seferoglou, 1965.

B20: 1955, 1958, 1962 – Self-bombing

The methods used by the Turkish-Cypriot leadership to fanaticize the Turkish minority, was a carbon copy of the methods used by the mechanisms of the Turkish state headed by Menderes-Zorlu, in the preparation of the anti-Greek pogrom in Constantinople which occurred on 6 and 7 September 1955.

The small dynamite explosion at the Turkish Consul in Salonica on the 5 September 1956, where the house of Mustafa Kemal Ataturk was, was the work of Turkish agents and Turkish government officials. The Turkish state-controlled Radio Station and the Turkish Press presented the explosion as the "bombing of the house of 'our father' by the Greeks", thus raging the Turkish mobs against the Greek community in Constantinople.

TMT and Denktash used exactly the same method, bombing the entrance of the Press Office of the Turkish Consul in the Turkish neighborhood of Nicosia, on 7 June 1958. They claimed the bomb was the work of EOKA and provoked the catastrophic attacks by the Turkish mobs against the neighboring Greek areas.

Raouf Denktash himself, 26 years later, publicly confessed to that intentional sabotage as a necessity for the mobilization of the Turkish-Cypriot people against the Greeks".[54]

TMT used exactly the same method in 1962, when it bombed the Bairaktari Mosque in the Greek neighborhood of Nicosia, blaming the Greeks for the explosion.

54. Television interview of Raouf Denktash at the British Channel ITV, 26 June 1984.

B21: 1958 – "Useful Dead"

Evidence by Turkish-Cypriot teacher Sevim Ulfet,[55] who found herself in a clinic during the incidents of 27th January 1958, where she accidentally met with Raouf Denktash:

> "The clinic was full of injured and dead. At one point I saw Denktash and said to him: 'For God's name, give the order to stop these killings'. And he gave me the following answer: 'These dead, are useful to us. It is with them that we will make our voice heard all over the world'. 'Then why don't you and Dr. Kutchuk die? That way our voice will be heard even louder', I replied".[56]

B22: 1963 – "The Bathtub"

The evidence provided by Sevim Ulfet is also useful in uncovering the real explanation behind the horrible story of the "bathtub murders" during Christmas 1963:

In order to enrich their propaganda lies all over the world, using the British Press, about "the barbarism of the Greek-Cypriots of bloodthirsty Makarios with actions of genocide against the Turkish-Cypriots", they used a photograph with a mother and her three children, dead covered in blood in a bathtub.

The person, who in 1963 photographed this horrific crime scene and whose photographs were used in the front line of

55. Ulus Ulfet, brother of teacher Sevim Ulfet, was killed in Omorphita on 30 August 1957, together with Mustafa Ertan, Kumpilae Altaili and Ismail Beioglou, by a bomb they were manufacturing.
56. From Arif Hasan Tahsin's book.

Turkish propaganda, was Turkish journalist Ahmet Baran.

In 1985, whilst Baran was head of the Turkish News Agency "Anatolu" in Athens, he revealed the true facts of that case to Greek-Cypriot journalist Costas Gennaris. He said:

> "The crime was committed in a state of rage by Turkish Major Nihat Ilhan, who was serving at the time with the Turkish Contingent in Cyprus, and victims were his wife and his children. His house (where the crime was committed) was in the centre of the Turkish neighborhood, an area where no Greek-Cypriot forces ever went".[57]

The very same Denktash logic as described by TMT member Arif Hasan Tahsinin 1958 in,

> "These dead are useful to us".

Costas Yennaris wrote the following in his book:

> "[...] That night, though, he left me speechless. Without warning, without any preparation Ahmet said to me:
>
> > 'You know that photograph with the three children and their mother murdered in a bath, I took that picture [...]'
>
> He said he was in Cyprus at the time, to cover the inter-communal conflict of 1963. One evening, as he was having coffee with some friends in a bar in the Turkish quarter of Nicosia, two armed men came in and asked him to accompany them. He was taken by car to the house where the crime was committed. Upon arrival, he saw that the place was already

57. Costas Gennaris "From the East" – 2000.

> covered with other armed men and officers of the Turkish Contingent in Cyprus, who ordered him to photograph the crime.
>
> He did as ordered, and then one of the armed soldiers asked him to hand over the film and forget what he did and what he saw.
>
> Ahmet wanted to find out what really had happened and he did
>
> The father of the 3 children had gone mad. He executed his children and his wife and then he disappeared. He was taken away by the Turkish military, to appear again in service 24 years later somewhere deep in Anatolia, re-married [...].

Ahmet told Yennaris that the crime did not even take place in Omorphita, as Turkish propaganda claims. It was executed in an area deep in the heart of the Turkish quarter of Nicosia, where no Greek Cypriots could reach [...].

Costas Yennaris adds in his book:

> "Researching for my book, I came across many other incidents of similar cover-up that served the Turkish interests and the goals Ankara and TMT had put in motion as their policy in Cyprus [...]."

Ahmet Baran wanted to tell the truth to someone, he did not want to die without uncovering that grave injustice done to the Greek Cypriots. He told Costas Yennaris about it, with the proviso "Yennaris would not say anything as long as Baran was still alive". Yennaris kept his word. He only revealed the true story after Ahmet Baran's death.

B23: 1958 – TMT Murders of Consolidation

Returning to 1958, it is evident that the main mission of the TMT's command (by then a secret branch of the Turkish Armed Forces) in Cyprus (under British occupation), was the priority to firmly establish its power over the Turkish minority. The reason for this was to enable the Turks to enlist men and women as fighters (moutzahint) and to impose the bloody separation between Turkish-Cypriots and Greek-Cypriots, which was predetermined by the British in the first place.

The firm establishment of TMT required the subjugation and militarization of the entire Turkish minority. To this effect, all opposition Turkish voices had to be silenced or made to disappear.

The policy "from Turk to Turk" was imposed, with severe punishment of those Turkish-Cypriots who dared disobey.

Furthermore, there followed the "exemplification" murders by TMT, of all those Turkish-Cypriots who insisted on co-operating with the Greek-Cypriots. These victims, mainly Turkish-Cypriots, belonged to the left wing Trade Union Movement of PEO.

It is an important fact that, the continuing elimination murders of left wing Turkish-Cypriots followed the 1st of May 1958 common Trade Union festivity of PEO:

> "Hundreds of Turkish workers take part in the May events of the Cyprus working left. In hand with tens of thousands of Greek-Cypriot workers, brothered in the streets of the Cypriot capital, with their national flags, Greek and Turkish, and the red symbols of 1st

> of May, they demonstrate their decision to fight united for the common causes of the working class".[58]

A number of murders followed. These are examples of the terrorist imposition of TMT upon the Turkish-Cypriots:[59]

> 22 May 1958: Ahmet Sati Ergut, in charge of the Turkish Office of PEO, and his wife were shot. They survived and, in order to save themselves from TMT, they immigrated to England.

> 24 May 1958: The 32-year old Fazil Onder was shot dead. He was working for the left wing paper "Inkilapsi" ("Revolutionist") which was closed down in 1955 by the English. Through a proclamation, TMT took the responsibility for the execution of "traitor" Onder and warned the Turkish-Cypriots to abandon publicly their connections with the Greek-Cypriots if they valued their life.

> 29 May 1958: The 26-year old Barber Ahmet Yiakyia, member of an athletic association, was murdered. The day before his execution, he had given a statement to "Bozkurt" newspaper to the effect that "he was not a member of the Workers Union", that "he was not left wing" and that "he will be faithful to the policy as decided by our leaders and our people". His statement was published the day he was found murdered in his bed.

> 5 June 1958: Hasan Ali, builder and Trade Union PEO activist, was shot (but survived).

58. Publication by Hasan Aziz and Nurettin Mehmet Seferoglou, 1965.
59. The list of those murdered was published in newspaper "Zafer Kibrisli Turkeridir" on 15 October 1965, under the title "Operation of extermination of the Turkish-Cypriot left wingers".

30 June 1958: The 46-year old barber Ahmet Imbrahim was shot dead, because he did not stop his friendly relations with Greek-Cypriots.

3 July 1958: The 29-year old Arif Houlousi Baroudi was shot (but survived), because he continued to work for a Greek company.

A Turkish-Cypriot, who survived the TMT murders of left wing Turkish-Cypriots and saved his life by immigrating to England, Nurettin Mehmet Seferoglou, spoke about the murders.[60]

In 1965, Seferoglou and Ibrahim Hasan Aziz (on behalf of "The Patriotic Organisation of Turkish-Cypriots") signed the special book that was published regarding the TMT murders of left-wing Turkish-Cypriots during the period 1958-1965. This book was titled "*Victims of Fascist Terrorism*".

The TMT's foremost objective was to rule over the Turkish minority as the only unchallenged power. This was achieved. All those opposing, who were not murdered or emmigrated, were neutralized. In actual fact the TMT was the armed extension of Turkish state power over the Turkish minority. Ever since 1958, TMT had consolidated itself as the secret part of the Turkish Armed Forces, in the British held and later "independent" Cyprus.

There has never been the slightest relaxing of the strict military, political and ideological control that the Turkish state exercises over the Turkish Cypriot minority. This control is even stricter in comparison to areas within Turkey itself.

60. Interview in newspaper "HARAVGI", 15 April 2007.

B24: 1958 – Slaughter of Kontemeniotes

From the very beginning the objectives of the TMT in full cooperation with the British wanted to simultaneously derange the Cyprus problem. They wanted to convert the problem from an anti-colonial liberation struggle to a problem of bloody bi-communal strife between Greek-Cypriots and Turkish-Cypriots. In order to provoke an unprecedented hatred, much blood needed to be shed.

These efforts reached their peak on 12 June 1958, with the slaughter of Greek-Cypriots from Kontemenos village at Kioneli (Turkish-Cypriot village):

> "The most horrid crime executed by the English/ Turkish coalition against the Greek-Cypriots, was the collective slaughter of the Kontemeniotes at Kioneli, on Thursday 12 June 1958. The operation was performed by 200 bloodthirsty Turkish-Cypriots, who ambushed the Greek-Cypriots at the Turkish-Cypriot village of Kioneli, fired at them, slaughtered them, cut them in pieces (beheaded) in total murdered 8 unarmed Greek-Cypriots out of a total of 35 Kontemeniotes. Those 35 Kontemeniotes had been originally arrested by the British forces in the village of Skylloura who transported them and delivered them, unprotected victims, in the hands of the waiting Kionelian Turks".[61]

> "Mass slaughter of Greeks by the Turks in Kioneli - Clearly the responsibility of the 'Security Forces' (the British military, police and reservists) - The Turkish vandals having butchered the people turned them into shapeless masses - The names of the eight dead:

61. Memorial published in newspaper "SIMERINI", 12 June 2008.

Costakis N. Mourris 34 years old, Evripides Kyriakou 24, Petros Stavrou 21, Georgios Stavrou 17, Sotris Loizou 17, Ioannis Stavrou Parperis 31, Charalambos Stavrou 34 and Christodoulos Stavrou 34. Another nine injured finally survived".[62]

The slaughter in Kioneli was the most hideous of all the premeditated crimes planned by London and Ankara to use the Turkish minority, in order to suppress the anti-colonial, liberation struggle of EOKA in Cyprus and to transform the Cyprus issue into a "Greco-Turkish problem of bi-communal conflict".

Without the slightest provocation or attack by EOKA against the Turkish minority and pushed by the British, Turkey organized the terrifying TMT, headed by Turkish Military Officers, so to suck the blood of unarmed, unaware and innocent people and "establish" the demand for partition.

The objective was so that Britain could achieve, and was indeed achieving, "solutions and arrangements" that would provide the permanent presence of BRITISH BASES in Cyprus.

At the same time, Ankara was putting into practice her long term military "Plan for the repossession of Cyprus", which she follows to the letter to this day. Turkey does this by using as an instrument, the so called "Turkish-Cypriot community" which Turkey has under her full and strict control.

In 1958 and under Ankara's orders, Turkish terrorist groups intensified their attacks against the Greek Cypriots.

62. Newspaper "HARAVGI" (first page coverage), 13 June 1958, with horrific photographs.

This coincided with the British efforts to promote a pro-Turkish solution.[63]

As from 7 June 1958, the "inter-communal feeling" was running very high on the island and there had been many instances of attacks by Turks, particularly in Nicosia against members of the Greek community and against Greek property.

Such was the public outcry and indignation, that Sir Hugh Foot had no choice but to set up a Commission of Inquiry into the incident.

The Commission, under the chairmanship of Chief Justice Sir Paget Bourne, held its first sitting in the hall of the English School, in Nicosia.

The decision was lengthy and its contents revealing. However, the Secretary for the Colonies and the Secretary for War in London, General Darling in Nicosia and others in government and the Army had strong objections to its publication, as they saw it as "damaging to the reputation and morale of the British Army".

Chief Justice Bourne, if not totally sincere with his findings, at least he had to be seen to be sincere. He courageously quoted in his report:

> "[…] I have been invited by Colonel Hamilton, representing the Military, to find not only that everyone acted in good faith, which I have had no difficulty in doing, but also that the order given and action taken upon it were reasonable. I am unable to do so [...] The only conclusion I can reach is that 'the course adopted

63. In January 1958, Sir Hugh Foot (the Colonial Governor) had prepared and tried to put across a trizonal solution for Cyprus, later renamed as the "Macmillan Plan", which favoured the Turks.

> was unimaginative and ill-considered'. It was also, in my opinion, 'unlawful'. I do not say for a moment that 'anything like what did occur was reasonably to be anticipated' [...]".[64]

On 7 May 1958 TMT circulated the following leaflet in Cyprus,

> "Oh, Turkish Youth! The day is near when you will be called upon to sacrifice your life and blood in the "PARTITION" struggle, the struggle for freedom [...] You are a brave Turk. You are faithful to your country and nation and are entrusted with the task of demonstrating Turkish might. Be ready to break the chains of slavery with your determination and will power and with your love of freedom [...] PARTITION OR DEATH".[65]

Such were the Turkish attacks and atrocities against Greek Cypriots that the Central Committee of AKEL[66] issued, on 28 June 1958, the following Press Release under the title "Bring back Archbishop Makarios and start negotiations with him":

> "After a fortnight during which the Turks were literally free to burn, slaughter and loot the Greeks of Cyprus, the British government, announced, in a form of ultimatum, its new plan for Cyprus.
>
> What is this plan and for whose interests? It is a "constitutional" partition which leads tragically to a full

64. Colonial Office Document CO 926/907.

65. Republic of Cyprus, Public Information Office, "They make a dessert and they call it peace".

66. The Communist party of Cyprus re-established in 1941 with British consent.

scale territorial partition in seven years. It is against the rights of the Cypriot people for self-determination, destroys the unity of Cyprus and creates a permanent rift and gives reason for war. The plan is based clearly on imperialistic interests and the effort to satisfy Turkey, which is regarded as the strongest ally within the countries of NATO in Eastern Mediterranean. It is the worst of all plans that have been proposed up to now. This is why the whole of the Greek population in Cyprus justly characterised it as unacceptable.

AKEL supports wholeheartedly the reply given by the Archbishop Makarios to the Governor of Cyprus, following his meeting with the Majors of Cyprus and his Ethnarch advisers in Athens, and calls upon the British Government to accept Makarios's reply and act upon this, in order to get the Cyprus issue out of the stalemate.

In the meantime there must be a stop to the criminal orgy and the immunity of the Turkish gangsters. All Turkish auxiliaries must be disarmed immediately. All the guilty ones for the slaughters, the arsonists and looters must be arrested and punished. All victims of the latest vandalisms must be compensated. Constructive measures to be taken for the protection of the lives and properties of all Greek Cypriots. There must be a stop to the anarchy and the immunity of the stooge Turks, who intend through their crimes to show that Greeks and Turks cannot live together. How else can one explain the fact that for hundreds of years Greeks and Turks lived in harmony in this place? Is it not abundantly clear that a foreign element is directing and creating this racial hatred and tragedy? [...]."

Evidence of Turkish atrocities through the British National Archives

"TMT: You must have seen from recent reports that during the past week the Turkish Resistance organisation (called TMT) has murdered one of its Turkish political opponents and attempted to murder two others. The organisation has publicly boasted of these attacks and threatened more. Two more Turks were wounded in a shooting affray in Nicosia on 27th May, in which TMT may well have been involved.

The question arises whether the TMT should be proscribed. If we had to consider the matter solely from the point of view of security in Cyprus, we should not hesitate to do so and, if the TMT continues such murderous attacks, we may have no alternative to doing so soon. Obviously, we are open to damaging criticism if we do not proscribe the Turkish terrorist organisation, when we have proscribed the Greek terrorist organisation.

But, unless Turkish terrorism increases, I should prefer not to proscribe the TMT for the time being. If we do so now, I imagine that there will be a strong adverse reaction in Turkey [...]".[67]

The British authorities could not proceed and proscribe TMT as they themselves admit they ought to have done, simply because they had already used the Turkish minority against the Greek Cypriot majority and had in hand advanced partition plans in favour of Turkey.

"Shooting of Turks in Nicosia Municipal Market: It

67. Governor Sir Hugh Foot to the Secretary of State for the Colonies 29 May 1958, Foreign office Document FO 371/136280.

has not been possible to make any arrests, but all available evidence supports the conclusion that the shooting was carried out by Turks. Of those injured, one is dangerously ill and one seriously ill. Both of these were wanted by the police for ordinary crimes. It is reported that they may have been collecting money ostensibly for TMT which went into their own pockets".[68]

"According to Turkish official communiqué of 16th June, on 1st June EOKA threatened to massacre Turkish Cypriots. There is no evidence or information whatsoever in the possession of the Cyprus Government to substantiate this suggestion.

There is, as you know, strong circumstantial evidence to show that the disturbances which broke out on the night of the 7th June had been pre-arranged by Turks. In the disturbances, which continued for the next few days, two Turkish and twelve Greek Cypriots lost their lives."[69]

"The following information is given in amplification of my last telegram:

1) No Turkish houses were set on fire in Famagusta or Paphos and no Turkish shops were looted in Famagusta as alleged.

2) Allegation that 6 Turks were killed by EOKA in ambushes, is also untrue. Only recent incidents involving Turkish casualties were:

---

68. Governor Sir Hugh Foot to the Secretary of State for the Colonies 1 October 1958, Foreign Office Document FO 371/136286.

69. Governor Sir Hugh Foot to the Secretary of State for the Colonies 22 June 1958, Foreign Office Document FO 371/136337.

i. On 29th June, at Timi in Paphos district, a Turkish Cypriot was attacked and slightly injured by Greek Cypriots, following rumours that Turkish Cypriots were attacking the village.

ii. On 30th June, by roadside near Arminou in Paphos district, a Turkish Cypriot butcher was found shot dead. He had been robbed. Following the discovery of his body, there was an intercommunal clash in which one Greek Cypriot was killed and another serious injured.

3) TMT has issued a leaflet, warning the Turkish Cypriots 'not to co-operate with the British plan' [...]".[70]

"Turkish Cypriot attacks on Greek Cypriots: Following are principal incidents involving attacks on Greek Cypriots or their property between July 13 and July 17:

- July 13th: Two Greek Cypriots were wounded in Kaimakli. One Turkish Cypriot was arrested.
- July 13th: Turkish Cypriots stoned Greek Cypriots at Lefka. Two Greek Cypriots were injured.
- July 14th: Cases of arson against Greek Cypriot property in Nicosia, Famagusta, Limassol and Lefka.
- July 15th: Two cases of arson against Greek Cypriot property in Nicosia, two in Paphos district, one in

70. Governor Sir Hugh Foot to the Secretary of State for the Colonies 5 July 1958, Foreign Office Document FO 371/136338.

Limassol and one in Famagusta district.

- July 16th: Greek Cypriot woman was stabbed by 3 youths in Famagusta. One Turkish Cypriot was arrested.
- July 13th: Case of attempted arson at Limassol. Two Turkish Cypriots were arrested."[71]

"Turkish hooligans have been increasingly active over the past week or two and, on Saturday last, they organised demonstrations during which demonstrators tore down English signs. This, following on the TMT murders of left wing Turks and the increase of TMT leaflets in the most violent terms, seems to show that the Turks are prepared for further violence and this may occur before the statement of policy is made in Parliament.

On the 12th June we shall be holding a parade on the occasion of the Queen's birthday. This parade (which has taken place year by year even in the worst times of the emergency) is traditionally held in the moat. The moat adjoins the Turkish quarter of Nicosia and is the place where Turkish demonstrations normally take place. Kutchuk recently renamed the moat Taksim Square[72]. We think it possible that some attempts may be made by Turks to interfere with the parade by creating some sort of demonstration, but I consider and General Kendrew agrees with me, that there should be no question of cancelling the parade [...]".[73]

71. Foreign Office to British Embassy in Ankara 18 July 1958, Ministry of Defence Document DEFE 11/266.

72. "Taksim" in Turkish means "Partition".

73. Governor Sir Hugh Foot to the Secretary of State for the Colonies 4 June 1958, Foreign Office Document FO 371/136280.

"[...] TMT has murdered two more left wing Turks. Furthermore, it is now clear that this organisation has been involved in the serious inter-communal violence of the last few days, resulting in the murder of at least five Greeks and two Turks (many more have been seriously injured) and serious damage to Greek property, mostly by arson.

I believe that the time has come when, judged from the point of view of our local situation, this terrorist organisation should be proscribed and a number of its most violent members should be detained [...]."[74]

B25: TMT 10.000 arms – EOKA 663 arms

Between the signing of the London and Zurich Agreements (19 February 1959) and the establishment of the Republic of Cyprus (16 August 1960), the armed anti-colonial movement EOKA was dissolved. It had to further surrender its arms to the authorities. Meanwhile, the Turkish TMT continued to exist, upgrading its forces, arms, training and structure.

It is of vital importance to take note of the weapons each side had:

From studies held, it emerges that the weapons held by EOKA, just before its liquidation in 1959, did not exceed 663 in total (revolvers, pistols, automatics and rifles).[75]

74. Governor Sir Hugh Foot to the Secretary of State for the Colonies 12.6.1958, Foreign Office Document FO 371/136280.

75. "Memoirs" and "EOKA Struggle and Guerrilla War" by George Grivas-Dhigenis (Retired Lieutenant-Colonel and Leader of EOKA). Also "50 Years of Silence" by Andreas Azinas (responsible for the secret arm shipments to EOKA from Athens).

In the same year (up to June 1959) TMT had at its disposal 6.000 weapons, which by September 1960 reached 10.000, including machine-guns, mortars and anti-tank weapons.

B26: 27 May 1960 – Coup in Turkey

During the same period the first military coup took place in Turkey, which toppled the Adnan Menderes government of the Democratic Party.

The trial that followed took nine months to deliver, Prime Minister Menderes was finally hanged. On 16 September 1961 the Foreign Minister Fatin Rustu Zorlu and the Finance Minister Hasan Polatkan. Zemal Bayar, President of Turkey (1950-1960), were also sentenced to death, but the latter's sentence was commuted to life imprisonment due to old age.

In the early morning of 27 May 1960 a bloodless coup was orchestrated by 38 junta Generals and other officers, who acted without the consent of the Chief of Staff of the Turkish Armed Forces. General Rustu Erntelhoon.

Later that morning through a Radio broadcast, Colonel Alpaslan Turkes announced the overthrow of the government. The junta was led by ex Chief of General Staff General Kemal Gursel, who took over as Chief of State, heading the "Revolutionary Committee for National Unity" as the government.

The junta immediately retired 235 out of 260 lieutenant-generals, major-generals and brigadier-generals and almost 5.000 colonels and majors who were judged as being of doubtful devotion. It drafted a new constitution and established for the first time the National Security Council (so to secure the continued control of governments by the Armed Forces) and planned elections for 15 October 1961.

On 20 November 1961, the retired General Ismet Inonou[76] took over as Prime Minister of Turkey. General Gursel became President of Turkey and Zevtet Sunai[77] took over as Chief of the Armed Forces.

During the trials against the Menderes regime, the junta also included the pogrom against the Greeks of Constantinople of 6th and 7th September 1955. It took place "because of the Cyprus problem", the trials made no mention of the "national-non-party" constructive policy of the Menderes government followed in Cyprus. This policy was to see the Turks return to Cyprus legally for the first time since 1878. A return, strengthened by the official presence of the Turkish Armed Forces (650 men) through TOURDIK (Turkish Forces in Cyprus), as well as the rights to guarantee and intervene in the newly formed Republic of Cyprus.

The head of the junta in Turkey was swiftly informed of the achievements of the "Special War Office", of the "Headquarters for Plans to Repossess Cyprus" and the level of structure and power that TMT had acquired, as a secret branch of the Turkish Armed Forces in Cyprus.

Colonel Turkes and the new regime of Gursel rushed to "warmly embrace" TMT. This is what Major Ismail Tansu (the "brain" of TMT in Ankara) narrates:

> "The coup took place on 27 May 1960. At the time we were carrying on our mission in implementing the

76. Ismet Inonu was Kemal Ataturk's successor to the presidency of Turkey (1938-1950), as well as his successor to the presidency of the Republican Social Party.

77. Sunai later succeeded Gurel in the presidency of Turkey (1966-1973).

plans we had prepared, and we had indeed made a lot. TMT had been created, we had trained approximately 5.000 fighters and the organisation had a good number of weapons.

[...] Our government was using behind the scenes, as a diplomatic leverage, the power we had created against EOKA, and secured the Zurich and London Agreements. As from now on Turkey, as a guarantor power, could send to the island Armed Forces. Nonetheless, the mission of the TMT headquarters in Ankara was not terminated. We would do all we could to make TMT even more powerful.

However, the coup of 27th May hit also our composition. Those in charge of the coup learnt that General Karaberlen and his subordinates belonged to the Democratic Party, and even labeled us as 'the Menderes Gestapo'. They had planned to arrest all officers in our department. I was informed of all these nonsense on the very first day of the coup.

I approached four of my colleagues, who were members of the revolutionary committee. I spoke with lieutenant-colonel Osman Koksal, who was commanding the presidential guards, and with lieutenant-colonel Alpaslan Turkes, who was the Presidential Undersecretary of the Government. I explained to them that the mission of our office was exclusively for Cyprus. Both of them said to me: 'We thank you, we would have done a grave mistake'. Indeed Turkes, who was of Cypriot decent, also told me: 'Whatever you need for Cyprus let me know, and it will be arranged immediately'. Following this, I submitted to him our requirements and he gave immediately the necessary orders.

Not withstanding this communication, I failed to stop the transfer of the head of our department Major Danis Karabelen. He was brother to Daniel Akbel, a Democratic Party Member of Parliament. His transfer annoyed me. We still had a great deal to do. We intended to increase the number of fighters from 5.000 to 10.000. In Mersina and Anemouri we had our warehouses for hiding the weapons and ammunition. Lieutenant-colonel Farouk Atesntagli became the new head of our department. He was a member of the revolutionary group. We informed him of everything already done being planned. He told me to carry on with my mission as before".[78]

B27: 1959-1963 – Post Zurich TMT

Given the Turkish expansionist ambitions over Cyprus and strategic control of the island, the British threat for imposing partition[79] and the compliance of Athens, the leader of the Cypriot liberation struggle Archbishop Makarios was dragged into signing on 19 February 1959 the Zurich and London Agreements, thus accepting the birth of a still-born state, under a triple sub-sovereignty-guardianship of three "guarantor powers", Britain, Turkey and Greece.

The un-workability and the collapse of the new state were, indeed, secured by the Constitution itself.

The Turkish-Cypriot leadership, an organ of TMT and the

78. Spyros Athanassiades "Files TMT" – 1998 (source the Turkish-Cypriot newspaper "Halkin Sesi", May and June 1997). Ismail Tansu "IN REALITY NO ONE WAS ASLEEP, a secret underground organization, with State support... TMT" 2007.

79. Macmillan Plan 1958.

Special War Office of the Turkish General Staff, under the "double military guarantee" of Ankara on the island (TMT and Turkish Contingent) took advantage of the "co-sovereignty" privileges afforded by the Constitution and the entire Zurich and London Agreements. From the onset, steadily and persistently they started pushing the Republic of Cyprus towards paralysis and the Greek-Cypriots and Turkish-Cypriots into an armed confrontation.

This premeditated and deceitful policy of luring the state into paralysis is clearly demonstrated in the daily Press during the years 1960-1963. Fully documented are the actions and stance of the Turkish-Cypriot leadership as far as the government, the House of Representatives, the Security Forces, the Cypriot Army, the public service and the municipalities are concerned.

Such incompatible demands and objections with the functioning of the state were intentionally raised on every issue, so as to pave the way to pre-planned confrontation on a daily basis.

Furthermore, to this effect, Ankara was preserving and ever increasing the war power of TMT, after the establishment of the Republic of Cyprus. This was to implement in stages the "Plan for repossessing Cyprus-KIP 1958", on the "Nihat Erim Line - 1956".

In the face of all these political developments, which were created by the Turkish-Cypriot leadership it inevitably forced Archbishop Makarios to proceed with the policy of "revising the Zurich monstrosity". The secret Turkish Army of 10.000 TMT men were preparing the plans "for the movement of population and building of defenses around enclaves, with governmental structures, administration and command structure, and propaganda mechanisms etc".

Following the Turkish armed attacks against the Greek-Cypriots in December 1963 all the Turkish-Cypriots abandoned their government offices. In the abandoned safe of the Turkish-Cypriot Minister of Agriculture Fazil Plumer, the Cypriot authorities found two revealing documents of the Turkish-Cypriot leadership, explicit of their objectives and tactics against the Republic of Cyprus.

The first document (October-November 1960) unsigned, the second (dated 14 September 1963) signed by Fazil Kutchuk and Raouf Denktash.[80]

In the documents found in the safe of Minister Plumer,[81] the plans for the preparation of the Turkish-Cypriot attacks of 1963 are vividly revealed. Some extracts:

> "When the struggle begins, the Turkish community, which is spread all over the island, will be concentrated by force in one area, which they will be obliged to defend. The choosing of the area will be according to a strategic plan, which will be prepared by specialists. Before the beginning of the struggle, it is necessary that detailed plans are prepared, so to increase the enlisting of the Turkish community, but also with respect to arms, stocks and the supply and reinforcement missions from Turkey".

There was also a specific plan for the movement of the Turkish-Cypriot people:

> "For this purpose and for defining the areas of moving

80. Photocopies of the original of those two documents were included in Glafkos Clerides's book "My Deposition", in Stella Souliotis's book "Fettered Independence Cyprus 1878–1964" and in Ahmet An's book "Turk Mukavemet Teskilatinin".

81. See also Chapter C6.

> the Turks, the Turkish-Cypriot leadership had prepared studies and the plan had been forwarded to the Turkish Foreign Ministry".[82]

Following a "random" reference in a Police Press Release the night of 21st December 1963 (which referred to an incident that took place in an infamous street in Nicosia),[83] the Turkish Cypriots used this as a pretext to instantaneously and extensively enforce the TMT's military planning. This revealed the magnitude of the preparations in the course of the previous three years 1960-1963 from headquarter level and all the way to the most remote village.

The TMT was preparing from 1958 and achieved in 1963 armed confrontation, the securing of armed enclaves and the "Green Line" of the 2nd Partition. Furthermore, most significant was the preparation of a bridgehead for the Turkish military forces to invade the island. This was all in addition to the Turkish Contingent which she had already secured through the Zurich and London Agreements.

Moreover, the tactics used during 1960-1964 had already been tested in 1958-1959. The time had now come for them to be developed further.

The central core in both the above periods of time, that guaranteed the continuation and development of the Menderes-Zorlu policy by the Gursel regime, was the Special War Office, which had in both Turkey and Cyprus the supreme power

82. Ahmet An in "Turk Mukavemet Teskilatinin".
83. Cyprus Newspapers – Special Issue, 22.12.1963.

with respect to the Cyprus Issue.[84]

B28: 1960 – Handover from Menderes

The strict adherence to the same policy over Cyprus no matter who is in power in Turkey, has to be recognized as an "achievement over the years" of the wider Turkish national policy, right up to this day.

> "The creation of the common Turkish-Greek Republic in Cyprus did not pose an obstacle to our determination. No mater what policy over Cyprus was followed by the Republic of Turkey, our unmovable objective was to save the island of Cyprus, which we turned into a Turkish motherland, raising our flag over it for 340 years. In the event that circumstances did not favour something of the sort, at least to put the foundations for Turkish sovereignty over half of the island and secure the creation of a free and independent Turkish state on the land our Cypriot expatriates possessed".[85]

However, the "specific direction", was always decided by the Turkish General Staff and the Special War Office. Even as far as "who of the Turkish Cypriot leaders on the political wing would have had priority".

84. To understand the continuation and cohesion of Turkish policy over Cyprus, one must study in detail the main designer-carrier of the Turkish government policy, no matter who is governing the country. Carrier was the SWO and a great deal of military thinking is required, to follow and decipher the Turkish military thinking and practice, as well as to understand completely the Turkish policy, including the way of transferring that policy from the toppled government to its successors.

85. Ismail Tansu "IN REALITY NO ONE WAS ASLEEP, a secret underground organization, with State support... TMT" 2007.

B29: 1959 – Fazil Kutchuk or Rauf Denktash?

In 2002, Kemal Yamak[86] described how Fazil Kutchuk was chosen as the Turkish Vice-President of the Republic of Cyprus, the duties of Rauf Denktash and the role of SWO:

> "During the discussions on this particular subject, which used to take place in Ankara, two were the names supported. It was necessary to choose between late Dr Fazil Kutchuk and honourable Rauf Denktash. In order to put an end to the dilemma, honourable lieutenant-colonel Sunalp proposed the following, together with his reasoning:
>
> > 'Considering the future and our existing worries, we are in need of two persons. One of them will undertake the duties of our official representative, a person involved in the day-to-day affairs and looks as a man of peace, and the other will be a leader that will stay in the background as a shadow, will be more energetic, will be able to talk on behalf of the community, in times of need with be more of a fighter and will be prepared for the future. Considering also their age, and under the circumstances and in consideration of their age, honourable Fazil Kutchuk should be appointed [as Vice-President] whereas for the role

86. Lieutenant-colonel of the SWO at the Turkish enclaves under the control of TMT in Cyprus (1966-1968) and later, as brigadier-general, he took over as head of the SWO. He returned as lieutenant-general taking over as commander of the Turkish occupation forces in occupied Cyprus (the 11th Turkish Force). Later he took over as commander of the 4th "Aegean Force" and later, as general, was appointed Chief of the Turkish land forces. In 1959, as serving officer under lieutenant-colonel Turgut Sunalp, participated in the Turkish representation that negotiated in Athens the details of the establishment of the Greek and Turkish contingents in Cyprus (as provided by the Zurich and London agreements of 19 February 1959).

> of future leader we should choose honourable R. Denktash'.

His proposal was accepted. That is what happened. Thereafter and for many years, we would follow that well aimed decision and allocation of duties".[87]

Kemal Yalmak also mentions that lieutenant-colonel Turgut Sunalp was head of management of the Planning and Operations Office and the Operations Headquarters of the Turkish Chief of Staff. His proposal for "double leadership" followed his return from Athens, where he had gone in October 1959 for the negotiations in establishing the Greek and Turkish Contingents in Cyprus.

Apart from Kemal Yalmak, among the Turkish representation of Athens were the diplomat Adnan Bulak (representing the Turkish Foreign Ministry) and Rauf Denktash on behalf of the Turkish-Cypriots.

B30: 1958 – Turks "migrate" to the North

10 February 1958:

"I have seen Denktash and told him my plan to visit Athens [...] Denktash, who toured Turkish villages in Larnaca District yesterday with Kutchuk, reports that Kutchuk's line in village meetings has been as follows: 'We may not get partition immediately. The road to it may be hard, but I have the assurance of the Turkish

87. Kemal Yamak (retired General) "Traces that stayed in the shadow and us who turned into shadows" – 2006.

Government that we shall get it eventually' […]".[88]

<u>21 June 1958:</u>

"It will not be possible fully to assess the extent and permanency of the migration, which has followed the recent intercommunal disorders, for some time. Nevertheless, the following information has been compiled from the reports of the district administrative and welfare staff [...] I am satisfied that they give a reasonable accurate picture of the situation.

- In the walled city of Nicosia, it is estimated that 90 Turkish and 120 Greek families have been involved in the migration.
- 30 Turkish families and 20 Greek families are thought to have moved within the suburban areas.
- Approximately 20 Armenian families appear to have left the Turkish quarter of the old city.
- In Lefka and the nearby Turkish villages of Ambelikou and Mesena, 138 Greek families are known to have moved mainly to the Morphou area.
- 20 Turkish families are believed to have left Morphou and the villages of Phlassou, Xeros and Petra.
- 6 Turkish families have moved from Ayios Epiktitos to Kazaphani (Kyrenia).
- 6 Turkish families have moved from Dhyo Potami (near Kondemenos).

88. Governor Sir Hugh Foot to the Secretary of State for the Colonies, Foreign Office Document FO 371/136279.

- Movement in other parts of the Nicosia district has been negligible.
- In Famagusta/Varosha, about 100 families are so far estimated to have been involved, in movement into and out of the old city.
- In Ktima 20-25 Turkish families and 50 Greek families have been involved.
- In Limassol 21 Turkish families and 5 Greek families have moved [...].
- Similarly movement in Larnaca [...].

In Lefka and Nicosia, in particular, temporary arrangements have been necessary. Turkish families in Lefka have been billeted in schools [...]".[89]

28 July 1958:

"[...] Today we had news that Turkish villagers from two villages in the Paphos district were to be moved to villages in the Nicosia district. A large number of buses and lorries were to be employed for this purpose, and the arrangements were being undertaken by Turkish leaders. The intention was to house the migrating villagers in tents, which have been sent by the Turkish Red Cross.

Information was also received that plans were being made to move Turkish villagers from other villages, in the Paphos and Limassol districts, to the Nicosia and Famagusta districts.

89. Governor Sir Hugh Foot to the Secretary of State for the Colonies, Foreign Office Document FO 371/136337.

If such large-scale migration started, it would probably be impossible to stop it, and villagers having left their homes and their fields and trees would soon become destitute.

I saw Kutchuk and Denktash this morning with the Deputy Governor [...] We urged them to do everything they could to stop panic and stop the migration [...] I got the impression that they wish to co-operate to the full with the Government, in checking of any further Turkish violence and in providing the fullest protection for Turkish communities, particularly in rural areas, but we cannot exclude the possibility that, while pretending to co-operate, they are in fact working to a plan to force partition.

I took the opportunity of telling Kutchuk of the great harm done by his statements, repeated in this morning's local Press, calling for the intervention of Turkish troops".[90]

B31: Turkey finances the "migration"

7 August 1958:

"[...] It appears that the moves are being financed by the Turkish Government by the Federation of Cyprus Turkish Associations and by EVCAF [...] Recently two Turkish caiques brought foodstuffs and tents from Turkey to Cyprus. The Federation is in charge of supplying transport for the removals, and Kutchuk and Denktash admitted this in discussions with

90. Governor Sir Hugh Foot to the Secretary of State for the Colonies, Foreign Office Document FO 371/136281.

Government representatives [...] In the long run, they may have their eyes on the fertile Kythrea group of villages to the north which are inhabited by Greeks [...] One hundred and fifty villagers have moved into the Tahtakala quarter inside the walled city of Nicosia. This quarter constitutes a Turkish salient on the Greek side of the Mason-Dixon Line[91]. The villagers have been accommodated [...] by moving into vacated Greek houses. There seems to have been a deliberate intention to pack this quarter with Turks, so as to make sure that, in any readjustment of the Mason-Dixon Line (which is now under examination) this quarter should remain incontrovertibly Turkish [...]".[92]

2 September 1958:

"There are indications that families, which have left their villages, are now beginning to feel the strain of living as strangers in their new homes, and in very uncomfortable conditions [...] Families which had moved now wish to return and ask Government for assistance in transport [...] Other families would now be willing to return but are apprehensive of the welcome they would receive [...]".[93]

1 September 1958:

"[...] Whether or not the Turkish Government have lately been specifically encouraging this idea of

91. The "Mason-Dixon Line" was the initial "partition line" imposed in Nicosia by the colonial power in 1958, drawn by British General Peter Young in December 1963, and so called "Green Line" since then. See also Chapter B21.

92. Governor Sir Hugh Foot to the Secretary of State for the Colonies, Foreign Office Document FO 371/136281.

93. Governor Sir Hugh Foot to the Secretary of State for the Colonies, Colonial Office Document CO 926/848.

migration, it seems to be a logical outcome of the extremely hard-headed and ruthless tactics, which they have followed in support of an all-out policy of partition, since the announcement in May last of Her Majesty's Government's intention to produce a new plan for Cyprus. These tactics have been, as you know, by whipping up the Turkish Cypriot community, to create a situation between them and the Greek Cypriots of which the only possible solution would be partition [...]".[94]

B32: "Separate self determination only when both communities agree to it"

On the 12 December 1958, Rauf Denktash and Fazil Kutchuk had a meeting in London with the British Foreign Secretary, at which:

> Denktash asked for assurances that there was no substance to the rumours, that the British Government would change its plan and would introduce a solution with one Parliament.
>
> The Secretary said that "there was no change to the 7-year plan", unless that was agreed by the Greeks and the Turks under British management! That was the "Macmillan tridominium plan".[95]
>
> Denktash expressed his fears for the internal security

94. British Ambassador in Ankara to Foreign Office, Colonial Office Document CO 926/848.

95. That plan was the so called "partnership plan between Turks and Greeks", which materialised in 2004 under the form of "two constituent states", as envisaged by the "Annan Plan", which was rejected by the 76% of the Greek Cypriots at Referendum on 24 April 2004.

during those 7 years, and asked for arrangements to arm some Turks for the protection of villages. The Secretary said he would inform the Governor.

Denktash also said that 33 Turkish villages had been abandoned and their inhabitants faced economic hardship, asked for a separate hospital (as they did not trust the Greek Cypriots) and told the Secretary that the Turkish Cypriots would not like it if partition was excluded and that "it would result in bloodshed".

The Foreign Secretary REPEATED their "partition statement of 19 December 1956" for separate self-determination", but that "this will only happen, when both communities agree to it, although it would be a sad day if partition ever became reality [...]".[96 97]

So, having first uprooted all those Turkish Cypriots from their villages in the southern parts of Cyprus and moved them by force to the northern parts of the island (which the Turks had in mind to eventually turn into the "Turkish constituent state"), Rauf Denktash claimed (and the Foreign Secretary accepted) that these people (33 Turkish villages) had "abandoned" their villages, indirectly blaming the Greek Cypriots.

The British, however, abandoned their "7-year Macmillan Plan"[98], after the U.S. State Department rejected their partition plans and favoured a unitary independent state, and cleverly manoeuvred the situation:

In February 1959, the British had solution agreements signed

96. Colonial Office Document CO 926/1119.

97. Half a century after, that promise re-surfaced in the form of the "Annan Plan" and the two separate Referendums.

98. Originally "Sir Hugh Foot Plan" of January 1958.

by Greece and Turkey in Zurich, with all the provisions being of their own secret preparation; providing for the creation of a unitary state, the Republic of Cyprus, albeit a dubious "Treaty of Guarantee" (the Guarantors being Great Britain, Turkey and Greece) and an unworkable Constitution.

Coincidently, in due time, the circumstances would be created for the implementation of their "19 of December 1956 promise to the Turkish Cypriot minority of 18%", namely the deconstruction of the Republic of Cyprus and the creation of two separate and politically equal entities.[99]

B33: Left wing Turkish Cypriots and the 27 May 1960 Junta

By 1960, the number of democratic Turkish-Cypriots of the left, who refused to bow to Kutchuk-Denktash-TMT, had decreased significantly. Amongst the most known of them who were regarded as "fascist dictators of the Turkish-Cypriot community" and who were most actively opposing the regime were, Dr. Ihsan Ali, lawyers Aihan Hikmet and Ahmet Muzafer Gurkan and Trade Unionist Ali Dervis Kavazoglou.

On 9 June 1960, Ihsan Ali announced his decision to establish a political party to promote friendship and cooperation between the two communities, as well as for the Turkish Cypriot affairs to become healthy, by safeguarding the freedom of thinking and speech for the Turkish-Cypriots, who were deprived of these by Kutchuk and Denktash.[100]

99. This was attempted in 2004 with the "Annan Plan", the partitioning provisions of which had been worked out by Sir David Haney.
100. Press Conference, "Hotel Ledra Palace", Nicosia 9th June 1960.

On 11 June 1960, Ihsan Ali visited Ankara accompanied by five of his associates, to report to the new Turkish government of the "Committee of National Security" (that followed the 27 May 1960 coup) and to Ismet Inonu (president of the Kemalist Republican Socialist Party), the "dictatorial pro-Menderes policy of Denktash and Kutchuk". In Ankara, Ihsan Ali was offered the use Inonu's personal car and he also met with the junta's leader General Gursel.

Within the month, Ihsan Ali announced his decision to publish the new weekly newspaper "Tzumhouriet" and his party's "Turkish Socialist Party" decision to participate in the parliamentary elections with three candidates, himself, Gurkan and Hikmet.

"Tzumhouriet" in its leading articles supported the peaceful co-existence of Greeks and Turks and condemned the September 1955 pogrom against the Greeks of Constantinople. Furthermore, Ihsan Ali himself published the demand for an investigation, so that those responsible for the bombing of the Press Office at the Turkish Consul in Nicosia on 7 June 1958 to be found.

In October 1960, whilst the trial against Menderes was going on in Turkey, Turkish-Cypriot "Tzumhouriet" published articles revealing that the Turkish-Cypriot leadership of Kutchuk and Denktash were paying propagandists to swear against the Committee of National Unity in Turkey. During the Yiashi-Anta trial Menderes was accused for being responsible for the anti-Greek events of 6-7 September:

> "Those Don-Kihots who governed our community with truncheons and rifles, following the 27th May military revolution retreated like snails into their shells. But now, that their friends Menderes and Zorlu are being

> tried as responsible for the 6-7 September events, they came out again, to insult the Committee of National Security, fearing that they will be uncovered as accomplices of Menderes and Zorlu. The Don-Kihots are afraid, because they know exactly who spread the malicious lies that a general slaughter of the Turkish-Cypriots was to take place on 28 August 1955 by the Greeks in Cyprus. A lie that shaken the Turkish public opinion and incited hatred".

On 7 November 1960, "Tzumhuriet" challenged Dr. Fazil Kutchuk to a public apology for his letter with the malicious lies of the so called "imminent slaughter of the Turkish-Cypriots on 28 August 1955", which was read during the trial of Menderes-Zorlu at the "Island of Dogs" Court.

All these evidence indicates that the few remaining left wing democrats, pro-Greek Turkish-Cypriots,[101] who were oppressed by TMT, Denktash and Kutchuk, had rested their hopes on the "democratic values" they thought the junta of 27 May 1960 and Ismet Inonu possessed. Having no idea whatsoever of the real character of TMT, as an extension of the Turkish Armed Forces in Cyprus, and that the new Turkish government had in fact taken over the same very policy, through the Special War Office and the "Nihat Erim Policy".

They had also approached Nihat Erim himself in January 1957, when he was sent to Cyprus, detailing to him their opposition against partition, the support of Greek-Turkish friendship and their anti-colonial duty.

---

101. Nihat Erim in his diary classified them as "Turkish Branch of AKEL" and published their letter in his book "The Cyprus problem as I have known it and what I have seen" – 1975. Lengthy references also in the book "The Other Side" by Neoklis Sarris.

B34: 1962 – Ambassador Dirvana

The hopes of Ihsan Ali, Hikmet, Gurkan and others were revived by the first Turkish Ambassador in Cyprus, Mehmet Emin Dirvana,[102] with whom they had contacts.

Later, it became obvious that Dirvana was not included in the "SWO and TMT game", being aware only of the Turkish government's camouflaged, official policy aimed for the outside world.

Dirvana challenged Denktash, on 26 September 1962 he was forced to resign his position and left Cyprus. Three years later, he personally attacked Denktash particularly with respect to the 7th June 1958 bomb, stating that "the bomb incited the Turkish-Cypriots to overwhelm with rage and indignation and to act similar to the 6th and 7th September 1955 in Constantinople".[103]

B35: Kavazoglou and 27 May 1960

The following extract from a speech delivered by Dervis Ali Kavazoglou[104] demonstrates clearly how, the ignorant the Turkish-Cypriot left wing democrats were oppressed by TMT and Denktash. They held false hopes and wishful thinking as to the nature and character of the 27 May 1960 coup, the Committee of National Security of General Gursel and Inonu's government:

> "[...] Denktash and the likes of him, in order to satisfy their own political ambitions and to offer significant services

102. Retired officer of Cypriot origin.
103. Dirvana's article in newspaper "MILLIET", 15 May 1965.
104. Left wing Trade Unionist, member of AKEL.

> to their masters-colonialists, lied to the people and with demagogue for 'mass slaughter' and taking advantage of the pure sentiments of the people, uprooted from their homes, from their villages, from their homeland, 30 thousand of our brothers and they damned them in these unbearable conditions [enclaves]. My brothers, I regard it as my national duty and patriotic debt to address in your presence, the democratically thinking and progressive people, learned people, the vigorous forces of motherland. Honourable children of Turkey, our Kemalist brothers, progressive people, children of the 27th MAY, democratically thinking individuals, the thoughtless policy of Denktash and the likes of him [...] have led the Turkish-Cypriots to a terrible catastrophe. This man, together with the likes of him in Turkey, tries to set traps to the vigorous forces and to create problems for the Inonu government [...]".[105]

The speech was delivered at Dali village, just before Kavazoglou was murdered by TMT on 11 April 1965.

Prior to Kavazoglou's murder, TMT had murdered Aihan Hikmet and Ahmet Muzafer Gurkan (23 April 1962).

Ihsan Ali escaped, took protection in the Greek areas and took up duties as Adviser to President Makarios.

It is evident, that the oppressed by TMT Turkish-Cypriots had not realized that the "brothers of 27 May", the "Kemalist brothers" and the Inonu government had carried on the Menderes policy and continued on that same policy. They failed to understand that the real and superior power over

105. The text of his speech was saved thanks to Kavazoglou's friend, Christakis Vanezos, and is included in the book-in memory of Kavazoglou which he published in 2008.

the Turkish-Cypriot minority was indeed TMT. TMT was commissioned and mandated by the Turkish Armed Forces, under the direct orders of the Special War Office, and they missed to understand that Kutchuk and Denktash were designated officials, in charge of the political wing of TMT.

B36: 1962 – Bairaktari Bombing and the killing of Turkish Cypriot Journalists

TMT's planned escalation of the tension in 1962, needed an easy and tested method, in order to provoke once again the hatred and fear of Turks against the Greeks:

On 25 March 1962, the day the Greeks of Cyprus celebrate their national anniversary of the Greek Revolution of 1821 against four hundred years of Ottoman occupation, TMT bombs blew up the two Moslem mosques in Nicosia, Omerie and Bairaktari.

On 23 April 1962, the anti-Denktash journalists Aihan Hikmet and Ahmet Muzafer Gurkan published in their Turkish-Cypriot newspaper "Tzumhuriet" that the bombing of the mosques was undertaken by those criminal elements within the Turkish community, who were preparing new bi-communal confrontations. They also warned that in their next edition they would name those responsible.

They were both murdered the very same evening (23 April 1962).

Aihan Mustafa Hikmet was murdered whilst sleeping in his own bed (asleep in the bed next to him was his wife and two under-aged children) and Ahmet Muzafer Gurkan on the doorstep of his house just as he was coming out of his car.

The murder was the work of TMT. This is what Aziz and Seferoglou wrote:

> "By murdering Hikmet and Gurkan 'Tzumhuriet' was silenced as well, because nobody from their associates dared risk his life in order to continue its publication. There was no security whatsoever for the successors of the journalists. The murderous hand of the fascist clique of Denktash was ready to act against anybody who dared lift his head".

On 13 April 1965, two days after the murder of Dervis Ali Kavazoglou, Dr Ihsan Ali in a message to the Greeks and Turks of Cyprus said:

> "We all know very well, the circumstances under which the Turkish leadership gained power in 1960 [Fazil Kutchuk and Rauf Denktash]. They gained that power through terrorism therefore they do not lawfully represent the Turkish community. There is no doubt that both the Turkish government and the Press are well aware of these facts, and I wonder how they can be misled by these people. They also know that it is the Turkish-Cypriot leadership that murdered Hikmet and Gurkan because they followed a peaceful policy for co-existence between the two communities. Now they repeated the same brutal crime murdering the Turkish Trade Unionist leader Kavazoglou for exactly the same reason. One wonders how the Press and the Turkish government can support such murderers [...]".

On 12 May 1965, in another message to the Turkish-Cypriot community in England, Dr. Ihsan Ali referred to "paid organs of chief-terrorist Denktash", adding:

> "The Turkish-Cypriot leadership, which as you know has been imposed on us by the colonial power, has spread terrorism all over the community and has imposed a state of police regime, under which nobody can express free speech or criticize its mistakes. Anyone expressing an opinion or criticizes, is either subjected to thrashing or is executed. As a result of this inhuman treatment, our co-patriots have been turned into robots in the hands of their leaders and many have been forced to abandon Cyprus, as many of you have done, to save themselves from terrorism. Those few left to dare cry out their opinion have been murdered, just like Aihan Hikmet and Muzafer Gurkan in 1962. Recently, we have witnessed another brutal murder, that of Kavazoglou, who was murdered simply because he dared criticize the Turkish-Cypriot leadership, which through violence forced a large number of our co-patriots to abandon their homes and properties and because he preached peaceful co-existence between the two communities".

Aziz and Seferoglou wrote:

> "Kavazoglou's articles, his journalistic interviews to foreign and local Press, his speeches from Radio broadcasts, his television appearances, were all a daily accusation, an open relentless accusation of the terrorist, fascist methods of the sold to imperialism Turkish-Cypriot leadership. In parallel however his messages were of hope, of esteem and courage for the suffering masses of Turkish-Cypriot workers who suffer under the imposition of terrorism [...]".

As Aziz and Seferoglou reported in their publication, Kavazoglou wrote the following in his own speeches:

> "The imperialists, in order to promote their disgusting objectives, created the myth and the lie that it is impossible for the two communities to live in peace in Cyprus. And, with the assistance of their agents, they uprooted almost 20 thousand Turks and fenced them in places that do not differ from concentration camps. Today, thousands of Turks live like nomads in tents in the country side, away from their homes, their villages, their fields, their peaceful working places. Elementary and Secondary schools are closed and thousands of children are deprived of their education. A handful of fascists, assisted by the imperialists and using weapons and fascist methods, took over the Turkish-Cypriot leadership. These are the people responsible for the suffering of the Turkish-Cypriot people. This fascistic group does not allow the Turkish people to express their real sentiments and thoughts, which are against imperialism. It is not an exaggeration to compare these concentration camps for the Turkish-Cypriots with those of Hitler, Bouchenwald and other. In the darkness of the night they shoot and murder democratic journalists and progressive personalities of our community. They arrest, kidnap and imprison all that dare to speak freely and express their opinion. They subject them to torture, employing instruments of the Middle Ages invented by Hitler [...]".

Kavazoglou, Ihsan Ali, Aziz and Seferoglou began their denunciations two years after the beginning of the 1963-64 armed Turkish attacks (against the Greeks) and the enforcement of TMT's pre-planned scheme (as described in the documents discovered in "Plumer's safe") of moving by armed force the Turkish-Cypriots into the enclaves under the armed control of TMT itself.

Chapter C: 1963 – July 1974

C1: 1963 – Turkish Rebellion

The Turkish government and the Turkish-Cypriot leadership, under the supervision of the Council of National Security of the Turkish Generals, were enforcing in stages the military "Plan for the repossession of Cyprus".

The spear and shield of Turkish superiority in Cyprus was the secret army of TMT, which up and until 1960 had already been armed (as proudly admitted by TMT leaders in Ankara) with 10.000 weapons. Included in this build-up were a number of "undercover" career Turkish officers from Turkey, as well as 650 officers and soldiers of TOURDIK, as provided by the Zurich and London Agreements.

Together they were to prepare for the military, political, material, psychological and with the use of propaganda 1963 Turkish attacks.

The war capabilities they had built up in Cyprus were demonstrated during the confrontation that followed on 21 December 1963.

Although the Greek Cypriots constituted an 82% majority and were economically by far more powerful than the Turkish Cypriots they failed to acquire an equivalent, adequately armed and trained, war capability by December 1963. The Greek-Cypriots were mainly armed with hunting rifles and were mobilized by the "Akritas Organization", the "Lyssarides group", the "Sampson group" and others. Nevertheless, the Greek-Cypriots were unable to stop the Turkish attacks and overturn the armed enclaves of TMT on the soil of the

Republic of Cyprus. This was prior to the British intervention as "peacemakers" that cemented the de facto status of partition.

TMT ordered and, by the use of force, imposed a huge Turkish-Cypriot population movement away from their homes and villages of permanent residence, enforcing them to live en mass in misery, in fortified military enclaves.

C2: 1964 – Turkish response to the Turkish Propaganda

The major defensive of Turkish propaganda was the forceful movement of the Turkish-Cypriots as far as they were concerned this was necessary so as "to protect them from the extermination and slaughter that Makarios and the Greek-Cypriots were preparing against them".

The Turkish propaganda was convincingly opposed by the (Turkish) responses of Dervis Ali Kavazoglou (later murdered), of Dr. Ihsan Ali, of Ibrahim Hasan Aziz and of Nuretin Mehmet Seferoglou.

On 5 November 1964, Dr. Ihsan Ali sent a lengthy letter to the Finish commander of the United Nations peace Force in Cyprus (UNFICYP) General Timayia:

> "Your Excellency,
>
> With this letter I wish, first of all, to appeal to your human feelings, which I hope will lead you to take more drastic actions in saving the Turkish community from the Turkish terrorists.
>
> I felt the obligation to write this letter, not to express any political comments, but because day in day out

my heart is torn to pieces from the tortures the Turkish terrorists inflict on the Turkish community.

It is indeed very saddening, at times when man aims to conquer space, to watch the Turkish community being tortured, needlessly and for no reason whatsoever, by the Turkish terrorists.

I would like to bring to your attention the following facts:

(a) Many Turks, who have returned to their homes, are being threatened by the terrorists, so to be forced to abandon their homes and properties and return to the terrible tents they had been driven before.

(b) The Turkish terrorists, the Turkish government and some irresponsible newspapers claim from one hand that the Turks have been isolated and are deprived of basic food and from the other the Turkish terrorists do not allow the Turks to buy anything from their Greek co-patriots or to have any dealings with them.

Although the terrorists themselves trade with the Greeks, they do not permit the people to do the same. Two are the reasons: First, because they wrongly believe that, by stopping trade and contact with the Greeks, they will give the impression to the outside world that the two communities cannot live together and second, to take advantage of the situation, by trading themselves with the Greeks and then sell back to their community at exceptionally high prices.

With what principles and ethics do these actions conform? Only if did not have human feelings, just like the terrorists, I would not feel sorry for my Turkish co-patriots, who visit me daily to complain with tears in their eyes.

In my opinion, it is the duty of the Cypriot government to save these innocent and suppressed people from the teeth of the terrorists. The "green line" however, created by the colonialists in furtherance of their dark aims, does not allow the government to do just that. Nobody doubts that it is very easy for the Cypriot government to save the suppressed Turks from the terrorists. But if the government decides to exterminate terrorism and save the Turks, the colonialists and their collaborators, who support the continuation of the anomaly in the land, will use their distorted propaganda to give the international public opinion and especially the Turkish government, which they always mislead, the false impression that the Cypriot government follows an aggressive policy.

Your Excellency, it is for all the above reasons that I regarded it as my duty to appeal to your human feelings. If I tell you that, just in my area, thousands of Turks are suffering in the hands of the terrorists, I believe you should regard it as your determined duty to bring these facts to the attention of the United Nations and the Turkish government.

In view of these undisputable facts, I believe it is your Excellency's duty to try and convince the Turkish government that the Turkish population is suffering from the actions of the Turkish terrorists and not from their Greek co-patriots.

Civilization and humanity demand that all those who are interested in the Cyprus problem, including the Turkish government, leave aside their political machinations and follow a realistic policy and save the Turkish community from this deplorable situation [...]".[106]

106. Memoirs of Ihsan Ali, page 119.

Dr. Ihsan Ali had sent a number of similar lengthy letters to the Secretary General of the United National U Thant (16 February 1965, 18 August 1965, 15 September 1965), as well as to the Turkish Prime Minister Suat Urkuplu (24 October 1965).

On 8 December 1965, Ihsan Ali cabled to the UN Secretary General the following message:[107]

> "Undoubtedly, the Turks of Cyprus are in danger from the Turkish terrorists and not the Greeks as claimed by the Turkish representative at the United Nations. All Turks, except of the terrorists, long for a peaceful co-existence with the Greeks and are anxious to hear that the United Nations support Plaza's report and that they condemn every foreign intervention. Kindly circulate this message."[108]

C3: 1965 – Ihsan Ali and "genocide"

During a Radio interview, Ihsan Ali said:[109]

> "I will repeat what I said in the past. The Turkish community is a victim of treason by the Turkish government. The Turkish-Cypriots are not victims of the Cypriot government or of the Greek-Cypriots. Everybody should know that partition has been the

107. Memoirs of Ihsan Ali, page 148.

108. Galo Plaza served as the Personal Representative of the Secretary General of the United Nations and as mediator in Cyprus, as from May 1964 through the end of 1965, and his mission was surprisingly successful in spite of the extremely serious difficulties he had faced. In his report, Plaza rejected the Turkish demands for a partitionist/federal solution. The Turks vehemently opposed his post and findings, and succeeded in terminating his role over Cyprus. He died on 22 January 1987 in his home country, Ecuador.

109. Cyprus Broadcasting Corporation, 28 September 1965.

desire and proposal of the colonialists, which was promoted by dark powers since 1957, when Zorlu posed the following question to the Turkish-Cypriot representatives who visited him:

> 'Don't you have some volunteers who would be ready to sacrifice their lives in confrontation with the Greek-Cypriots so that to create an anomaly and thus impose de facto partition?'

What followed that, it is well known to all. Zorlu, of course, was found a traitor and been hanged. I am sorry to say, however, that his policy over Cyprus has been adopted by all the governments that followed.

Everybody knows that last year, from Radio Ankara, chief-terrorist Denktash stated that the movement of the Turkish-Cypriots was intentional, so that partition would be achieved. Therefore, it is ridiculous to claim that the Turkish-Cypriots were not moved by the use of force.

The claim that the Turks request geographical separation because they are afraid of the Greeks, is just excuses that were promoted after the events.

Besides, it is abundantly clear that the Turks living with the Greeks are much safer than those who are enclave with their co-patriots.

If we say that those, who promote claims for a supposed threat of genocide by the Greek-Cypriots, should be at least ashamed to face public opinion, it does not serve any purpose, because these people are insensible and fraudulent, and they will never change".[110]

110. Memoirs of Ihsan Ali, page 144.

C4: Return of Propaganda as a result of the Annan Plan

During the period 2002-2004, almost forty years after the Turkish attacks against the Greek Cypriots (1963-1964) and three decades after the Turkish invasion of Cyprus (1974), an attempt was made to persuade and force the Cypriot people to accept "the solution of the Cyprus problem through the Annan Plan".[111]

The plan envisioned the deconstruction of the Republic of Cyprus for the sake of establishing a sui generis "Federal creation" no where to be found in the rest of the world, which would consist of two so called "constituent state entities". What was to be created was a Greek Cypriot entity and a Turkish Cypriot entity under the ultimate co-sovereignty of Turkey and Britain's guardianship through its British bases on the island. Furthermore, the British bases would be legalized as sovereign British territory with their own air space and sea rights.

At the same time, the Annan Plan would render legal all the violations of the basic Human Rights of the people of Cyprus. Violations such as the serious restriction of the right of the

111. The Annan Plan was the ultimate result (11 November 2002) of a "15-year negotiation period", while Presidents of the Republic of Cyprus were George Vassiliou (1988-1993) and Glafkos Clerides (1993-2003). The Plan had been driven forward by the British, approved by the Americans, endorsed by a number of political leaders in Cyprus and Greece, and signed by the UN Secretary General at the time, Koffi Annan. The Plan was finally promoted for adoption by the Greek Cypriots and the Turkish Cypriots, at two different referenda on 24 April 2004. The "Turkish Cypriot voters" (the vast majority being Turkish soldiers and illegal Settlers from Turkey) voted in favour by 64%, contrary to the Greek Cypriots, who rejected the Plan by 76%. President of the Republic of Cyprus at the time was Tassos Papadopoulos (2003-2008), who called upon the Greek Cypriots "to reject the Annan Plan". One week later (1 May 2004), the full accession of the Republic of Cyprus in the European Union was finalized, as an equal Country-member, sovereign on the entire Island of Cyprus.

refugees to return to their lawful properties in the occupied part of Cyprus, the international crime of the import of settlers, the "citizenship" to all those hundreds of thousands of illegal settlers Turkey purposely shipped to the occupied areas after the Turkish invasion of 1974, so to change the demographic character of the Republic of Cyprus, and many more.

All these provisions of the Annan Plan aimed at shrinking and, finally, eliminating the Greek presence in Cyprus in the very near future.

In the process of forcing the Greek Cypriots to accept the Annan Plan, Turkey, with the support of the British and others, exercised strenuous efforts in order to impose sentiments of guilt on the Greeks. Amongst those supposedly "in 1963-1964 the Greek Cypriots attacked and slaughtered the Turkish Cypriots, forced them to move into their enclaves, expelled them from the state and harassed them, so that the Greek Cypriots would monopolize the Republic of Cyprus». Therefore, the Turkish invasion in 1974, the decades long occupation of the 37% of the territory of the Republic of Cyprus and the uprooting of the 1/3 of the Greeks constituted a "peaceful operation, for the protection of the Turkish Cypriots" and it did not constitute an unlawful incursion.

In this extended effort of exercising psychological war against the Greeks of Cyprus, one of the central cores of the Turkish propaganda in relation to the 1963-64 events was the so called "AKRITAS Plan".

C5: 1961-1963 – "AKRITAS Organization"

Due to the particular importance of this subject, as "the major argument of the Turkish propaganda", all the facts are presented as they appear on the original evidence that document them, naming only the sources that are already public.

C5-1: Authentic Evidence[112]

From the personal archive of a leading member of the "AKRITAS Organization":

> "Leaders of the Organization were a group of EOKA area leaders and other distinguished fighters of the 1955-1959 liberation struggle, who supported the Republic of Cyprus and the then President Archbishop Makarios.
>
> Following the London and Zurich Agreements, this group of people remained in close contact and, without being "institutional" of any kind, from time to time they met together and communicated with each other.
>
> To realize their 'involvement' to the developments, one has to understand the positive climate that existed for the fighters of EOKA right after independence. Especially for the area leaders, who had great influence even outside the areas of their command, all over Cyprus.
>
> It cannot be determined how and when the name 'AKRITAS' came about, but surely several months after the creation of the organization, which originally was nameless.
>
> When 'the Plan to React and Defend in the case of a Possible Turkish attack against the Greek-Cypriots' was

112. Secret, unreleased source.

put together and to which the code name 'Akritas Plan' was given, from that point onwards the Organization was referred to as the 'AKRITAS Organization'.

Throughout the transition period, from the signing of the Agreements right up to the establishment of the Republic of Cyprus [February 1959-August 1960], there had been many and frequent, confirmed reports of continued missions of secret arm shipments to the Turkish-Cypriots from Turkey, who in the meantime had created a strong parastatal organization, with Rauf Denktash as political leader, colonel Buruskan of the Turkish army as general commander and other Turkish officers as area leaders.[113]

One of the many incidents was the capture (by the English) of the 'Deniz' ship near the shores of Karpasia, which was carrying weapons enough to supply almost five companies.[114]

That was the second ship intercepted (the first was covered up by the British). It should be noted that the British colonial government retained full control on matters of security right until August 1960.

Although the Organization was not institutionalized and, originally, all the expenses for a minimum organizational structure were met voluntarily by the members, it had a perfect information network and a good number of secret agents within the Turkish-Cypriot community.

In 1961, in the light of multiple information regarding the systematic arming of the Turkish-Cypriots for the

113. See Chapters B6-B18.
114. See Chapter B19.

purpose of creating a strong paramilitary organization composed of official Turkish military officers, leaders of the Organization (like Polykarpos Yiorkatzis, Nicos Koshis, Glafkos Clerides, Tassos Papadopoulos, Christodoulos Christodoulou and others) met President Makarios, whom they informed about the existence of the Organization and asked his consent and support, as well as financial assistance for the acquisition of arms.

At the beginning Archbishop Makarios had reservations, saying characteristically 'we have a state and I do not like parastatal Organizations'.

President Makarios really got worried, upon receiving the same confirmed information, about the arming of the Turkish-Cypriots and their organization with the active involvement of Turkey, also from Greek-Cypriot high ranging officers of the 'joint' Police, as well as from independent branches of KYP.[115]

Knowing that IT WAS IMPOSSIBLE for the official 'mixed' Police force to deal with the matter (since the Police force was equally and in every rang composed also by Turkish-Cypriots), or the 'mixed' Council of Ministers, he gave his consent for the 'preparation' and promised adequate support.[116]

The branching out of the Organization on a pancyprian scale started during 1961, with the participation of ex area-leaders and fighters of EOKA and other citizens,

115. KYP: The Government Information Service.

116. The information regarding the military arming of the Turks was also held by the Greek government of ERE (Constantinos Karamanlis), which was kept informed by the branch of the Greek Government Information Service in Cyprus.

who supported the Republic of Cyprus and Makarios, but without any overt governmental involvement.

Greek military officers of ELDIK[117] were also members of the Organization, who were serving as advisers to the area officers and the Headquarters, declaring that 'they were acting on their own free will, without the knowledge and consent of the Greek government'. [118]

For the purpose of securing arms, Polykarpos Yiorkatzis and Tassos Papadopoulos met twice with Ministers of the Greek government in Athens, who practically 'threw them out'.

Then they had unofficial contacts in Crete and Egypt. Egypt (during President Nasser's times) responded positively and shipped (with small vessels, unofficially and free of any charge) the only significant arm supplies, which however could not possibly match (so much in quantity as much as in quality) the weapons, which according to the information held by the Organization, the Turkish-Cypriots had.

In a very short period of time, the Organization branched out covering the whole of Cyprus, with District and Area officers ex EOKA fighters (and others) and with a Greek officer of ELDIK as adviser to each one of them. At the same time theoretical and practical military training begun.

The 'leader' was Polykarpos Yiorkatzis, the 'head of the Central Operations Office - 3rd Office' was the then

117. ELDIK: The Greek Contingent stationed in Cyprus, as provided by the Zurich and London Agreements.
118. The "ignorance" of Athens still remains unexplained.

President of the House of Representatives Glafkos Clerides and the person 'in charge of Organizing and Coordinating the Action Groups' was Nicos Koshis.

At that stage and in cooperation with the Greek officers of ELDIK, the 'Plan for Resistance/Defense' with the code name 'AKRITAS', which was to be known as 'AKRITAS Plan', was put together.

The objective of the Organization was: 'IN CASE OF ATTACK by the Turkish-Cypriots or of a military intervention by Turkey in Cyprus, the Organization to react for the defense of the Greek-Cypriots and the Greek-Cypriot villages that might be attacked'.

The objective was clearly DEFENSIVE. In no circumstances, the AKRITAS Plan was 'for the extermination of the Turkish-Cypriots', but only a Defense Plan, which included the neutralization of the Turkish-Cypriot enclaves in MIXED communities and Municipalities, in case of attacks against the Greek-Cypriots."

C5-2: Claire Palley[119]

In her prologue of Stella Soulioti's monograph[120] Claire Palley writes:

"Soulioti does not excuse Greek Cypriots, although explaining 'why they believe it necessary to establish unlawful paramilitary organizations to counter threats

119. Adviser to Stella Soulioti in Attorney General's office.

120. "FETTERED INDEPENDENCE Cyprus, 1878-1964" – 2006 (2 volumes, 1450 pages).

from the powerful Turkish Army-officered and armed TMT' (which had, despite the 1959 settlement continued in existence from its establishment in 1957 by Turkey in order to effect partition during the enosis independence struggle).

Soulioti successfully demonstrates that 'there was not a Government of Cyprus policy of overthrowing the Cyprus settlement and forcibly depriving Turkish Cypriots of their rights should it not prove possible to achieve alteration of the 1959 settlement by constitutional means and international pressures'.

Such an accusation is presented to this day by means of wide circulation of a document from a Greek Cypriot paramilitary organization.

That document, ironically named as "the Akritas Plan" by extremist Greek Cypriot political opponents who did want violent overthrow of the settlement, has been the major weapon in the Turkish Cypriot propaganda armory.

Soulioti's deconstruction of that document and analysis of the circumstances in which it was prepared, invalidates Turkish assertions about the existence of a scheme to override the Constitution.

In contrast, not only does she evidence deliberate sabotaging of the governmental system by the Turkish Cypriot leadership from 1960 onwards and their constant direction from Ankara, but she also establishes that 'the Turkish Cypriot leadership was by September 1963 planning to organize action effectively to partition Cyprus should the Government of Cyprus initiates a process leading to constitutional amendments'.

Turkey had similar plans which she 'retailed' to British and American diplomats: Turkish Cypriots would withdraw from all State organs; establish separatist Turkish Cypriot institutions; congregate in specific territorial areas as a preliminary to partition; Turks would be infiltrated into Cyprus; and the Turks of Cyprus would declare an independent State and ultimately arrange for its absorption in Turkey. That process commenced on 21 December 1963 [...]".

C5-3: Stella Soulioti[121]

In her monograph, with a plethora of original references, Stella Soulioti writes:[122]

"Greek Cypriot Secret Document: The 'Akritas Plan'

This document came to light when it was first published with certain omissions on 21 April 1966 in 'Patris', a Greek Cypriot pro-Grivas newspaper opposed to Makarios 'for being too moderate vis-à-vis the Turks'.[123]

Since then it has been used by the Turks and others, to support allegations that 'Makarios had from the start intended to wreck the 1960 Constitution and even

121. First Minister of Justice (1960-1970) and later Attorney General (1984-1988) of the Republic of Cyprus. As from 1964 onwards, adviser to the presidents of the Republic of Cyprus for the Cyprus problem in general and, in particular, for the efforts and negotiations towards "a federal solution that would reunite Cyprus", which had been partitioned since 1974 by the Turkish invasion.

122. Stella Soulioti «FETTERED INDEPENDENCE Cyprus, 1878-1964» – 2006, Volume One, pp 275-281.

123. Author's Personal Records.

'to knock the Turks out and realize enosis [union of Cyprus with Greece]'.[124]

The full text of the document was published in 1983 under the title 'Document of Akritas [P. Georkadjis] regarding the Objectives of the Greek Cypriot Side and the Prospects as They Appeared toward the End of 1963'.[125] The following is a summary of the text:

Objectives

National struggles pass through various stages of development and time limits, for their achievement cannot be fixed. The final objective, the exercise of the right of self-determination of the people, remains unalterable. The strategy must be examined.

International Tactics

The first step is to convince international public opinion that the Cyprus Question has not really been solved, and that the solution requires revision. Among the arguments in support of this is that revision of the agreements, which are unsatisfactory and unfair, is a question of survival and not an attempt on the part of the Greeks to repudiate their signature. Furthermore, coexistence of the two communities is possible.

After the first step has been achieved to a satisfactory degree, the second would be to demonstrate that the aim of the Greeks is to remove unreasonable and unfair provisions, and not to oppress the Turks. This must be done today as tomorrow will be too late.

124. Necati M. Ertekun "The Cyprus Dispute and the Birth of the Turkish Republic of Northern Cyprus", Nicosia 1984, p. 165.
125. Papageorghiou "Crucial Documents", p. 250-257.

Since concerted action with the Turks is impossible due to their unreasonable attitude, unilateral action is justified. Revision is an internal affair of the Cypriots, not giving anyone the right of intervention by force or otherwise. The proposed amendments are reasonable and just and safeguard the reasonable rights of the minority.

To secure their right of self-determination, the Greek Cypriots must free themselves of those provisions of the Constitution and the Treaties of Guarantee and Alliance, which prevent the unfettered expression of the will of the people and which hold dangers of external intervention.

To implement the above, the following actions are necessary:

Amendment of the negative elements of the agreements and parallel lapse of the Treaties of Guarantee and Alliance which would render legally and substantively inapplicable the right of intervention under the Treaty of Guarantee. Once relieved of the restrictions under the agreements, the people will be free to express and implement their desire. Lawful response to any internal or external intervention would be by the forces of the state (police or even friendly military forces).

Internal Front

Activities in the internal field must be considered in the light of the manner in which they would be interpreted internationally and of their repercussions on the national cause.

The only danger, which could be described as insurmountable, is the possibility of external intervention by force, mainly because of the possible political consequences. If intervention occurs before the Greek Cypriots free themselves of the restrictions under the agreements, then the legality of such intervention would be debatable and even possibly justifiable.

The lesson that history teaches is that in not one single case of intervention, whether legally justified or not, has either the United Nations or any other power succeeded in evicting the invader without serious concessions detrimental to the victim. Even in the case of the Israeli attack in October 1956 on Suez, which was almost universally condemned, although Israel withdrew, it kept as a concession the port of Eilat. Much graver dangers exist for Cyprus.

In order to avoid intervention, the first objective must be careful selection of the amendments to be proposed; if they are reasonable and justifiable, this would ensure international support needed at the stage of consultations among the guarantor powers, Britain, Greece and Turkey, which, under the Treaty of Guarantee, must take place before intervention.

Tactics

Reasonable constitutional amendments after efforts for common agreement with the Turks have bee exhausted. In order that intervention might be justified, a more serious reason must exist than simple constitutional amendment, such as the immediate declaration of enosis or serious intercommunal conflict which would be presented as a massacre of the Turks.

Since the Greek Cypriots do not intend to attack or kill Turks, there is the possibility that as soon as the Greek Cypriots proceed to the unilateral amendment of any article of the Constitution, the Turks will react spontaneously, creating incidents and clashes, or intentionally stage attacks on and killings of Turks in order to create the impression that the Greeks have indeed attacked the Turks, in which case intervention would be necessary for their protection.

Action for constitutional amendment will be in the open, the Greek Cypriots always showing themselves ready for peaceful negotiations. Activities will not be provocative or violent in any way. Should incidents occur, they will be dealt with lawfully by the lawful security forces. All actions will be of a lawful nature.

Because, however, it would be naive to believe that it would be possible to proceed to substantive acts of amendment of the Constitution without the Turks attempting to create or to stage violent clashes, the existence and strengthening of the [AKRITAS] Organization is an imperative necessity. The reasons given are:

The counterattacks to any Turkish reaction must be immediate, so as to prevent panic among the Greeks risking the loss of substantial vital areas; suppression of a planned or staged Turkish attack in the shortest possible time giving the Greek Cypriots command of the situation in one or two days, would ensure that no outside intervention would be possible, probable or justified; dynamic and effective response to the Turks would facilitate subsequent action for further amendments, because the Turks would know that any reaction on their part would be either impossible or seriously damaging to their community. In the event of more generalized conflict, all stages, including the immediate declaration of enosis, would be proceeded with, because then there would be no reason to wait or to engage in diplomatic activity.

The task becomes even more difficult because, of necessity and depending on the prevailing circumstances, even constitutional amendments must be made in stages. Despite this, irresponsible demagogy, street politics, or a race as to 'who bids higher in the stakes of nationalism' must be avoided. 'Our acts must be our most truthful defenders'. Exemplary self-restraint and sangfroid must be shown.

The rest of the document is devoted to the need for enlightenment, unity and discipline, secrecy and procedures.

Evaluation of the "Akritas Plan"

The title, as well as the contents of the document indicates that it was written just before 30 November 1963, the day Makarios submitted his Thirteen-Point Proposals for amendment of the Constitution, and three weeks before the outbreak of intercommunal violence on 21 December 1963.[126]

This can hardly support the theory that the document

126. For instance, references to Makarios's "recent public statements" to the fact that certain objectives "have been achieved" and that "the first target of attack has been the Treaty of Guarantee, which was the first to be cited as no longer recognized by the Greek Cypriots" and numerous references to the proposed constitutional amendments.

It should be noted that the first time that the Treaty of Guarantee was "attacked" in clear terms was in an interview given by Archbishop Makarios to the "Contemporary Review" in July 1963, when the Archbishop said that "the Treaty of Guarantee should cease to exist" and that "we do not recognize to the so-called Guaranteeing Powers any rights of interference in the internal affairs of Cyprus and we shall reject and oppose any attempt by any one of them to interfere in any way".

was a plan for the long-term policy of the Greek Cypriots to subvert the status quo and 'knock the Turks out'.

It is obvious that the document was written ex post facto, when the preparation of Makarios's proposals for amendment of the Constitution was already well underway. The two-fold purpose of the document, which was addressed to the members of Georkadjis's organization, is transparently clear. On the one hand it sought to reconcile the actual policies of Makarios with the original objective (self-determination/enosis), thereby eliminating adverse criticism that the original objective had been abandoned. On the other hand, it sought to prevent precipitate action by irresponsible or impatient elements of the Organization. It was to this end that the document stressed the following points:

- the need for action by stages of unfixed duration;
- the essentiality of international support, which could only be secured by convincing international public opinion of the rightness of the Greek Cypriot cause that the Zurich/London Agreements were unjust and required revision;
- clarification that the aim was to ensure good government and not to oppress the Turks, whom the Greek Cypriots did not intend to attack or kill, coexistence of the two communities being possible;
- the dangers of external intervention, which were graphically illustrated by instances from recent history, and the need first to eliminate these dangers by the removal of those provisions of the

treaties and the Constitution, which prevented the exercise of the right of self-determination, and by the avoidance of serious intercommunal conflict or the immediate declaration of enosis;

- restraint in proceeding to unilateral revision of the agreements, which was justified if agreement with the Turks was not possible, because of the Turks' unreasonable attitude, implementation taking place only in those cases where this could be done 'passively' without force. Even the crucial unification of municipalities was cited as an example of the kind of unilateral action to be avoided;
- the making of further action conditional, on 'our discretion' and on 'our strength';
- the great importance of lawfulness and the avoidance of provocation or violence, any incidents or intervention being met lawfully by the lawful forces of the state;
- the defensive purpose of the Organization, which was to provide a forceful response in case of violent incidents by the Turks against Turks in order to provoke outside intervention, the rationale for 'a quick and effective response being the prevention of panic among Greek Cypriots and the elimination of the danger of external intervention';
- the admonition that 'immediate declaration of enosis could only be justified in case of generalized conflict'; and
- the need for responsible conduct, self-restraint and sangfroid, and the avoidance of 'emulation of would-be patriots'.

Who Prepared the Document

The contention that the document was drawn up on the orders of Makarios or with his participation[127] is totally untenable for many reasons:

- The author of the document is known to the writer, and it was not Makarios. The draft was approved by the leaders of the Organization, not by Makarios, who was in all probability ignorant even of its existence.
- The style and language of the document are obviously patterned on the EOKA "Orders of the Day", in which the draftsman of the document and those who approved it, being ex-members of EOKA, were well versed. Makarios, who prided himself on his distinctive, elegant literary style and language, would have been appalled at the attribution to him of such a document.[128]
- Before its publication in 'Patris' on 21 April 1966, the Greek Cypriot ministers were unaware of the document's existence. Only those involved in the Organization (Georkadjis and one other) were in the know from the beginning.[129]

127. Mayes "Makarios", p. 161-63; Patrick "Political Geography", p. 35 and 42; John Reddaway "Burdened with Cyprus", London 1986, p. 133-35 and 147-48; and Ertekun "The Cyprus Dispute", p. 10 and 165.

128. It is the conjecture of the author that the maximum "involvement" of Makarios (perhaps what prompted the drafting of the document) was Makarios's constant admonition to the leaders of the Organization, that they must exercise strict control and discipline over their members and not allow them to get out of hand in any way. It must be remembered that Makarios was very uneasy about the possible volatile reactions and impatience of certain Greek Cypriot extremists.

129. Author's personal knowledge as a Minister in the Makarios Government between 1960 and 1970.

Exploitation of the Document by the Turks

As soon as it came to light on publication in 'Patris', the document was pounced on by the Turks to support their allegations of Greek Cypriot plans to destroy the Constitution, annihilate the Turks and realize enosis. To support this view, they omitted certain sections of the document summarized above while conveniently ignoring other significant sections [which stand against the Turkish propaganda].

Conclusion

[...] It was not until 1962, when it was realized that the paramilitary organization of the Turks [TMT], supplied with arms from Turkey was strong and ready for action, that the Greek Cypriots formed the Organization to be used for defense purposes. As for the 'Akritas Plan', it was not a plan for future policy and action, but was written ex post facto to eliminate criticism of the policy already adopted and declared by Makarios, which was no longer the pursuit of the original objective of enosis, and to prevent precipitate action by irresponsible elements.

Unlike the second Turkish Cypriot document, signed by Kutchuk and Denktash,[130] the Greek Cypriot document did not have the blessing of the Greek Cypriot official leadership, Makarios and his ministers."

130. See also Chapters B27 and C6.

C5-4: Authentic Evidence[131]

From the personal archive of a leading member of "AKRITAS Organization".117

"[...] Besides, those who pioneered the creation of the Organization, did not seek permission or consent from anyone [...]."

"[...] Originally Makarios, who at a later stage was informed of its creation said 'I do not like parastatal Organizations', although he fully realized that it constituted the only strong DEFENSE for the Greek Cypriots in the event of a Turkish attack. This defense could not be undertaken by the 'ruptured' Police Force or the non-existent 'Cyprus Army' but ONLY by the Organization."

"It should be noted that during the same period the Turkish side continued the systematic arming and structuring of the Turkish-Cypriot parastatal Organization, in which there were actively involved Turkish-Cypriot members of the Police Force and of the gendarmerie. Therefore, the Police Force could not respond officially and dynamically. Furthermore, as until December 1963 the Turkish-Cypriots were participating in the Government, the Police Force, the Army, such a matter was impossible to be officially discussed. Two or three times the matter of the arming of the Turkish side was mentioned in the Council of Ministers, but of course the Turkish-Cypriot side categorically denied the existence of a Turkish-Cypriot parastatal Organization and dismissed the information received regarding the arm shipments and related activities".

131. Secret, unreleased source.

"[...] During his personal meetings with the Turkish-Cypriot Vice-President Fazil Kutchuk, Makarios raised the subject strongly and brought to his attention the specific information he was given from time to time by the Organization. Besides refusing everything, Kutchuk naturally asked for 'evidence' and, equally naturally, such evidence could not be given."

"An organization, in which hundreds of fighters were eventually actively involved and further hundreds were in the reserves, could not possibly stay 'secret'. However, there were no public references and no official recognition."

"[...] The Turkish side, in the knowledge of at least the English, was the first to begin arming itself and to create its own Organization [...] This is why the Greek-Cypriot community could not remain defenseless."

"[...] I hope the political fabrication that the confrontations in Cyprus were due to a 'climate of distrust' between the two communities and to 'the suppression of the poor and weak Turkish-Cypriots by the Greek-Cypriot chauvinists' is not adopted. The Turkish-Cypriots had an organized para-statal army, manned by Turkish permanent officers and soldiers, of well over 10.000 men."

"The confrontations in Cyprus were the result of a political planning in Turkey for the stage by stage partitioning of Cyprus, with the participation of the then Turkish-Cypriot Vice-President Fazil Kutchuk and of the then President of the Turkish Communal Chamber Rauf Denktash. Relevant document with minutes of a meeting held in Ankara, as well as a document for the strategic partition that bears the signatures of

> Turkish Ministers and of the Turkish military, together with those of Kutchuk and Denktash, was found in the safe of a Turkish-Cypriot minister."[132]
>
> "[...] All those who draw conclusions safely after the events, must take into consideration the situation as it stood at the time, when the very existence of the State was under threat and doubt and the State security forces faced chaos and the danger of liquidation."

C5-5: Christodoulos Christodoulou[133]

The assistant leader of the "AKRITAS Organization", Dr. Christodoulos Christodoulou, gives his own original evidence.[134] He will be quoted at length,

> "When one refers to historical events, which left their mark and determined the fate of the [Greek] Cypriot people, who have honoured with their struggles the Greek history and the Nation in an exceptional manner, there is no room for falsification, or exaggeration, or subjectivity. Above all, there is no room for counterfeiting history."
>
> "[...] The Greek-Cypriot leadership side was not deprived of information. As a matter of fact, a special branch at the Central Information Service was assigned to

132. It is dated 'September 1963' and it was published in whole by ex President of the Republic of Cyprus Glafkos Clerides in his book 'My deposition'.

133. Dr. Christodoulos Christodoulou served as Minister of Interior Affairs and as Minister of Finance during the presidency of Glafkos Clerides and as Governor of the Central Bank of the Republic of Cyprus during the presidency of Tassos Papadopoulos.

134. Interview by Lazaros Mavros in newspaper "SIMERINI", 20th and 21st October 2008.

watch closely the unlawful activities and efforts made to create, arm, training and action plans of the TMT. There was plenty of information sourcing directly from the Turkish-Cypriot side. The political leader of that situation was Rauf Denktash, who was the hard, the uncompromising, the extremist, and the military leader was a high rank Turkish officer, dedicated to the Turkish Embassy in Nicosia, the so called Bozkurt."

"The Greek-Cypriot part of the Cypriot government that was privy to this information, was not of course disclosing it to the Turkish ministers. Makarios and equally Clerides, as well as all around them, like Polycarpos Yiorkatzis, Tassos Papadopoulos and other important personalities had adopted, under the persistent exhortation of the Greek government, a policy of tolerance, hoping to overcome the problem without any escalation towards collision, which our side wished to avoid. Archbishop Makarios and the Greek ERE government of Constantinos Karamanlis, were kept informed of the Turkish arm shipments, through the Cyprus branch of the Greek Central Information Office."

"The basic arms our men in Cyprus had in their possession were hunting rifles. We had some dozens of short distance automatics 'sten', 'marsip' and 'sterling', a few 'bren' light machine-guns, a good number of 'martini' rifles and four 'tourtoures' heavy machine-guns, two of which we used during our two large scale counter-attacks in defending against the Turkish attacks, on 24 and 25 December 1963. One of the counter-attacks was led by Tasos Marcou towards the Severi Mills, and the second towards the Omorphita area, under

Christakis Masonides and other officers of the Cypriot Army. We also had two 'bazookas', which were very little used, one in Nicosia and the other in Larnaca. At a later stage we secured two more, one of which was used in Paphos. However, the biggest part of our weapons was composed of hunting rifles."

"We were moving between two self-conflicting objectives: One was 'to avoid engagement at all costs' [...] the other was 'the responsibility of Makarios and all those around him, to protect the Hellenism of Cyprus against a possible attack by the Turks', who were acting methodically, were being trained and armed by the orders of Ankara."

"In relation to the claim that 'the conflict was incited by Polycarpos Yiorkatzis and his men (bombing of the Bairaktari and Omerie mosques, bombing of the Marcos Drakos statue etc), the answer is crystal clear: Beyond the undoubted fact that Makarios and Polycarpos Yiorkatzis (or any other faithful person to Makarios) never wanted to create armed conflict, as they were in good position to estimate the painful consequences of such an action, while weighing out and appraising the situation, we knew that whatever the result of an armed confrontation, we would end up with victims. We also knew, that nobody could predict the political outcome of such an action. These estimates were carried out by experienced people who had the knowledge. The same estimates were also made by the Greek government, which knew in every detail what was happening on our side, as well as on the Turkish-Cypriot side, the TMT etc. We all had and shared the same responsibility. Therefore all these claims are totally unfounded."[135]

"Even if we had the intention 'we to initiate the incidents', we would be totally stupid, frivolous and irresponsible to order the attacks while being totally unprepared. Even when the attacks indeed started on 21 December 1963, our side was unarmed, weak and unprepared to face the events, a fact that was proved by the developments [...]."

"The Organization was the product of the natural insecurity that was created by the chauvinistic attitude of Turkey and of the Turkish-Cypriot extremists, right after the signing of the Agreements and the establishment of the Republic of Cyprus. Some people [...] reach one-sided conclusions, without considering all or not the real facts. I am impressed by the fact that even books are written, having as main source of information the US and British national archives. Hence my question: Why not our own archives? Why not our own sources? Why not asking us, who have lived through all the events? And how can the English be trustful, when everybody knows their role at the time and even after? Regarding the Americans, what knowledge did they have of the events in relation to the everyday facts, let alone that they also have demonstrated how much they favour the Turkish interests and policies, because of course of their own interests? I ask again: Why not be us, who lived these events, as from the leader of the Organization, the invisible but real leader, the

135. Among other documents, the well known letter by Evangelos Averoff Tositsas to Makarios (November 1963), in which he made the dramatic plea: "I beg you my Despot, to do what you can, whatever is possible, so to avoid a conflict with the other side, which might possibly lead to a catastrophe beyond Cyprus. We also have Hellenism in Constantinople and Smyrna, which will suffer".

Ethnarch Makarios, through to the last member?"

"Our plans [the AKRITAS Organization] were not aggressive, but defensive. Yes, counter-attacks were indeed included in our plans, but as part of self-defense to recapture possible lost areas. The plans were not aggressive, in the sense of aiming to capture villages or areas in which Turks lived, so to exterminate them. On this I am categorical. There is nowhere, the slightest element to point to such a claims and, regrettably, these claims constitute an unjust and incomprehensible self-whipping and distortion of history, which purposely shifts blame on our side to the point of offering forgiveness to the Turkish invasion [...]."

"Greece was fully aware of the training given to us by Greek officers and officers of ELDIK."

"The bombing of the mosques and Marcos Drakos statue was the work of the organs of TMT. The same method they used in 1958, bombing the Press Office of the Turkish Consul in the Turkish sector of Nicosia, as an excuse to unleash their anti-Greek attacks, as well as in 1955 against the Turkish Consul in Thessaloniki, which initiated the pogrom events in Constantinople, for which later Prime Minister Menderes was tried, sentenced and hanged. These are historical facts and I am astonished for journalists/article writers pretend to ignore or prefer to use the British and American Archives, in order to justify Turkey and the Turkish-Cypriots."

"The claim that supposedly 'Yiorkatzis, under the control of foreign secret services, was more or less a secret associate and collaborator of Rauf Denktash in the preparation of the armed confrontation between the two communities', is not only a fabrication, a fantasy or a simple distortion of history, but a criminal thinking that aims the character assassination of people, who, irrespective of their possible mistakes, have written with their blood a legendary history during the years 1955-1959. I challenge anyone to produce even one piece of proof that will justify such conclusions and such statements."

"The plans of the Turkish extremists, of TMT and of Denktash were denounced by two important personalities of the Turkish-Cypriot community, the two journalists Aihan Hikmet and Ahmet Gurkan, who dared to challenge publicly Denktash's objectives and armed preparations, which to their minds were leading to the eventually unavoidable, hence they were murdered by Denktash. The information we had on this subject was undisputable. They assassinated them because they opposed Denktash and his preparation to abolish the legitimate State by TMT, in full knowledge of the Turkish Chief of Staff. In my presence, Yiorkatzis repeatedly expressed his admiration and respect for these two persons, revealing that their assassination was the work of Denktash and TMT."

"With the knowledge of Makarios and without doubting the patriotism of the simple followers of the party, AKEL was kept out of the Organization for two reasons: First, because of the prejudice that existed since the time of the EOKA struggle and continued thereafter, because of the policy followed at the time by the then leadership of AKEL vis-à-vis the Liberation Struggle. Second, because the AKEL policy, as always, could not see the insecurity that the Turkish arming was creating, in view of AKEL's belief that, by having contacts with the equivalent Communist Party of the Turkish-Cypriots, the events could be prevented. I wish it was like that, but it was not."

"The house where the children with their mother were found dead, was situated in an area in the Turkish sector, which no Greek-Cypriot armed forces had ever reached. The Organization's order to all members, which was punishable by execution if not obeyed, was clear: 'Do not touch civilians, but neither a fighter as from the moment he surrenders'. Therefore, I reject as fabrication and rape of history the claim, that supposedly 'it was our policy to exterminate the Turkish-Cypriots."

"The Turks were continuously trained by officers of TURDIK at their military camp and at outside areas, even in the house of the Turkish-Cypriot football team 'Tsetikayia'. TMT, controlling at the time the 40% of the Police force and the Turkish-Cypriot Chief of the Gendarmerie, could easily move around their weapons. Most of the Turkish-Cypriot policemen had previously served as reservists for the English police acting against EOKA, under the orders of the secret organization 'VOLKAN', which later amalgamated with and eventually totally absorbed by TMT."

"On 26 December 1963 a truce was declared, followed by the intervention of the English as peacemakers, who managed to impose the Green Line with the signature of Glafkos Clerides, as directed by Makarios. At that point of time, it was decided that all forces should be under one single coordinator. Turkey was threatening to invade Cyprus, we appealed to the United Nations, who issued the resolutions for a UN peace force. At the same time, it was decided by both governments in Cyprus and Greece, that somebody had to come to Cyprus to put an order and establish a real military force, providing compulsory military service and training, so that the different groups would be liquidated and a real army would be created, hence the establishment of the National Guard in June 1964."

"In March or April 1964, I visited Athens by orders of Makarios. I was received by an official of the Cypriot Embassy in Athens, I visited General George Grivas-Digenis at his house and I handed him a letter [which Makarios authorized Yiorkatzis to sign], by which the Cypriot leadership was calling upon him to come to Cyprus and put in order the National Guard. So it happened. In parallel, the Greek government of George Papandreou, in agreement with the government of Cyprus, initiated the secret dispatches of Greek troops to Cyprus, to assist in confronting the Turkish threats of invasion."

C6: "The 13 points"

Another Turkish contention is that "Makarios was to blame for the 1963 events, because of his decision to modify the constitution, hence his 13 point amendments".

Sir Arthur Clark, the British High Commissioner in Cyprus in 1963, was directly involved with the modifications.

Archbishop Makarios wanted to modify the unworkable Constitution and Sir Arthur Clark was ordered by London to overlook these amendments, in order that they "would affect as little as possible the Turkish interests".

However, Sir Arthur Clark in different reports and discussions in London regarded Archbishop Makarios's decision to amend the most unworkable points of the Constitution, as totally logical and justified.

On 10 March 1971, Kieran Prendergast[136], who was working in the Foreign & Commonwealth Office at the time, was asked to prepare the full story around Makarios's 13-point amendment proposal. This request came from the new British High Commissioner in Nicosia Robert Humphrey Edmonds, who was interested in knowing the real facts, after Archbishop Makarios had told him that "he was guided in drafting them by Sir Arthur Clark".

Kieran Prendergast wrote:

> "In Y.E.'s letter of 22 February to Mr. Seconde (Foreign Office) below, Y.E. gave the Archbishop's account of Sir Arthur Clark's involvement in the drafting of the thirteen points.
>
> You also said, that you would be interested to know whether FCO records confirmed His Beatitude's version.
>
> I have been through our records of the period. The sequence of events is as follows:
>
> a) In the Despatch dated 17 October 1963 to HIM, the Ambassador at Ankara, the Foreign Secretary said, that it had become clear that the Greek Cypriot leadership were dissatisfied with some of the basic Articles of the Cyprus constitution.

136. Later, Kieran Prendergast was made "Sir" and, during the Annan Plan period, visited Cyprus as Acting Secretary General of the United Nations.

The Archbishop had hinted, that the Treaties of Guarantee and Alliance should be denounced as incompatible with the independent status of Cyprus.

Her Majesty's Government was concerned about the serious situation, which would follow failure to settle present difficulties amicably. H.M. the Ambassador at Ankara was instructed to persuade the Turkish Government to agree, that reasonable proposals for a modification of the more unworkable points of the Constitution should be discussed.

Sir Arthur Clark was instructed to warn the Archbishop about the dangers of unilateral action. He was to urge him to proceed by means of discussion and negotiation, and, as a first measure, to formulate proposals in writing, of a kind which would offer the prospect of constructive discussion with the Turks.

He was also to try to ensure that the resulting proposals were reasonable and fair to Turkish interests.

b) Sir Arthur Clark reported on 31 October 1963, that the Archbishop had received his representations constructively and had agreed 'to formulate proposals for presentation to Dr. Kutchuk'.

c) Sir Arthur Clark reported separately, that the Archbishop had volunteered 'that the Cyprus Foreign Minister should discuss with him [Sir Arthur Clark] proposals, during drafting to be put to the Turks.

This proposal was accepted by the Commonwealth Office.

d) Sir Arthur Clark also put to the Commonwealth Office his own ideas, about what constituted 'reasonable proposals to remedy difficulties over the application of the Constitution'.

There are ten of these, eight of which are broadly comparable to proposals made by the Archbishop in the thirteen points.

e) Sir Arthur Clark was offered the opportunity to comment in writing on the thirteen points, at two stages in their drafting.

On 14 November 1963 he replied to a letter by the Archbishop dated 12 November 1963, enclosing the thirteen points in skeletal form. Sir Arthur Clark offered comments of substance on these points.

On 26 November Sir Arthur Clark sent Mr. Spyros Kyprianou [the Cyprus Foreign Minister] a detailed commentary on a full draft of the thirteen points. Some of the suggested amendments were written into the finalised version of the thirteen points.

It could, therefore, be argued that Sir Arthur Clark (albeit on instructions from H.M. Government) did indeed encourage the President [Archbishop Makarios] to put forward proposals to the Vice-President [Dr. Fazil Kutchuk] for the amendment of the 1960 Constitution [...]."

London's deepest worry was the status of the British Bases in Cyprus. Any attempt to alter the London and Zurich agreements would automatically affect this status, a possibility the British wanted to avoid, also because it would deprive Turkey of its "right" to intervene [as planned] to impose its partition plans.

Sir Arthur Clark and the British Government were fully aware of the Turkish plans and intentions (as revealed by the captured document in Minister Plumer's office[137]), long before the December 1963 Turkish attacks.

Sir Arthur Clark had calculated accurately, that the Turkish Cypriots would use the Makarios's proposal for amendments of the unworkable elements of the Constitution, as a pretext to proceed with their long organised plan for partition.[138]

C7: August 1964 – Turkish bombardment of Tylleria

On 27 August 1964, Mr. A. G. Soteriades, of the Cyprus High Commission in London, organised an exhibition of photographs of the Turkish air attacks on Tylleria (Cyprus), in an effort to enlighten the British Media, Politicians and the public of the suffering of the people of Cyprus.

This is what he said in his opening statement:

> "The duty I am here to perform this afternoon is a painful but none the less imperative duty. Painful, because it is connected with an exhibition relating to the recent savage and indiscriminate Turkish air attacks on Cyprus; and imperative, because the British public have never had the opportunity of seeing for themselves the tragic consequences of what Turkey has described as a 'limited police action'.
>
> For almost 48 hours on August 8th and 9th, waves of Turkish military aircraft carried out continuous attacks on North-West Cyprus, killing and wounding innocent people, among the women and children.
>
> Napalm bombs and rockets were freely used and

137. See also Chapter B27
138. Foreign & Commonwealth Office Document FCO 9/1353

schools, churches and hospitals were destroyed.

Photographs of the devastating results of these inhuman attacks have never been published in this country and, as we rightly feel that Cyprus is getting very little from the British Press, we have invited you to the opening of this exhibition. Our object is to fill the gap; it is not our intention to promote hatred or enmity, but to enable as many British people as possible to see for themselves the extent of the Turkish ferocity and the actual suffering of the Cypriot people for whom not even sympathy has been expressed [...]".

This is how the Greek Cypriot, communist affiliated, community newspaper in London, *To Vima*, covered the Turkish attacks:

"Cyprus is attacked. Brutal air bombardment and firing by Turkish Air Force planes [...] Dead and thousands injured [...] Whole villages disappeared. Hell of fire, horror and fear. A NATO airplane with Turkish pilot has been shot down [...]".[139]

"Blood from the blood veins of hundreds of brother Cypriots has already been despatched to the victims of the barbarians. Last Tuesday people queued to give blood [...]".[140]

"The bloody scene of the Cyprus tragedy is still open".[141]

139. Newspaper "TO VIMA", London 10 August 1964.

140. Newspaper "TO VIMA", London 21 August 1964.

141. Newspaper "TO VIMA", London 28 August 1964, carrying pictures of charcoaled Greek Cypriots from the Turkish napalm bombs. The newspaper called Tylleria "the Hiroshima of Cyprus".

C7-1: 1967 – The Clandestine Return of the Planted Terrorist

Press Release by the Cyprus Public Information Office, dated 31 October 1967:

> "This morning three unknown persons landed secretly by boat in the area of Ayios Theodoros, Karpas peninsular. After being spotted, they were arrested by joint action of the National Guard and the Police. The arrested persons were later identified as: Raouf Denktash, Osman Edjan Konouk and Errol Ibrahim.
>
> While being interrogated, Denktash said he came to Cyprus on a secret mission to put into effect certain orders and directions of the Turkish Government. As stated by the arrested, the boat was carried by a Turkish vessel up to the territorial waters of Cyprus. Both Denktash and the other two persons arrested were armed. Amongst other things, a valise was seized containing important documents.

According to the High Commissioner at the time Sir N. Costar:

> "Denktash, President of the Turkish Cypriot communal Chamber, after visiting Turkey in 1964 he was refused re-entry to Cyprus. He reportedly made a clandestine visit to the North coast during the August 1964 fighting and has since been in Ankara".[142]

142. Foreign & Commonwealth Office Document FCO 9/63.

C8: 1964 – British Plan "The Future of Cyprus"

All British actions were in line with their revised (1964) Plan for the Partition of Cyprus, which was formulated in consideration of all previous plans studied during 1955-59. These plans were in alliance with Turkish interests, plans, proposals and demands.

These plans had been worked on intensively in 1975-76 when the terminology of "two constituent states" was first introduced during discussions and studies for a solution for the Cyprus issue, between the Foreign Office and the State Department.

Finally, these machinations surfaced in full force in the name of "The Annan Plan", providing for "two consistuent states". The Annan Plan was rejected overwhelmingly by the 76% of the Greek Cypriots, in the referendum of 24th April 2004.[143]

That explicit procedural plan of 1964 was carried through step by step, paving the way to the Turkish invasion: By the withdrawal of the Greek Troops [Division] from the Island, by toppling of the democratic government in Greece and installing the Junta, who assisted the plan by instigating the coup against President Makarios on 15 July 1974 and by deciding "not to intervene even if Turkey invaded"[144], hence the "green light" given to the Turkish Prime Minister Bulent Ecevit to invade Cyprus on 20 July 1974.[145]

143. Foreign Office Document FO 371/177827 – 1964 Plan "The Future of Cyprus".

144. This was a decision the British had taken in December 1963 and was carried through, in implementation of their revised "Plan for Partition" of 1964.

145. The "green light" was given on 17 July 1974, by the British Prime Minister Harold Wilson and Foreign Secretary James Callaghan.

C9: British Military cooperation with the Turkish Cypriots

C9-1: The Facts

As it has been demonstrated in this book, the British cooperation with the Turkish element against the Greek Cypriots began as early as 1955 and intensified after the beginning of the EOKA 1955-59 struggle for the Union of Cyprus with Greece.

The period as from early 1964 through at least the departure of the Greek Division in 1967, is blackened by incidents of pro-Turkish British involvement. British Intelligence Officers were involved in subversive activities on the island: They manufactured bombs, aiding Turks to bomb Turkish properties (to incriminate Greek Cypriots furthering Turkish objectives), espionage etc.

Their main objective was "to de-stabilise the Government of the Republic of Cyprus, bring chaos and confusion and assist the Turks in the furtherance and execution of their long term plans".

In February 1964, Archbishop Makarios, President of the Republic of Cyprus, handed a document to the British High Commissioner in Nicosia regarding those activities. An extract reads as follows:

> "It is desired to draw attention to certain recent occurrences, which have given rise to public anxiety and an increase of tension and have caused great concern to the Government of the Republic.
>
> The peace-keeping Force was to be composed of the forces of the United Kingdom already stationed

in Cyprus, aiming to assist the Government of the Republic in its effort to secure the preservation of Cease Fire and the restoration of peace.

The original number composing the force was probably considered too small for the duties it had to perform. However, the number of the Force has lately been more than doubled, by reinforcements from outside Cyprus, without the prior consent of the Government of the Republic.

Moreover, the sphere of activities of the Force is being enlarged, to an extent beyond that necessary for the achievement of its purpose and in such a manner as to infringe on Government's functions.

The following are some illustrations of the enlargement of activities of the Force, the assumption by it of Governmental powers and duties, and its interference with the normal functioning of the State:

a) On the 20th January 1964 a British officer named Lieutenant Colonel Thursby went by helicopter to Amiandos and informed Mr. Marcher Henning, the Manager of the Cyprus Asbestos Mines Co. Ltd., that 'on the following morning he would come to collect all the explosives in the stores on the mine'.

   He further informed the Manager that he was authorised to do that by 'Joint Committee'.

   On being asked 'whether there was an agreement with the Senior Mines Officer in this respect' he said that 'the Senior Mines Officer had been informed' and then he left.

   On the following day, 20 British soldiers went to Amiandos and removed from the store of the company a quantity of explosives.

As a matter of fact, no notification had been given to the Senior Mines Officer and no decision in this respect by any 'Joint Committee' was produced.

b) Mr. Ewans, General Manager of the Cyprus Sulphur and Copper Co. Ltd (known as Limni Mines) delivered his own explosives [...]".[146]

On 10 April 1964, President Makarios had also written to General Gyani[147], complaining and listing instances, when British troops who were serving with the United Nations Contingent did nothing to stop Turks from firing and injuring Greek Cypriots.

C9-2: British Military Personnel against Greek Cypriots

> "The British have been uncovered totally - They arm the Turkish terrorists - An airman has been arrested, carrying mortars and correspondence to the rebels - He made shocking statements - The British should no longer be part of the UN International Force [...] British planes landed at Akrotiri base, transporting 150 Turks dressed as British officers. They were taken to the Army quarters of the Akrotiri base, but nothing is known of the secret meeting they had with the British [...]".[148]

146. Acting High Commissioner in Nicosia to the Commonwealth Relations Officer in London, 26 February 1964 - Ministry of Defence Document DEFE 11/443.
147. At that time in charge of the United Nations Force in Cyprus.
148. Newspaper "PHILELEFTHEROS", Nicosia, 28 May 1964.

The British RAF[149] airman arrested by the Cypriot police was Keith Marley. He was tried and convicted for 15 years imprisonment, for conspiring against the Republic of Cyprus. The British government managed to secure his transfer to London, supposedly to continue his imprisonment in his own country, but according to new evidence "Marley soon went free [...]"[150].

> "Marley case – As reported in more detail in previous telegram, RAF has interrogated two RAF Corporals, Batchelor and Bass, whose names were given by Marley.
>
> The preliminary reports indicate that, all three persons, were not only engaged in gun-running on a large scale, but were deeply implicated in Turkish underground activities, including both spying on Greek Cypriots and actively assisting preparation for bringing in men and arms from Turkey. It is more than likely, that further investigations will reveal implication of more British servicemen.
>
> The Greek Cypriot police have already asked to interrogate Batchelor, whose name was given to them by Marley. They have not yet asked about Bass, whose name we think they do not yet have and whose activities are the most damaging [...]".[151]

The British authorities in Cyprus quickly took Bass under their protection:

> "[...] Main reason for wanting Bass away is the

149. British Royal Air Force
150. BBC Radio 4, January 2006.
151. British Defence files - British High Commission in Nicosia to Commonwealth Relations Office London, 31 May 1964.

> extreme sensitivity of information in his possession about plans for Turkish intervention, which he might disclose if interrogated by Greek Cypriots [...] Almost impossible to remove him, without arousing suspicion [...] An explanation could, of course, be provided for his transfer (e.g. unexpected posting from London, medical grounds, possible threat to his life) [...]".[152]

Bass was involved in designing a raft for the Turks (under construction in Cyprus at the time) to facilitate underwater unloading of stores from submarines. He had details of second arms run known to him by a UN vehicle from Limniti to Nicosia and had in his possession names of additional Turkish Cypriot contacts.

As a frogman, Bass had agreed to assist the Turks to meet Turkish submarines, which were to arrive over a period of 7 days, for the landing of Turkish mainland volunteers at the rate of 200-300 per day. He claimed to know many details of Turkish plans, including scope and method of landing operations, and that the Turkish Cypriots would partition the island. He knew that operations were to commence 20/21 June 1964. He also knew that United Nations personnel (other nationalities as well as British) were involved in assisting TMT and he had personally escorted one UN vehicle carrying arms. Hence, the anxiety of the British Government to get him out of Cyprus no matter what.

Corporal Heron, Sergeant Jones and Senior Aircraftsmen Tuft and Offard were some of the British servicemen involved in assisting the Turks through gun-running, supply of high power wireless receivers, spying for them etc. Some had been spotted by the Cypriot authorities whilst others had not.

---

152. British Defence files - British High Commission in Nicosia to Commonwealth Relations Office London, 3 June 1964.

The British Government in London was anxious to remove them from Cyprus as quickly as possible.[153]

C9-3: The “disappearance” of Major E.F.L. Macey and his driver L. Platt

Major Macey was one of those British officers attached to the United Nations Force in Cyprus as a Liaison Officer, but were paid by the British Government. Macey, an arrogant intelligence officer, was also a liaison officer to the Vice-President Dr. Fazil Kutchuk. Major Macey and his driver were last seen in a Land Rover on 7 June 1964.

Major Macey mastered both the Greek and Turkish language and worked for the Turks. He provided the Turkish Cypriots with arms and ammunition, offered them training and, in general, he headed the preparation for an eventual Turkish invasion.

The British at the time knew very well that Turkey intended to invade Cyprus on the 26 June 1964, the date that the UN Forces mandate would expire. At the same time, Archbishop Makarios intended to ask for the immediate exclusion of the British Contingent from the UN Force, because of the incriminating evidence accumulated against British Military personnel, who collaborated with the Turks against the Republic.

On 4 June 1964, the Government of Cyprus, in the face of massive information of Turkish preparations for an invasion and as an urgent measure of defence, formed the National Guard.

153. Ministry of Defence Documents DEFE 11/451 and DEFE 11/457.

The Turkish and the British governments made immediate representations to President Makarios, opposing the creation of the National Guard.

The British were indeed prepared to watch, and not intervene to stop the Turkish invasion [as, indeed, happened in 1974], having actively worked for the creation of the necessary circumstances to facilitate such a policy, according to the Turkish document dated 14 September 1963[154], as well as the British plan for the "Future of Cyprus" of February 1964[155].

C9-4: "Get them all out of Cyprus for reasons of national policy"

Following an urgent teleprinter conference on Wednesday 3 June 1964 (16:45 hours) between the Ministry of Defence in London, the Commander British Forces in Cyprus and the High Commissioner in Nicosia, and after reconsidering the position in Cyprus, the British decided that Corporal Bass (and others, at the discretion of the Commander of the Cyprus British Forces and the High Commissioner) should be sent back to England at once.[156]

In January 2006 the BBC Radio 4 in London, broadcast an investigation into Britain's role in the 1964 Cyprus conflict and revealed that there was indeed a spy ring working against the Greek Cypriots at the time, referring to the arrest of airman Keith Marley and the disappearance of Major Macey.

154. See also Chapter B27
155. See also Chapter C8.
156. Ministry of Defense Document DEFE 11/451.

C9-5: Martin Packard and the myth of Ethnic cleansing

The worst accusation against the Greek Cypriots was that of the "slaughtering 27 Turkish Cypriots in the Nicosia General Hospital in December 1963", came from British Naval Lt. Commander Martin Packard[157].

This atrocious accusation was made in an article in "The Guardian" on 2 April 1988, written by the Chief Editor Peter Preston, a very good friend of Packard since 1963/64 when both were in Cyprus.

Martin Packard repeated this accusation on 10 February 1994, in the documentary "Dead or Alive" shown on British Channel 4 TV, which was primarily focused on the fate of the 1619 Greek Cypriots missing since the Turkish invasion of Cyprus in July and August 1974. This is what Martin Packard said:

> "The largest single element of these missing people, were the Turkish Cypriot patients at the General Hospital. Nothing had been heard, of any of them, it

157. Martin Packard was transferred from a NATO intelligence post in Malta to Cyprus in December 1963, to work with British General Peter Young and, later, as "Liaison Officer" with the newly formed United Nations Force. Married to a Greek at the time, he knew the Greek language quite well. He worked next to General Young and under the orders of Foreign and Commonwealth Undersecretary Sir Cyril Pickard, who was transferred and took over as acting High Commissioner in Nicosia immediately after the December 1963 Turkish attacks (replacing the High Commissioner Sir Arthur Clark, who was said to be going through some illness). Cyril Pickard returned to his post in London before Martin Packard, who left Cyprus in June 1964, days after the disappearance of his colleague Ted Macey and his driver (see Chapter C9-3). Throughout his service in Cyprus (also as 'Liaison Officer' with the newly formed UN Force) Martin Packard continued to be paid by Her Majesty's Government, as he did at the NATO intelligence base in Malta. In January 1965, Martin Packard was awarded an OBE (Officer by Order of Chivalry of the Bristish Empire) by the Queen.

> was assumed that they were being held in custody somewhere. The outcome of my investigation suggested that they had all of them been killed in the General Hospital. They had been removed at night, the bodies from there had been taken out to outlying farms up in the region of Skilloura and, out there, they had been dismembered and passed through farm dicing machines and they had then been seeded into the plough land".

As emerged five years later, this British officer Martin Packard was lying in public, feeling free to claim "his own investigation", which however he has never produced.

Soon after the Channel 4 documentary, Fanoulla Argyrou[158] challenged the authencity of these allegations and demanded from the Foreign and Commonwealth Office "access to the relevant documents" Packard had referred to during his statement, namely "some official documents" and "a report" he had prepared at the time. These "relevant documents" were no where to be seen.

Argyrou's correspondence was extended to the Ministry of Defence and, after five years of intense persistence "to see the evidence", the Foreign Office Minister came up with the answer that "those papers had gone missing".

On 3 May 1999, however, another article appeared in "The Guardian" (also written by Packard's good friend and ex Chief Editor Peter Preston) to WITHDRAW those unjust allegations against the Greek Cypriots. The main fact that surfaced after this second article, is that British Lt. Commander Martin Packard had actually no evidence whatsoever for his

158. A London based Greek Cypriot journalist and writter, known for her thorough research work.

allegations against the Greek Cypriots.

Evidence, though, as to how much the Turks used the unjustified Packard allegations as a front line tool to support their invasion of 1974, is confirmed by Peter Preston himself in the very same article:

> "[...] A few weeks ago, Turkey's UN ambassador in a letter to Kofi Annan (Secretary General of the United Nations) cited the story of the 27 patients as evidence of Greek Cypriot ethnic cleansing, which made Ankara's invasion and the dismemberment of Cyprus inescapable [...]".

Top secret documents titled "Operations in Cyprus, December 1963-February 1964" and classified "For UK Eyes Only", which were released by the British National Archives well after 30 years, refer to the day by day events of that period. These documents make no mention at all of any such ghastly massacre in the Nicosia General Hospital. They merely report that on 26 December 1963 "[...] at 11:20 hours Turkish Nurses were escorted from General Hospital to Old City by Regiment patrol (evidently after Archbishop Makarios's personal order)".[159]

159. Ministry of Air Force Document AIR 20/11426.

Chapter D: The Turkish Invasion of Cyprus, July & August 1974

D1- "Co-patriots pay attention"[160]

"Co-patriots pay attention: In our special edition of last Tuesday, we published reports about the brutal invading Turkish attacks against the peaceful people of Kyrenia. Vandalisms and criminal attacks that shame the civilised world of the 20th century [...].

The sadistic rapes of women of all ages, the brutal mutilations of people whose only 'crime' is their Greek descent, the compelling of thousands of peaceful villagers to abandon and totally vacate their villages and towns to save their lives from the barbaric bombardments and the vandalism by the invaders, have been profiled in the British and foreign Press with the darkest colours. These actions have been vigorously condemned by any honest and democratic person.

The Editorial Committee of 'TO VIMA' expresses the sincere feelings of the thousands of our readers and supporters [...] and joins its voice with all those sincere people who love Cyprus and its historic people, hate fascism, imperialism and the national suppression and work for the withdrawal of all foreign troops from Cyprus, the restoration of the Republic of Cyprus [...] and for the restoration of the independence, territorial and sovereign integrity of Cyprus, for the salvation of our country [...]".

160. Newspaper "TO VIMA", London, Thursday 8 August 1974.

D2: Newspaper THE SUN "BARBARIANS – Shame on them"[161]

> *"My fiancé and six men were shot dead. The Turkish soldiers laughed at me and then I was raped."* - GREEK CYPRIOT GIRL AGED 20
>
> *"The Turkish soldiers cut off my father's hands and legs. Then they shot him while I watched."* - GREEK CYPRIOT WOMAN AGED 32
>
> *"They shot the men. My friend's wife said 'Why should I live without my husband?' A soldier shot her in the head."* - GREEK CYPRIOT FARMER AGED 51

A HORRIFYING story of atrocities by the Turkish invaders of Cyprus emerged today. It was told by weeping Greek Cypriot villagers rescued by United Nations soldiers.

THEY TOLD of barbaric rape at gunpoint [...] and threats of instant execution if they struggled.

THEY TOLD of watching their loved ones tortured and shot.

The villagers are from Trimithi, Karmi and Ayios Georgios, three farming communities west of the holiday town of Kyrenia, directly in the path of the Turkish Army.

They had been trapped since the fighting began two weeks ago and were only evacuated to Nicosia by the UN on Saturday. And today, at a Nicosia orphanage they told me their tales, simply and without any prompting.

A 20-year old girl in a pretty yellow and white dress sat under

161. Front Page Title, Newspaper "THE SUN", London, 5 August 1974. Based on a Report from Cyprus of SUN reporter Iain Walker.

a painting of Jesus tending his flock, as she described how she was raped.

She had been visiting her fiancé who worked in a hotel near Kyrenia when the Turks attacked. For the first 24 hours she sheltered with other villagers in a stable until they were discovered by Turkish soldiers. She then watched as her fiancé and six other men were shot dead in cold blood, only a few minutes after they had been promised that they would not be harmed. She said:

> *"After the shooting, a Turkish soldier grabbed me and pulled me into a ditch. I struggled and tried to escape but he pushed me to the ground. He tore at my clothes and they were ripped up to my waist. Then he started undressing himself.*
>
> *Another Turkish soldier who was watching us had a nine-month-old baby in his arms and, trying to save myself, I shouted that the baby was mine. But they laughed at me and threw the baby to the ground. I was then raped and I fainted soon after.*
>
> *When I came to my senses, I saw 15 other soldiers standing round watching. The first soldier was taking off my watch and engagement ring. Others were going to rape me, when one of them objected and told them not to be animals.*
>
> *I will never forget him for saving me. He was quite unlike the rest, more like an Englishman with blond hair and blue eyes. He spoke to me in English. He helped me to my feet and said 'All is OK now'.*
>
> *The others tried to stop him, but he pulled out his gun and pushed his way through and gave me back to the other women.*

> *When I had recovered, after a few hours, I went to where the bushes had been burned by the shelling and rubbed charcoal over my face and hands, so I would be ugly and they would not do that to me again."*

The girl, too ashamed to reveal her name, added:

> *"I cannot put into words the horror I feel at what happened to me. I think I would have preferred it if they had shot me."*

Mrs Elena Mateidou, aged 28, was awakened by Turkish soldiers at Trimithi. She said:

> *"My husband and father were told to take off all their clothes and they walked us down a dry river bed. Then the soldiers separated the women and children and ushered us behind some olive trees. I heard a burst of shooting and knew that they had been killed.*
>
> *Later they took us back to the village with our hands tied behind our backs. Two soldiers took me into a room in a deserted house where they raped me. One of them held a gun to my head while it was happening and said 'if I struggled he would shoot'. Afterwards, a soldier took off my wedding ring and wore it himself.*
>
> *I saw another woman, being pulled into a bathroom where she too was raped.*
>
> *Later, I went back to the olive groves and found the bodies of my husband and father along with five other men. My father had been stabbed and my husband shot in the belly.*
>
> *Later, United Nations soldiers brought the villagers food. The Turks took it away and ate it themselves."*

Another woman, who had been an intended rape victim, was Miss Frosa Meitani, aged 32. She said:

> *"When I saw what was happening, I ran as quickly as I could. I saw the soldiers pointing guns at me, but I was too frightened to care. I hid in the olive groves and tried to get back to where I had been separated from my father. I watched from the bushes as they cut off his hands and legs below the knee with a double-edged cutting knife.*
>
> *At first he screamed, and beat at them with his fists, but then he became quiet and did not utter a word. Then they shot him in the stomach while I watched."*

Farmer Christos Savva Drakos, aged 51, saw his wife and two sons murdered. He said:

> *"I was watering my orchard when the bombs started to explode. With the rest of the village we tried to run away through the groves and river beds but the Turks caught us and we surrendered. They searched us but no one had a gun.*
>
> *Then the shooting started. It was one by one to start with, and I heard my 16-year old boy Georgios saying in a calm voice 'Daddy, they have shot me'. I pulled him down and we fell behind a rock. He died there in my arms.*
>
> *An officer had been attracted by the shooting and he ran up to see what was going on. He was furious with his men and ordered them to stop.*
>
> *My wife and my other boy Nicos, who was only 13, were dead.*
>
> *My friend's wife was terribly badly injured and she told*

the officer 'Why should I live without my husband? Shoot me'.

The officer shrugged his shoulders and walked off and a soldier shot her in the head."

If the Turkish authorities deny these allegations I will remember the drawn face of that old man cowering in a corner, his body racked with tears. This elderly man was no actor, or a man ordered to lie for political propaganda. He was a poor man, who had lost everything he ever possessed or loved in the world.

Hotel manager Vasilios Efthimiou was the only survivor in a party of men seized by the Turks. He said:

"They separated the men from the women and shot the 12 men. Those killed ranged from a 12-year old boy to an old man in his 90's."

His brother-in-law was shot dead while holding Efthimiou's four year-old daughter, Estella, in his arms. Today, Estella showed where a bullet had hit her thigh.

Efthimiou saved his own life by snatching his other daughter, Charian, aged two, and running. He said:

"I ran until my legs would carry me no longer, and I fell. I managed to make my way back later to a village, where all the women were trembling with fear and shock. I handed my daughter to my wife and said I must save myself.

I hid in a deep well in my sister's farm for seven days and nights, sitting on a little bar with my feet in the water. When I could not take any more I came up."

Efthimiou and his 37-year old wife, Helen, run the Mermaid

Hotel at Six Mile Beach, Kyrenia, a popular hotel with British tourists.

PRESIDENT Glafkos Clerides of Cyprus flew into Athens today and accused Turkish troops of mass murders and rape. He also claimed about 20,000 Greeks had been forced out of their homes around Kyrenia.

THE TURKS issued a denial. A spokesman said:

> *"The Turkish military authorities deny reports of killings and any other atrocities by Turkish troops in any area under Turkish occupation."*

D3: The rapes of Greek Cypriot young girls, mothers and grandmothers

As the hospitals of the Republic could not cope with the number of victims of repeated rapes by the Turks, the acting President of the Republic Glafkos Clerides, through the International Red Cross representative, asked the medical officers of the British Bases to help.

After consulting London and enacting appropriate legislation, so to protect the medical officers who became involved with treatment and abortions, on 22 October 1974 medical assistance commenced at the Princess Mary's hospital in Akrotiri.

On 14 October 1974, the following immediate telegraph was sent from British Bases Cyprus to Foreign and Commonwealth Office London.

> "We have been approached by Zuger, head of the International Red Cross Delegation, acting with the approval of both Denktash and Clerides, with

> a request for assistance in the treatment of Greek Cypriot women raped by the Turks. The two leaders have agreed that 'the women victims of both sides should be returned with their families to their own communities for examination, treatment and release'. There are only two Turkish Cypriot cases so far, and Denktash is confident that these can be handled discreetly in the North [...]".[162]

The Greek Cypriot women raped by the Turks numbered thousands, and the number of necessary abortions almost one thousand.

D4: "Turk atrocities: What secret report reveals"[163]

"The Sunday Times" of London, having secured a copy of a secret Council of Europe Report which found Turkey guilty of violating seven articles of the European convention on Human Rights, published a first page massive indictment of the Ankara government for the murders, rapes and looting by the Turkish army in Cyprus, during and after the 1974 Turkish invasion.

With an "Insight Exclusive" titled "Turk atrocities: What secret report reveals" and to the fury of the Turkish government, the newspaper published extracts of that report.

Sub-titled: "The terrible secrets of the Turkish invasion of Cyprus"

> The plight of Cyprus, with 40 per cent of the island still occupied by Turkish troops who invaded in the

---

162. Ministry of Air Force Document AIR 20/12651.
163. Newspaper "THE SUNDAY TIMES", London, 23 January 1977.

summer of 1974, is well known. But never before has the full story been told of what happened during and after the invasion. This article is based on the secret report of the European Commission of Human Rights. For obvious reasons, Insight has withdrawn the names of witnesses who gave evidence to the Commission.

INSIGHT

1. Killing

Relevant Article of Human Rights Convention: "Everyone's right to life shall be protected by law."

Charge made by Greek Cypriots: The Turkish army embarked on a systematic course of mass killings of civilians unconnected with any war activity.

Turkish Defence: None offered, but jurisdiction challenged [...].

Evidence given to the commission:

Witness Mrs. K said that "on 21 July 1974, the second day of the Turkish invasion, she and a group of villagers from Elia village were captured when, fleeing from bombardment, they tried to reach a range of mountains. All 12 men arrested were civilians. They were separated from the women and shot in front of the women, under the orders of a Turkish officer. Some of the men were holding children, three of whom were wounded."

Written statements referred to two more group killings [...] eyewitnesses told of the deaths of five men [...] 30 Greek Cypriot soldiers being held prisoners were killed by their captors [...].

Witness S gave evidence of two other mass killings at Palekythron village. In each case, between 30 and 40 soldiers, who had surrendered to the advancing Turks, were shot. In the second case, the witness said "the soldiers were transferred to the kilns of the village, where they were shot dead and burnt, in order not to leave details of what had happened".

Witness H, a doctor, reported that "seventeen members of two neighbouring families, including ten women and five children aged between 2 and 9, were murdered in cold blood at Palekythron village".

Further evidence of the killing is described in the doctor's notes. They include:

- Execution by Turkish soldiers of eight civilian prisoners in the area of Prastio village, one day after the ceasefire on 16 August 1974.
- Killing by Turkish soldiers of five unarmed Greek Cypriot soldiers, who had sought refuge in a house at Voni village.
- Shooting of four women, one of whom survived by pretending she was dead.

Further evidence, taken in refugee camps in the form of written statements, described killings of civilians in homes, streets or fields, as well as the killing of people under arrest or in detention. Eight statements described the killing of soldiers not in combat; five statements referred to a mass grave found in Dherynia village.

<u>Commission's verdict:</u> By fourteen votes to one, the commission considered there were "very strong indications of violation of Article 2 and killings committed on a substantial scale".

2. Rape

Relevant Article of Human Rights Convention: "No one shall be subjected to torture or to inhuman or degrading treatment or punishment."

Charge by Greek Cypriots: Turkish troops were responsible for wholesale and repeated rapes of women of all ages from 12 to 71, sometimes to such an extent that the victims suffered haemorrhages or became mental wrecks. In some areas, enforced prostitution was practised, all women and girls of a village being collected and put into separate rooms in empty houses where they were raped repeatedly.

In certain cases, members of the same family were repeatedly raped, some of them in front of their own children. In other cases, women were brutally raped in public.

Rapes were on many occasions accompanied by brutalities, such as violent biting of the victims causing severe wounding, banging their heads on the floor and wringing their throats almost to the point of suffocation.

In some cases, attempts to rape were followed by the stabbing or killing of the victims, including pregnant and mentally-retarded women.

Evidence given to the commission:

Testimony of doctors C and H, who examined the victims, evidence by eyewitnesses and hearsay witnesses, and written statements from 41 alleged victims.

Doctor H said "he had confirmed rape in 70 cases", including:

- A mentally-retarded girl of 24 was raped in her house by 20 soldiers. When she started screaming, they threw her from the second-floor window. She fractured her spine and was paralyzed.
- One day after their arrival at Voni village, Turks took girls to a nearby house and raped them.
- One woman from Voni village was raped on three occasions, by four persons each time. She became pregnant.
- One girl from Palekyhthro village, who was held with others in a house, was taken out at gunpoint and raped.
- At Tanvu village, Turkish soldiers tried to rape a 17-year old schoolgirl. She resisted and was shot dead.
- A woman from Gypsou village told Dr H that 25 girls were kept by Turks at Marathouvouno village as prostitutes.

Another witness said that "his wife was raped in front of their children".

Witness S told of 25 girls, who complained to Turkish officers about being raped and were raped again by the officers.

A man reported that "his wife was stabbed in the neck while resisting rape". His grand-daughter, aged 6, had been stabbed and killed by Turkish soldiers attempting to rape her.

A Red Cross witness said that "in August 1974, while

the island's telephones were still working, the Red Cross Society received calls [...] reporting rapes".

The Red Cross also took care of 38 women released from Voni and Gypsou detention camps. All had been raped, some in front of their husbands and children. Others had been raped repeatedly, or put in houses frequented by Turkish soldiers.

These women were taken to Akrotiri hospital, in the British Base Area, where they were treated. Three were found to be pregnant. Reference was also made to several abortions performed at the base.

Commission's verdict: By twelve votes to one, the commission found that "the incidents of rape, described in the cases referred to, constitute 'inhuman treatment" in violation of Article 3, for which Turkey is responsible under the convention".

3. Torture

Relevant Article of Human Rights Convention: Same as above under Rape.

Charge by Greek-Cypriots: Hundreds of people, including children, women and pensioners, were victims of systematic torture and savage and humiliating treatment during their detention by the Turkish army. According to the allegations, sometimes they were beaten to the extent of being incapacitated. Many were subjected to whipping, breaking of their teeth, knocking their heads against walls, beating with electrified clubs, stubbing of cigarettes on their skin, jumping and stepping on their chests and hands, pouring dirty liquids on them, piercing with bayonets etc.

Many, it was said, were ill-treated to such an extent that they became mental and physical wrecks. The brutalities complained of reached their climax after the ceasefire agreements; in fact, most of the acts described were committed at a time when Turkish armed forces were not engaged in any war activities.

Evidence given to the commission:

The main witness was a schoolteacher, one of 2,000 Greek Cypriot men deported to Turkey. He stated that he and his fellow detainees were repeatedly beaten after their arrest, on their way to Adana (Turkey), in jail in Adana and in prison camp at Amasia.

On ship to Turkey: "[...] That was another moment of terrible beating again. We were tied all the time. I lost sense of touch. I could not feel anything for about two or three months. Every time we asked for water or spoke we were being beaten".

Arriving at Adana: "[...] then, one by one, they led us to prisons, through a long corridor [...] Going through that corridor was another terrible experience. There were about 100 soldiers from both sides with sticks, clubs and with their fists beating every one of us while going to the other end of the corridor. I was beaten at least 50 times until I reached the other end".

In Adana, anyone who said he wanted to see a doctor was beaten. "Beating was on the agenda every day. There were one or two very good, very nice people, but they were afraid to show their kindness, as they told us".

Witness P spoke of:

- A fellow prisoner who was kicked in the mouth. He lost several teeth “and his lower jaw came off in pieces”.

- A Turkish officer, a karate student, who exercised every day by hitting prisoners.

- Fellow prisoners who were hung by the feet over the hole of a lavatory for hours.

- A Turkish second lieutenant who used to prick all prisoners with a pin when they were taken into a yard.

- Doctor H evidenced that prisoners were in an emaciated condition on their return to Cyprus. On nine occasions he had found signs of wounds.

- The doctor gave a general description of conditions in Adana and in detention camps in Cyprus [...] as reported to him by former detainees:

- Food consisted of one-eighth of a loaf of bread a day, with occasional olives.

- There were two buckets of water and two mugs which were never cleaned, from which about 1,000 people had to drink.

- Toilets were filthy, with faeces rising over the basins.

- Floors were covered with faeces and urine.

- In Adana, prisoners were kept 76 to a cell, with three towels between them and one block of soap per eight persons per month, to wash themselves and their clothes.

- One man had to amputate his own toes with a razor blade, as a consequence of ill-treatment. Caught in Achna with another man, they had been beaten up with hard objects. When he had asked for a glass of water he was given a glass full of urine. His toes were then stepped on until they became blue, swollen and eventually gangrenous. The other man was said to have been taken to hospital in Nicosia, where he agreed to have his legs amputated. He did not survive the operation.

According to witness S, "hundreds of Greek Cypriots were beaten and dozens were executed. In some cases they have cut off their ears, like in the case in Palekythro and Trahoni [...]".

Verdict by commission: By twelve votes to one, the commission concluded that prisoners were in a number of cases physically ill-treated by Turkish soldiers. "These acts of ill-treatment have caused considerable injuries and, at least in one case, the death of the victim. By their severity they constitute 'inhuman treatment' in the sense of Article 3, for which Turkey is responsible under the convention".

4. Looting

Relevant Article of Human Rights Convention: "Every natural or legal person is entitled to the peaceful enjoyment of his possessions".

Charge by Greek Cypriots: In all Turkish-occupied areas, the Turkish army systematically looted Greek Cypriot houses and business premises.

Evidence given to the commission:

Witness C described the looting in the town of Kyrenia: "[...] During the first days, the looting of the shops was done by the army and was related to heavy things, like refrigerators, laundry machines, television sets etc. For weeks after the invasion, I watched Turkish naval ships taking on board the looted goods".

Witness K, a barrister, described the pillage of Famagusta: "[...] organised, systematic, terrifying, shocking, unbelievable looting started [...] we heard the breaking of doors, some of them iron doors, smashing of glass, and we were waiting for them any minute to enter the house. This lasted for about four hours."

Written statements by eyewitnesses of looting were corroborated in several reports by the secretary-general of the United Nations.

Verdict of the commission: By twelve votes to one, the commission accepted that "looting and robbery by Turkish troops and Turkish Cypriots had taken place on an extensive scale" and established that there had been extensive deprivation of possessions of Greek Cypriots.

D5: "The last church standing in occupied Cyprus"[164]

One lone church struggles to survive in a land where hundreds have been damaged or destroyed. But this is no ordinary land; it is the very ground where Apostle Paul took his first

164. Based on a reportage by Michelle A. Vu, "THE CHRISTIAN POST", 28 April 2008.

missionary journey to proclaim salvation through Jesus Christ to the Roman Empire.

Now, 2.000 years later, the small Mediterranean island of Cyprus is divided into two with the northern third occupied by Turkey.

According to The Republic of Cyprus, in the span of three decades under Turkish control, more than 530 churches and monasteries have been pillaged, vandalized, or destroyed in the occupied areas,

> "I cannot say that the destruction of churches is encouraged openly by the Turkish government. All I can say is that it is taking place in the area that is under direct control of the Turkish military, and I leave you to make your own conclusions from that".[165]

Since its 1974 invasion, Turkey has controlled the northern part of Cyprus which it refers to as the "Turkish Republic of Northern Cyprus." It is worth noting that no other state in the world except Turkey recognizes this entity.

Starting in 2003, Greek-Cypriots again were "allowed" to cross the border between the [free] Republic of Cyprus and the area under Turkish occupation control. It was around this time, that scholars and photographers were able to visit occupied Cyprus, to document the destruction of historic churches and artefacts.

St. Mamas Church, in the northwest town of Morphou, is the only notable church that is known to be semi-active in Turkey-controlled Cyprus.[166] The Turkish occupying regime

---

165. Andreas Kakouris, Cyprus Ambassador to the United States, to CHRISTIAN POST.
166. Source of information: The New York-based "HELLENIC TIMES" and the Embassy of The Republic of Cyprus in the United States.

sometimes give permission to the remaining Morphou residents, who since 1974 live as refugees in the free areas of the Republic of Cyprus, to worship in the church.

- According to statistics of the Republic of Cyprus other churches have not fared so well:
- About 133 churches, chapels and monasteries have been converted to military storage facilities, stables and night-clubs.
- A further number of 78 churches have been converted to mosques.
- Agia Anastasia church, in Lapithos, was converted into a casino hotel, while Sourp Magar Armenian monastery, founded in the medieval period, was converted into a cafeteria.
- A Neolithic settlement at the Cape of Apostolos Andreas-Kastros, in the occupied area of Rizokapraso, a site declared as an ancient monument by the Republic of Cyprus, was bulldozed by the Turkish Army, in order to plant two of its flagpoles on top of the historic hill.

  "This is not a Muslim-Christian issue [...] I don't think the Cyprus problem has ever been a religious issue between the Greek and Turkish Cypriots [...] If the Turkish government hadn't given the 'green light' on the destruction of churches and artefacts, they have not given the 'red light' either [...] So it is, either directly taking place or with their blind eye or whatever you want to call it. But they are responsible for what is taking place there".[167]

167. Andreas Kakouris, Cyprus Ambassador to the United States, to CHRISTIAN POST.

Furthermore:

- Over 15.000 portable religious icons were stolen and auctioned off around the world.
- Relics -which include fine icons, mosaics and frescoes from ancient Byzantine era- have turned up at auction houses around the world, including at the prestigious Sotheby's in New York.
- In January 2007, six icons were returned to the Church of Cyprus, after being smuggled out of the country. They were to be put up for auction at Sotheby's.
- Back in 1988, four pieces of an invaluable work of art, dating between 525 and 530 A.D., were recovered when a Turkish art dealer offered to sell it to an American antique dealer for $1 million. The American dealer contacted the Paul Getty Museum in Malibu to resell the mosaics for $20 million. The museum then informed the Cypriot Church about the art work.

  In the end, the courts of the United States ruled that the Cypriot Church was the legitimate owner of the pieces, and they are now on displayin the Byzantine Museum in Nicosia.

According to the Republic of Cyprus, it is estimated that more than 60.000 ancient artefacts have been illegally transferred to other countries. Sadly, most of these artefacts have yet to be recovered.

Cyprus has some of the finest collections of Byzantine art in the world, offering scholars and others the priceless study on the development of Byzantine wall-painting from the 8th-9th century until the 18th century A.D.

The United States has recognized Cyprus' endangered cultural heritage, and in 1999 and 2003 the U.S. Treasury Department issued emergency import restrictions on Byzantine Ecclesiastical and Ritual Ethnological Materials from Cyprus.

In 2002, the United States and the Republic of Cyprus signed a Memorandum of Understanding concerning the import restrictions on pre-classical and classical archaeological objects from Cyprus. The Memorandum was amended and renewed in 2006 and 2007 to include additional artefacts.

> "The Cyprus issue has been ignored for decades by the United States [...] Although there are issues that appear to be more important than the Cyprus issue, because we don't have that immediacy of seeing deaths or events on a daily basis in Cyprus and thankfully, that does not make the continuing occupation by Turkey of the northern part of Cyprus any more acceptable».[168]

168. Andreas Kakouris, Cyprus Ambassador to the United States, to CHRISTIAN POST.

Epilogue

On 20 July 1974, about 40.000 Turkish soldiers, backed by the Turkish air force and the Turkish navy, raided and illegally invaded the territory of the Republic of Cyprus, in violation of the Charter of the Security Council of the United Nations.

The Turkish invasion was performed in two stages and the raid was concluded by mid August, with the capture of the 37% of the territory of the Republic of Cyprus. This resulted in the uprooting of more than 200.000 people from their homes and properties, the killing of more than 4.000 troops and civilians and resulting in 1.619 missing persons.

The occupied territory covered 65% of agricultural land, 70% of mineral resources, 70% of industrial activity and 80% of the tourist installations of the Island.

> "[...] Her Majesty's Government cannot accept that the Turkish armed forces were acting otherwise, than as agents of the Government of Turkey. Nor can HMG accept that the government of Turkey (who have themselves claimed that the intervention of Turkish forces was justified on the basis of rights of Turkey under the 1960 Treaty of Guarantee) were acting as agents of the Turkish Cypriot community. The Turkish Cypriot community had no standing, under either Cypriot or International Law, to authorise such action [...]".[169]

Since then (35 years), the British continue to support Turkey in their false international propaganda:

169. Foreign & Commonwealth Office Document FCO 9/2162, August 1975.

I. That "it was not a raid and illegal invasion, but a peaceful intervention, aiming to restore constitutional order and the status quo that existed prior to the coup of 15 July 1974"!

II. That "the right of intervention is provided by the Treaty of Guarantee of the Republic of Cyprus, which was drafted with the aim to safeguard the independence, the sovereignty and the territorial integrity of the Republic of Cyprus"!

III. That "the Greek-Cypriots are to blame for the developments from 1955 to 1974, because they had enforced a policy of genocide against the Turkish-Cypriots"!

Lie I is refuted by what is documented in Chapter D.

Lie II is refuted by the Treaty of Guarantee itself, which:

> "Does NOT give to the Guarantor Powers the right of military intervention, except and only if 1st the guaranteeing country needs to defend itself in the case of invasion by a third country, 2nd the United Nations ask one of the guarantor powers for such a military intervention and 3rd the Republic of Cyprus asks for a military intervention and the United Nations Security Council agrees to that demand."
>
> The Republic of Cyprus had never asked Turkey to intervene militarily and the United Nations Security Council never agreed to such a demand.

Lie III is refuted by all the documented contents of this book.